유형
해결의 법칙

Chunjae
Makes
Chunjae

▼

[유형 해결의 법칙] 초등 수학 4-2

기획총괄   김안나
편집개발   이근우, 서진호, 박웅, 최경환
디자인총괄 김희정
표지디자인 윤순미, 여화경
내지디자인 박희춘, 이혜미
제작   황성진, 조규영

발행일   2022년 3월 1일 개정초판 2023년 3월 1일 2쇄
발행인   (주)천재교육
주소   서울시 금천구 가산로9길 54
신고번호   제2001-000018호
고객센터   1577-0902

유형 해결의 법칙 BOOK 1 QR 활용 안내

오답 노트

틀린 문제 저장! 출력!

학습을 마칠 때에는 **오답노트**에 어떤 문제를 틀렸는지 표시해.
나중에 틀린 문제만 모아서 다시 풀면 **실력도 쑥쑥** 늘겠지?

① 오답노트 앱을 설치 후 로그인
② 책 표지의 QR 코드를 스캔하여 내 교재 등록
③ 오답 노트를 작성할 교재 아래에 있는 ⑭ 를 터치하여 문항 번호를 선택하기

문항번호 선택

날짜별 또는 단원별 보기

틀린 문제는 모르는 채 넘어 가지 말자구!

인쇄 가능

자세한 개념 동영상

단원별로 필요한 기본 개념은 QR을 찍어 동영상으로 자세하게 학습할 수 있습니다.

1단계 · 1. 분수의 덧셈과 뺄셈
핵심 개념

개념에 대한 자세한 동영상 강의를 시청하세요.

문제 생성기

추가적인 문제는 QR을 찍으면 더 풀 수 있습니다.

기초 문제

QR 코드를 찍어 보세요.
새로운 문제를 계속 풀 수 있어요.

문제 풀이 동영상

문제 풀이 동영상 강의

2-2 어떤 수에 169를 더해야 할 것을 잘못하여 169를 뺐더니 452가 되었습니다. 바르게 계산한 값을 구하시오.

 **Book ❶ 기본** 난이도 하와 중의 문제로 구성하였습니다.

핵심 개념+기초 문제

단원별로 꼭 필요한 핵심 개념만 모았습니다. 필요한 기본 개념은 QR을 찍어 동영상으로 학습할 수 있습니다.

단원별 기초 문제를 통해 기초력 확인을 하고 추가적인 문제는 QR을 찍으면 더 풀수 있습니다.

▶ 개념 동영상 강의 제공

문제 생성기

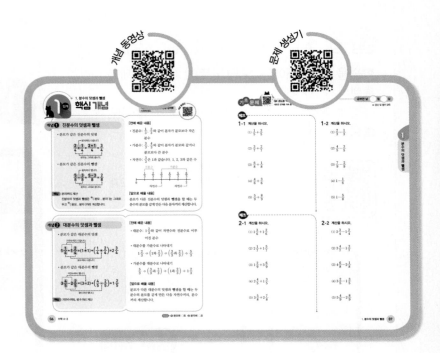

기본 유형

단원별로 기본적인 유형에 해당하는 문제를 모았습니다.

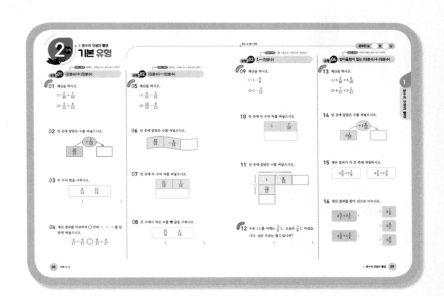

2 단계

잘 틀리는 유형+서술형 유형

잘 틀리는 유형으로 오답을 피할 수 있도록 연습하고 특히 함정 유형에서 함정에 빠지지 않도록 연습합니다.

서술형 유형은 서술형 문제를 연습할 수 있습니다.

▶ 동영상 강의 제공

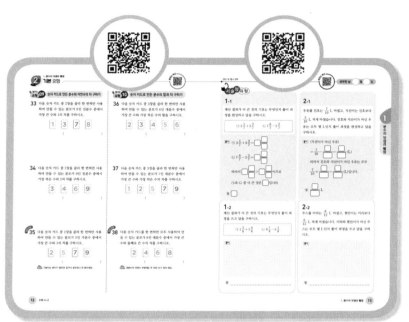

3 단계

유형(단원)평가

단원별로 공부한 기본 유형을 제대로 공부했는지 유형 평가를 통해 복습할 수 있습니다.

단원평가 제공

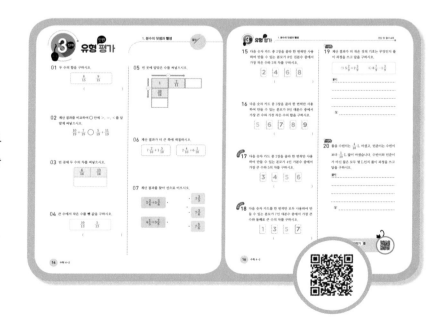

차례

1

분수의 덧셈과 뺄셈

핵심 개념

개념에 대한 **자세한 동영상 강의를** 시청하세요.

개념 동영상

개념 ❶ 진분수의 덧셈과 뺄셈

- 분모가 같은 진분수의 덧셈

분자끼리 더합니다.

$$\frac{2}{4} + \frac{1}{4} = \frac{2+1}{4} = \frac{3}{4}$$

분모는 그대로 씁니다.

- 분모가 같은 진분수의 뺄셈

분자끼리 뺍니다.

$$\frac{5}{8} - \frac{3}{8} = \frac{5-3}{8} = \frac{2}{8}$$

분모는 그대로 씁니다.

핵심 분자끼리 계산

진분수의 덧셈과 뺄셈은 ❶(분모 , 분자)는 그대로 두고 ❷(분모 , 분자)끼리 계산합니다.

[전에 배운 내용]

- 진분수: $\frac{1}{3}$, $\frac{2}{3}$와 같이 분자가 분모보다 작은 분수
- 가분수: $\frac{3}{3}$, $\frac{4}{3}$와 같이 분자가 분모와 같거나 분모보다 큰 분수
- 자연수: $\frac{3}{3}$은 1과 같습니다. 1, 2, 3과 같은 수

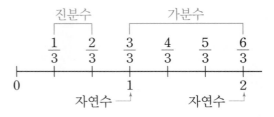

[앞으로 배울 내용]

분모가 다른 진분수의 덧셈과 뺄셈을 할 때는 두 분수의 분모를 같게 만든 다음 분자끼리 계산합니다.

개념 ❷ 대분수의 덧셈과 뺄셈

- 분모가 같은 대분수의 덧셈

자연수끼리 더합니다.

$$1\frac{1}{4} + 1\frac{2}{4} = (1+1) + \left(\frac{1}{4} + \frac{2}{4}\right) = 2\frac{3}{4}$$

분수끼리 더합니다.

- 분모가 같은 대분수의 뺄셈

자연수끼리 뺍니다.

$$3\frac{4}{5} - 2\frac{2}{5} = (3-2) + \left(\frac{4}{5} - \frac{2}{5}\right) = 1\frac{2}{5}$$

분수끼리 뺍니다.

핵심 자연수끼리, 분수끼리 계산

[전에 배운 내용]

- 대분수: $1\frac{2}{3}$와 같이 자연수와 진분수로 이루어진 분수
- 대분수를 가분수로 나타내기

$$1\frac{2}{3} \rightarrow \left(1과 \frac{2}{3}\right) \rightarrow \left(\frac{3}{3}과 \frac{2}{3}\right) \rightarrow \frac{5}{3}$$

- 가분수를 대분수로 나타내기

$$\frac{5}{3} \rightarrow \left(\frac{3}{3}과 \frac{2}{3}\right) \rightarrow \left(1과 \frac{2}{3}\right) \rightarrow 1\frac{2}{3}$$

[앞으로 배울 내용]

분모가 다른 대분수의 덧셈과 뺄셈을 할 때는 두 분수의 분모를 같게 만든 다음 자연수끼리, 분수끼리 계산합니다.

정답 ❶ 분모에 ○표 ❷ 분자에 ○표

체크

1-1 계산을 하시오.

(1) $\dfrac{1}{5} + \dfrac{3}{5}$

(2) $\dfrac{3}{7} + \dfrac{2}{7}$

(3) $\dfrac{6}{8} + \dfrac{1}{8}$

(4) $\dfrac{4}{6} + \dfrac{3}{6}$

(5) $\dfrac{5}{9} + \dfrac{8}{9}$

1-2 계산을 하시오.

(1) $\dfrac{2}{3} - \dfrac{1}{3}$

(2) $\dfrac{4}{5} - \dfrac{3}{5}$

(3) $\dfrac{7}{9} - \dfrac{2}{9}$

(4) $1 - \dfrac{1}{6}$

(5) $1 - \dfrac{5}{8}$

체크

2-1 계산을 하시오.

(1) $1\dfrac{3}{6} + 1\dfrac{2}{6}$

(2) $2\dfrac{1}{7} + 1\dfrac{5}{7}$

(3) $1\dfrac{2}{9} + 3\dfrac{6}{9}$

(4) $2\dfrac{4}{5} + 1\dfrac{3}{5}$

(5) $3\dfrac{5}{8} + 2\dfrac{7}{8}$

2-2 계산을 하시오.

(1) $2\dfrac{3}{4} - 1\dfrac{2}{4}$

(2) $3\dfrac{4}{7} - 1\dfrac{3}{7}$

(3) $4\dfrac{6}{8} - 2\dfrac{1}{8}$

(4) $3\dfrac{2}{5} - 1\dfrac{3}{5}$

(5) $5\dfrac{4}{9} - 2\dfrac{8}{9}$

1. 분수의 덧셈과 뺄셈

2단계 기본 유형

핵심 내용 ▸ 분모는 그대로 두고 분자끼리 더하기

유형 01 (진분수)＋(진분수)

01 계산을 하시오.

(1) $\dfrac{2}{10}+\dfrac{7}{10}$

(2) $\dfrac{3}{12}+\dfrac{8}{12}$

02 빈 곳에 알맞은 수를 써넣으시오.

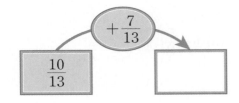

03 두 수의 합을 구하시오.

$\dfrac{6}{14}$	$\dfrac{11}{14}$

(   )

04 계산 결과를 비교하여 ○ 안에 ＞, ＝, ＜를 알맞게 써넣으시오.

$$\dfrac{4}{17}+\dfrac{9}{17} \bigcirc \dfrac{8}{17}+\dfrac{6}{17}$$

핵심 내용 ▸ 분모는 그대로 두고 분자끼리 빼기

유형 02 (진분수)－(진분수)

05 계산을 하시오.

(1) $\dfrac{5}{11}-\dfrac{3}{11}$

(2) $\dfrac{12}{13}-\dfrac{9}{13}$

06 빈 곳에 알맞은 수를 써넣으시오.

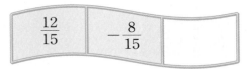

07 빈 곳에 두 수의 차를 써넣으시오.

$\dfrac{11}{12}$	$\dfrac{7}{12}$

08 큰 수에서 작은 수를 뺀 값을 구하시오.

$\dfrac{15}{16}$	$\dfrac{4}{16}$

(   )

→ 핵심 내용 1을 가분수로 나타낸 후 계산하기

유형 **03** 1−(진분수)

교과서 유형
09 계산을 하시오.

(1) $1 - \dfrac{4}{9}$

(2) $1 - \dfrac{5}{11}$

10 빈 곳에 두 수의 차를 써넣으시오.

1	$\dfrac{7}{12}$

11 빈 곳에 알맞은 수를 써넣으시오.

1	$\dfrac{8}{15}$	
$\dfrac{12}{17}$		

익힘책 유형
12 우유 1 L를 어제는 $\dfrac{2}{8}$ L, 오늘은 $\dfrac{3}{8}$ L 마셨습니다. 남은 우유는 몇 L입니까?

(　　　　　　　)

→ 핵심 내용 자연수끼리, 분수끼리 더하기

유형 **04** 받아올림이 없는 (대분수)＋(대분수)

교과서 유형
13 계산을 하시오.

(1) $3\dfrac{2}{10} + 2\dfrac{5}{10}$

(2) $4\dfrac{7}{11} + 5\dfrac{1}{11}$

14 빈 곳에 알맞은 수를 써넣으시오.

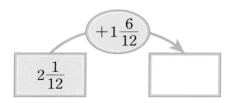

15 계산 결과가 더 큰 쪽에 색칠하시오.

$3\dfrac{5}{9} + 2\dfrac{1}{9}$	$4\dfrac{2}{9} + 1\dfrac{3}{9}$

16 계산 결과를 찾아 선으로 이으시오.

$3\dfrac{5}{7} + 2\dfrac{1}{7}$ ・

$4\dfrac{5}{8} + 1\dfrac{2}{8}$ ・

・ $5\dfrac{7}{8}$

・ $5\dfrac{6}{7}$

・ $5\dfrac{6}{8}$

→ 핵심 내용 자연수끼리, 분수끼리 더하기 → 핵심 내용 자연수끼리, 분수끼리 빼기

유형 **05** 받아올림이 있는 (대분수)＋(대분수)

17 계산을 하시오.

(1) $4\frac{7}{9}+2\frac{4}{9}$

(2) $8\frac{5}{7}+3\frac{6}{7}$

18 빈 곳에 알맞은 수를 써넣으시오.

| $1\frac{8}{11}$ | $+2\frac{6}{11}$ | |

19 계산 결과가 3과 4 사이인 덧셈식에 색칠하시오.

| $1\frac{7}{8}+2\frac{4}{8}$ |

| $2\frac{3}{8}+1\frac{4}{8}$ |

20 가장 큰 수와 가장 작은 수의 합을 구하시오.

| $2\frac{9}{15}$ $3\frac{11}{15}$ $1\frac{8}{15}$ |

( )

유형 **06** 받아내림이 없는 (대분수)－(대분수)

21 계산을 하시오.

(1) $7\frac{14}{17}-3\frac{6}{17}$

(2) $8\frac{6}{11}-5\frac{3}{11}$

22 빈 곳에 두 수의 차를 써넣으시오.

$5\frac{11}{12}$	$2\frac{7}{12}$

23 빈 곳에 알맞은 수를 써넣으시오.

－

$10\frac{11}{13}$	$3\frac{2}{13}$	
$7\frac{12}{13}$	$5\frac{9}{13}$	

24 계산 결과를 비교하여 ○ 안에 ＞, ＝, ＜를 알맞게 써넣으시오.

$4\frac{8}{10}-3\frac{2}{10}$ ○ $6\frac{7}{10}-5\frac{2}{10}$

→ 핵심 내용 자연수에서 1만큼을 가분수로 바꾸기

유형 07 (자연수)-(분수)

25 계산을 하시오.

(1) $7 - \dfrac{2}{13}$

(2) $9 - \dfrac{3}{8}$

26 빈 곳에 알맞은 수를 써넣으시오.

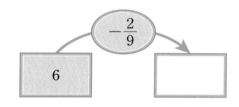

27 ☐ 안에 알맞은 수를 써넣으시오.

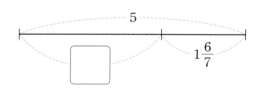

28 보기 에서 두 수를 골라 ☐ 안에 한 번씩만 써넣어 계산 결과가 가장 큰 뺄셈식을 만들고 계산 결과를 구하시오.

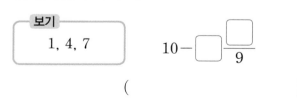

(   )

→ 핵심 내용 자연수에서 1만큼을 가분수로 바꾸기

유형 08 받아내림이 있는 (대분수)-(대분수)

29 계산을 하시오.

(1) $4\dfrac{5}{9} - 1\dfrac{6}{9}$

(2) $6\dfrac{7}{11} - 2\dfrac{10}{11}$

30 빈 곳에 두 수의 차를 써넣으시오.

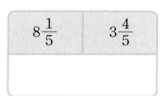

31 빈 곳에 알맞은 수를 써넣으시오.

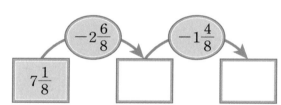

32 가장 큰 수와 가장 작은 수의 차를 구하시오.

| $6\dfrac{8}{10}$ | $9\dfrac{2}{10}$ | $6\dfrac{5}{10}$ |

(   )

1 분수의 덧셈과 뺄셈

2단계 **기본유형**

잘 틀리는 **유형 09** 숫자 카드로 만든 분수와 자연수의 차 구하기

33 다음 숫자 카드 중 2장을 골라 한 번씩만 사용하여 만들 수 있는 분모가 8인 진분수 중에서 가장 큰 수와 1의 차를 구하시오.

| 1 | 3 | 7 | 8 |

(   )

34 다음 숫자 카드 중 2장을 골라 한 번씩만 사용하여 만들 수 있는 분모가 9인 진분수 중에서 가장 작은 수와 2의 차를 구하시오.

| 3 | 4 | 6 | 9 |

(   )

35 다음 숫자 카드 중 2장을 골라 한 번씩만 사용하여 만들 수 있는 분모가 5인 가분수 중에서 가장 큰 수와 3의 차를 구하시오.

| 2 | 5 | 7 | 9 |

(   )

KEY 가분수는 분자가 분모와 같거나 분모보다 큰 분수예요.

잘 틀리는 **유형 10** 숫자 카드로 만든 분수의 합과 차 구하기

36 다음 숫자 카드 중 3장을 골라 한 번씩만 사용하여 만들 수 있는 분모가 6인 대분수 중에서 가장 큰 수와 가장 작은 수의 합을 구하시오.

| 2 | 3 | 4 | 5 | 6 |

(   )

37 다음 숫자 카드 중 3장을 골라 한 번씩만 사용하여 만들 수 있는 분모가 7인 대분수 중에서 가장 큰 수와 가장 작은 수의 차를 구하시오.

| 1 | 2 | 5 | 7 | 9 |

(   )

38 다음 숫자 카드를 한 번씩만 모두 사용하여 만들 수 있는 분모가 8인 대분수 중에서 가장 큰 수와 둘째로 큰 수의 차를 구하시오.

| 2 | 4 | 6 | 8 |

(   )

KEY 대분수의 자연수 부분에는 두 자리 수가 와야 해요.

공부한 날 ◯ 월 ◯ 일

서술형 유형

1 분수의 덧셈과 뺄셈

1-1

계산 결과가 더 큰 것의 기호는 무엇인지 풀이 과정을 완성하고 답을 구하시오.

$$\bigcirc \ 2\frac{1}{7}+3\frac{2}{7} \qquad \bigcirc \ 7\frac{6}{7}-2\frac{2}{7}$$

(풀이) $\bigcirc \ 2\frac{1}{7}+3\frac{2}{7}=\boxed{}\dfrac{\boxed{}}{\boxed{}}$

$\bigcirc \ 7\frac{6}{7}-2\frac{2}{7}=\boxed{}\dfrac{\boxed{}}{\boxed{}}$

따라서 $\boxed{}\dfrac{\boxed{}}{\boxed{}} > \boxed{}\dfrac{\boxed{}}{\boxed{}}$ 이므로

㉠과 ㉡ 중 더 큰 것은 $\boxed{}$ 입니다.

(답) $\boxed{}$

1-2

계산 결과가 더 큰 것의 기호는 무엇인지 풀이 과정을 쓰고 답을 구하시오.

$$\bigcirc \ 1\frac{3}{8}+3\frac{4}{8} \qquad \bigcirc \ 9\frac{7}{8}-5\frac{1}{8}$$

(풀이)

(답) _____

2-1

우유를 진호는 $\frac{7}{10}$ L 마셨고, 지선이는 진호보다 $\frac{5}{10}$ L 적게 마셨습니다. 진호와 지선이가 마신 우유는 모두 몇 L인지 풀이 과정을 완성하고 답을 구하시오.

(풀이) (지선이가 마신 우유)

$$=\frac{7}{10}-\dfrac{\boxed{}}{\boxed{}}=\dfrac{\boxed{}}{\boxed{}}\text{(L)}$$

따라서 진호와 지선이가 마신 우유는 모두

$$\frac{7}{10}+\dfrac{\boxed{}}{\boxed{}}=\dfrac{\boxed{}}{\boxed{}}\text{(L)}입니다.$$

(답) $\dfrac{\boxed{}}{\boxed{}}$ L

2-2

주스를 미라는 $\frac{8}{12}$ L 마셨고, 현민이는 미라보다 $\frac{6}{12}$ L 적게 마셨습니다. 미라와 현민이가 마신 주스는 모두 몇 L인지 풀이 과정을 쓰고 답을 구하시오.

(풀이)

(답) _____

3 단계 유형 평가

01 두 수의 합을 구하시오.

$$\frac{8}{15} \qquad \frac{9}{15}$$

( )

02 계산 결과를 비교하여 ○ 안에 >, =, <를 알맞게 써넣으시오.

$$\frac{10}{19}+\frac{7}{19} \bigcirc \frac{5}{19}+\frac{11}{19}$$

03 빈 곳에 두 수의 차를 써넣으시오.

$$\frac{6}{14} \qquad \frac{13}{14}$$

04 큰 수에서 작은 수를 뺀 값을 구하시오.

$$\frac{10}{13} \qquad \frac{5}{13}$$

( )

05 빈 곳에 알맞은 수를 써넣으시오.

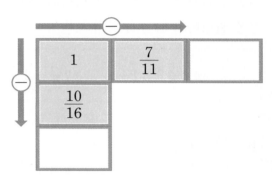

06 계산 결과가 더 큰 쪽에 색칠하시오.

$$7\frac{2}{10}+1\frac{5}{10} \qquad 2\frac{4}{10}+6\frac{1}{10}$$

07 계산 결과를 찾아 선으로 이으시오.

$$2\frac{2}{6}+5\frac{3}{6} \quad \cdot$$

$$4\frac{1}{5}+3\frac{2}{5} \quad \cdot$$

$$\cdot \quad 7\frac{3}{5}$$

$$\cdot \quad 7\frac{3}{6}$$

$$\cdot \quad 7\frac{5}{6}$$

08 계산 결과가 5와 6 사이인 덧셈식에 색칠하시오.

$$1\frac{5}{7}+4\frac{1}{7}$$

$$3\frac{4}{7}+2\frac{5}{7}$$

09 가장 큰 수와 가장 작은 수의 합을 구하시오.

$$3\frac{8}{12} \qquad 2\frac{5}{12} \qquad 4\frac{11}{12}$$

(　　　　　　　)

10 빈 곳에 두 수의 차를 써넣으시오.

$6\frac{12}{17}$	$4\frac{5}{17}$

11 빈 곳에 알맞은 수를 써넣으시오.

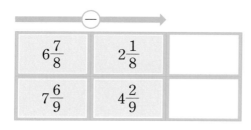

12 ☐ 안에 알맞은 수를 써넣으시오.

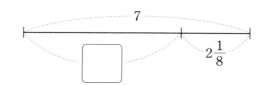

13 빈 곳에 알맞은 수를 써넣으시오.

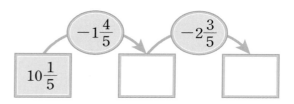

14 가장 큰 수와 가장 작은 수의 차를 구하시오.

$$4\frac{3}{11} \qquad 8\frac{1}{11} \qquad 5\frac{6}{11}$$

(　　　　　　　)

1

분수의 덧셈과 뺄셈

15 다음 숫자 카드 중 2장을 골라 한 번씩만 사용하여 만들 수 있는 분모가 8인 진분수 중에서 가장 작은 수와 2의 차를 구하시오.

| 2 | 4 | 6 | 8 |

(   )

16 다음 숫자 카드 중 3장을 골라 한 번씩만 사용하여 만들 수 있는 분모가 9인 대분수 중에서 가장 큰 수와 가장 작은 수의 합을 구하시오.

| 5 | 6 | 7 | 8 | 9 |

(   )

17 다음 숫자 카드 중 2장을 골라 한 번씩만 사용하여 만들 수 있는 분모가 4인 가분수 중에서 가장 큰 수와 5의 차를 구하시오.

| 3 | 4 | 5 | 6 |

(   )

18 다음 숫자 카드를 한 번씩만 모두 사용하여 만들 수 있는 분모가 7인 대분수 중에서 가장 큰 수와 둘째로 큰 수의 차를 구하시오.

| 1 | 3 | 5 | 7 |

(   )

서술형

19 계산 결과가 더 작은 것의 기호는 무엇인지 풀이 과정을 쓰고 답을 구하시오.

$$\bigcirc \ 5\frac{2}{9}+2\frac{3}{9} \qquad \bigcirc \ 8\frac{7}{9}-1\frac{3}{9}$$

풀이

답

서술형

20 물을 수빈이는 $\frac{4}{10}$ L 마셨고, 민준이는 수빈이보다 $\frac{1}{10}$ L 많이 마셨습니다. 수빈이와 민준이가 마신 물은 모두 몇 L인지 풀이 과정을 쓰고 답을 구하시오.

풀이

답

QR 코드를 찍어 단원평가 를 풀어 보세요.

2 삼각형

1단계 핵심 개념

개념에 대한 **자세한 동영상 강의**를 시청하세요.

개념 ❶ 이등변삼각형, 정삼각형

이등변삼각형	정삼각형
두 변의 길이가 같고, 두 각의 크기가 같음	세 변의 길이가 같고, 세 각의 크기가 같음

핵심 길이가 같은 변의 개수

두 변의 길이가 같은 삼각형을

❶ ☐☐☐☐☐☐ 이라고 합니다.

세 변의 길이가 같은 삼각형을

❷ ☐☐☐☐ 이라고 합니다.

정삼각형의 한 각의 크기는 ❸ ☐° 입니다.

[전에 배운 내용]

• 삼각형: 곧은 선 3개로 둘러싸인 도형

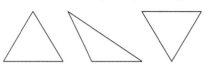

• 삼각형의 곧은 선을 변이라고 합니다.
• 두 곧은 선이 만나는 점을 꼭짓점이라고 합니다.

삼각형의 변의 수	삼각형의 꼭짓점의 수
→ 3개	→ 3개

[앞으로 배울 내용]

• 두 직선이 만나서 이루는 각이 직각일 때 두 직선은 서로 수직이라고 합니다.
• 서로 만나지 않는 두 직선을 평행선이라고 합니다.

개념 ❷ 예각삼각형, 둔각삼각형

예각삼각형	둔각삼각형
예각 / 예각 3개	예각 / 둔각 / 둔각 1개

핵심 예각, 둔각의 수

세 각이 모두 예각인 삼각형을

❹ ☐☐☐☐☐ 이라고 합니다.

한 각이 직각인 삼각형을

❺ ☐☐☐☐☐ 이라고 합니다.

한 각이 둔각인 삼각형을

❻ ☐☐☐☐☐ 이라고 합니다.

[전에 배운 내용]

• 예각: 각도가 0°보다 크고 직각보다 작은 각
• 직각: 종이를 반듯하게 두 번 접었을 때 생기는 각(90°)
• 둔각: 각도가 직각보다 크고 180°보다 작은 각

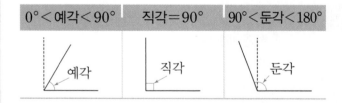

0°<예각<90°	직각=90°	90°<둔각<180°
예각	직각	둔각

[앞으로 배울 내용]

• 사다리꼴: 평행한 변이 한 쌍이라도 있는 사각형
• 평행사변형: 마주 보는 두 쌍의 변이 서로 평행한 사각형
• 마름모: 네 변의 길이가 모두 같은 사각형

정답 ❶ 이등변삼각형 ❷ 정삼각형 ❸ 60 ❹ 예각삼각형 ❺ 직각삼각형 ❻ 둔각삼각형

체크

1-1 알맞은 삼각형에 ○표 하시오.

(1) 이등변삼각형

(   )   (   )

(2) 정삼각형

 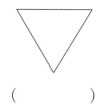

(   )   (   )

1-2 □ 안에 알맞은 수를 써넣으시오.

(1) 이등변삼각형

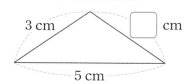

(2) 정삼각형

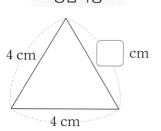

체크

2-1 알맞은 삼각형에 ○표 하시오.

(1) 예각삼각형

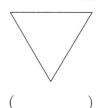 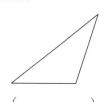

(   )   (   )

(2) 둔각삼각형

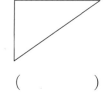 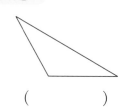

(   )   (   )

2-2 다음 삼각형은 예각삼각형과 둔각삼각형 중 무엇입니까?

(1)

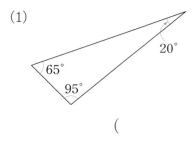

(   )

(2)

(   )

2단계 기본유형

→ 핵심 내용 두 변의 길이가 같으면 이등변삼각형,
세 변의 길이가 같으면 정삼각형

유형 **01** 삼각형을 변의 길이에 따라 분류하기

01 변 ㄱㄴ의 길이는 몇 cm입니까?

(1) 이등변삼각형   (2) 정삼각형

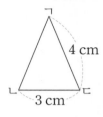 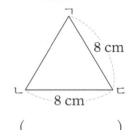

(   )   (   )

[02~03] 삼각형을 보고 물음에 답하시오.

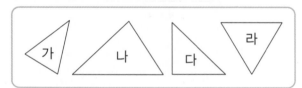

02 이등변삼각형을 모두 찾아 기호를 쓰시오.

(   )

03 정삼각형을 찾아 기호를 쓰시오.

(   )

04 다음과 같이 한 변의 길이가 7 cm인 정삼각형의 세 변의 길이의 합은 몇 cm입니까?

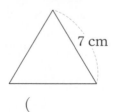

(   )

05 다음 정삼각형의 세 변의 길이의 합은 27 cm입니다. ☐ 안에 알맞은 수를 써넣으시오.

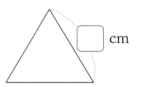

06 다음 삼각형 ㄱㄴㄷ은 이등변삼각형입니다. 삼각형 ㄱㄴㄷ의 세 변의 길이의 합은 몇 cm입니까?

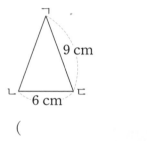

(   )

07 다음 이등변삼각형 ㄱㄴㄷ의 세 변의 길이의 합은 28 cm입니다. 변 ㄱㄴ의 길이는 몇 cm입니까?

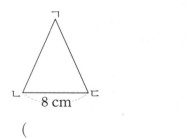

(   )

→ **핵심 내용** 두 변의 길이가 같고, 두 각의 크기가 같음

유형 02 이등변삼각형의 성질

→ **핵심 내용** 세 변의 길이가 같고, 세 각의 크기가 같음

유형 03 정삼각형의 성질

08 이등변삼각형입니다. □ 안에 알맞은 수를 써넣으시오.

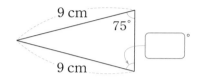

09 주어진 선분을 한 변으로 하는 이등변삼각형을 완성하시오.

10 주어진 선분의 양 끝에 크기가 각각 45°인 각을 그리고, 두 각의 변이 만나는 점을 이어 이등변삼각형을 완성하시오.

_____

11 다음 삼각형 ㄱㄴㄷ은 이등변삼각형입니다. 각 ㄴㄱㄷ의 크기는 몇 도입니까?

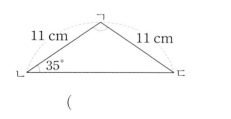

(   )

12 정삼각형에 대한 설명이 **틀린** 것을 모두 고르시오. ······························ (   )

① 세 각의 크기의 합은 180°입니다.
② 한 각이 직각입니다.
③ 두 각이 직각입니다.
④ 세 각의 크기가 같습니다.
⑤ 세 변의 길이가 같습니다.

13 주어진 선분을 한 변으로 하는 정삼각형을 완성하시오.

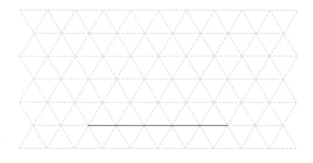

14 똑같은 정삼각형 2개를 변끼리 이어 붙여서 사각형 ㄱㄴㄷㄹ을 만들었습니다. 각 ㄴㄱㄹ의 크기는 몇 도입니까?

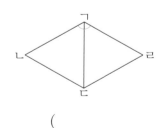

(   )

2 삼각형

2 **기본 유형**

> 핵심 내용 → 세 각이 모두 예각이면 예각삼각형,
> 한 각이 둔각이면 둔각삼각형

유형 **04** 삼각형을 각의 크기에 따라 분류하기

15 알맞은 말에 ◯표 하시오.

(1) 예각삼각형은 (한 , 두 , 세) 각이 모두 예각
인 삼각형입니다.

(2) 둔각삼각형은 (한 , 두 , 세) 각이 둔각인
삼각형입니다.

16 (   ) 안에 예각삼각형은 '예', 둔각삼각형은
'둔', 직각삼각형은 '직'을 써넣으시오.

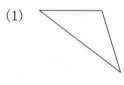

(1)   (2)

(   )   (   )

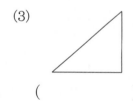

(3)   (4)

(   )   (   )

17 삼각형의 세 각의 크기를 나타낸 것입니다.
예각삼각형은 어느 것입니까? ……(　)

① 30°, 60°, 90°   ② 50°, 30°, 100°

③ 45°, 45°, 90°   ④ 35°, 45°, 100°

⑤ 55°, 55°, 70°

[18~19] 삼각형을 보고 물음에 답하시오.

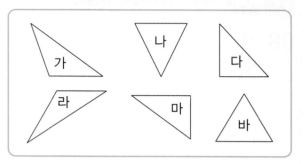

18 예각삼각형을 모두 찾아 기호를 쓰시오.

(　　　　　　　)

19 둔각삼각형을 모두 찾아 기호를 쓰시오.

(　　　　　　　)

20 둔각삼각형에 대해 바르게 말한 사람은 누구
입니까?

> 미라: 둔각삼각형은 두 각이 둔각인 삼각형
> 이야.
> 현철: 한 각의 크기가 120°인 삼각형은 둔각
> 삼각형이야.

(　　　　　　　)

21 주어진 선분을 한 변으로 하는 둔각삼각형을
완성하려고 합니다. 선분의 양 끝과 어느 점을
이어야 합니까? ………………(　)

①　②　③　④　⑤
●　●　●　●　●

_____

22 점 종이에 주어진 삼각형을 1개 그리시오.

(1) 예각삼각형   (2) 둔각삼각형

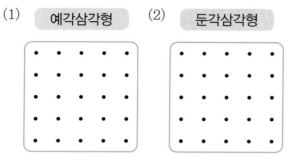

23 주어진 선분을 한 변으로 하고 한 각의 크기가 85°인 예각삼각형을 완성하시오.

_____

24 이등변삼각형이면서 둔각삼각형인 삼각형을 그리시오.

25 직사각형 모양의 색종이를 점선을 따라 모두 잘랐을 때 생기는 예각삼각형과 둔각삼각형의 개수의 차는 몇 개입니까?

(   )

유형 **05** 삼각형을 두 가지 기준으로 분류하기

26 관계있는 것끼리 선으로 이으시오.

이등변삼각형 •

정삼각형 •

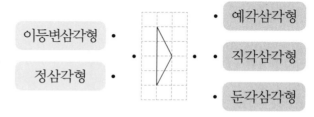

• 예각삼각형

• 직각삼각형

• 둔각삼각형

27 예각삼각형이면서 이등변삼각형인 것을 찾아 기호를 쓰시오.

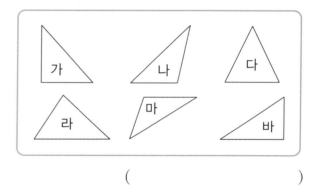

(   )

28 삼각형을 분류하여 표의 빈 곳에 알맞은 기호를 써넣으시오.

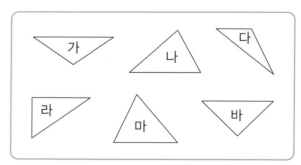

	예각삼각형	직각삼각형	둔각삼각형
이등변삼각형			
세 변의 길이가 모두 다른 삼각형			

잘 틀리는 유형 06 주어진 삼각형에 알맞은 길이 찾기

29 삼각형의 세 변의 길이를 나타낸 것입니다. 정삼각형에 ○표 하시오.

2 cm, 6 cm, 7 cm	5 cm, 5 cm, 5 cm
( )	( )

30 삼각형의 세 변의 길이를 나타낸 것입니다. 이등변삼각형을 찾아 기호를 쓰시오.

> ㉠ 3 cm, 6 cm, 8 cm
> ㉡ 4 cm, 4 cm, 7 cm
> ㉢ 5 cm, 7 cm, 9 cm

(   )

함정유형 31 삼각형의 세 변의 길이가 되려면 다음 조건을 만족해야 합니다. 어떤 이등변삼각형의 세 변의 길이가 각각 4 cm, 8 cm, ㉠ cm일 때 ㉠이 될 수 있는 수를 구하시오.

> ＼조건／
> 가장 긴 변의 길이는 나머지 두 변의 길이의 합보다 짧습니다.

(   )

KEY 이등변삼각형이므로 ㉠은 4 또는 8 이외에는 될 수 없어요.

잘 틀리는 유형 07 주어진 삼각형에 알맞은 각도 찾기

32 삼각형의 세 각 중에서 두 각의 크기를 나타낸 것입니다. 예각삼각형에 ○표 하시오.

30°, 55°	40°, 65°
( )	( )

33 삼각형의 세 각 중에서 두 각의 크기를 나타낸 것입니다. 이등변삼각형을 찾아 기호를 쓰시오.

> ㉠ 55°, 75°
> ㉡ 65°, 50°

(   )

함정유형 34 한 각의 크기가 30°인 둔각삼각형을 그리려고 합니다. 둔각삼각형의 다른 한 각의 크기가 될 수 있는 각도에 ○표 하시오.

50°	60°	70°
( )	( )	( )

KEY 둔각삼각형은 한 각이 둔각이어야 해요.

서술형 유형

1-1

이등변삼각형 ㄱㄴㄷ의 세 변의 길이의 합은 50 cm입니다. 변 ㄴㄷ의 길이는 몇 cm인지 풀이 과정을 완성하고 답을 구하시오.

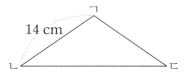

풀이 이등변삼각형은 두 변의 길이가 같으므로

(변 ㄱㄷ)=(변 [　　])=[　　] cm입니다.

따라서 변 ㄴㄷ의 길이는

50-[　　]-[　　]=[　　] (cm)입니다.

답 [　　] cm

1-2

이등변삼각형 ㄱㄴㄷ의 세 변의 길이의 합은 46 cm입니다. 변 ㄱㄴ의 길이는 몇 cm인지 풀이 과정을 쓰고 답을 구하시오.

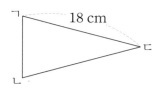

풀이

답 _____

2-1

삼각형 ㄱㄴㄷ은 이등변삼각형입니다. 각 ㄴㄱㄷ의 크기는 몇 도인지 풀이 과정을 완성하고 답을 구하시오.

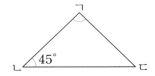

풀이 이등변삼각형은 두 각의 크기가 같으므로

(각 ㄱㄷㄴ)=(각 [　　])=[　　]°

입니다. 따라서 각 ㄴㄱㄷ의 크기는

180°-[　　]°-[　　]°=[　　]°입니다.

답 [　　]°

2-2

삼각형 ㄱㄴㄷ은 이등변삼각형입니다. 각 ㄱㄷㄴ의 크기는 몇 도인지 풀이 과정을 쓰고 답을 구하시오.

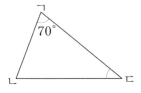

풀이

답 _____

3단계 유형 단원 평가

점수

[01~02] 삼각형을 보고 물음에 답하시오.

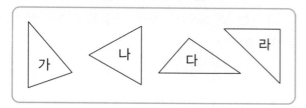

01 이등변삼각형을 모두 찾아 기호를 쓰시오.

( )

02 정삼각형을 찾아 기호를 쓰시오.

( )

03 다음 정삼각형의 세 변의 길이의 합은 24 cm 입니다. ◻ 안에 알맞은 수를 써넣으시오.

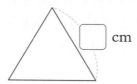

04 다음 이등변삼각형 ㄱㄴㄷ의 세 변의 길이의 합은 56 cm입니다. 변 ㄱㄴ의 길이는 몇 cm 입니까?

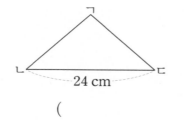

( )

05 주어진 선분의 양 끝에 크기가 각각 55°인 각을 그리고, 두 각의 변이 만나는 점을 이어 이등변 삼각형을 완성하시오.

————————

06 다음 삼각형 ㄱㄴㄷ은 이등변삼각형입니다. 각 ㄴㄱㄷ의 크기는 몇 도입니까?

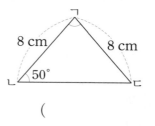

( )

07 점선을 따라 크기가 서로 다른 정삼각형을 2개 그리시오.

08 ( ) 안에 예각삼각형은 '예', 둔각삼각형은 '둔'을 써넣으시오.

(1)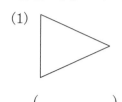

( )

(2)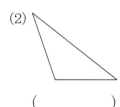

( )

09 삼각형의 세 각의 크기를 나타낸 것입니다. 둔각삼각형은 어느 것입니까?……( )

① 40°, 60°, 80°   ② 45°, 45°, 90°

③ 50°, 60°, 70°   ④ 35°, 40°, 105°

⑤ 35°, 55°, 90°

[10~11] 삼각형을 보고 물음에 답하시오.

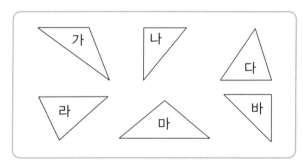

10 예각삼각형을 모두 찾아 기호를 쓰시오.

( )

11 둔각삼각형을 모두 찾아 기호를 쓰시오.

( )

12 이등변삼각형이면서 예각삼각형인 삼각형을 그리시오.

13 직사각형 모양의 색종이를 점선을 따라 모두 잘랐을 때 생기는 예각삼각형과 둔각삼각형의 개수의 차는 몇 개입니까?

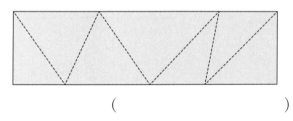

( )

14 삼각형을 분류하여 표의 빈 곳에 알맞은 기호를 써넣으시오.

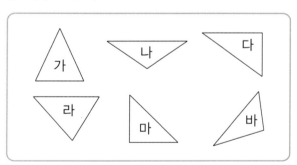

	예각 삼각형	직각 삼각형	둔각 삼각형
이등변삼각형			
세 변의 길이가 모두 다른 삼각형			

2 삼각형

15 삼각형의 세 변의 길이를 나타낸 것입니다. 이등변삼각형을 찾아 기호를 쓰시오.

> ㉠ 5 cm, 6 cm, 7 cm
> ㉡ 4 cm, 6 cm, 9 cm
> ㉢ 6 cm, 6 cm, 8 cm

(   )

16 삼각형의 세 각 중에서 두 각의 크기를 나타낸 것입니다. 이등변삼각형을 찾아 기호를 쓰시오.

> ㉠ 45°, 90°
> ㉡ 70°, 35°

(   )

17 삼각형의 세 변의 길이가 되려면 다음 조건을 만족해야 합니다. 어떤 이등변삼각형의 세 변의 길이가 각각 3 cm, 7 cm, ㉠ cm일 때 ㉠이 될 수 있는 수를 구하시오.

┌ 조건 ┐
가장 긴 변의 길이는 나머지 두 변의 길이의 합보다 짧습니다.
└────┘

(   )

18 한 각의 크기가 40°인 둔각삼각형을 그리려고 합니다. 둔각삼각형의 다른 한 각의 크기가 될 수 있는 각도에 ○표 하시오.

| 40° | 50° | 60° |

(   ) (   ) (   )

서술형
19 이등변삼각형 ㄱㄴㄷ의 세 변의 길이의 합은 68 cm입니다. 변 ㄱㄷ의 길이는 몇 cm인지 풀이 과정을 쓰고 답을 구하시오.

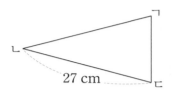
27 cm

풀이
_____
_____
_____
_____

답 _____

서술형
20 삼각형 ㄱㄴㄷ은 이등변삼각형입니다. 각 ㄱㄴㄷ의 크기는 몇 도인지 풀이 과정을 쓰고 답을 구하시오.

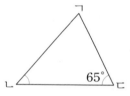
65°

풀이
_____
_____
_____
_____

답 _____

QR 코드를 찍어 단원평가 를 풀어 보세요.

3

소수의 덧셈과 뺄셈

개념에 대한 **자세한 동영상 강의**를 시청하세요.

개념 ❶ 소수 알아보기

• 분수 $2\dfrac{573}{1000}$ 을 소수로 나타내기

쓰기 2.573 읽기 이 점 오칠삼

일의 자리		소수 첫째 자리	소수 둘째 자리	소수 셋째 자리
2	.	5	7	3

핵심 높은 자리부터 차례로 비교

| 소수 첫째 자리 수를 비교 |

0.462 ❶◯ 0.735
└─ 4<7 ─┘

↓ 소수 첫째 자리 수가 같으면

| 소수 둘째 자리 수를 비교 |

0.584 ❷◯ 0.529
└─ 8>2 ─┘

↓ 소수 둘째 자리 수가 같으면

| 소수 셋째 자리 수를 비교 |

0.376 ❸◯ 0.373
└─ 6>3 ─┘

[전에 배운 내용]

• 소수

$$\dfrac{1}{10}=0.1,\ \dfrac{2}{10}=0.2,\ \dfrac{3}{10}=0.3 \cdots\cdots \dfrac{9}{10}=0.9$$

2.5 → 2와 0.5만큼인 수

(이 점 오)

• 소수의 크기 비교

1.4 < 2.7   3.8 > 3.3
└1<2┘   └8>3┘

① 소수점 왼쪽의 수가 클수록 더 큽니다.
② 소수점 왼쪽의 수가 같으면 소수점 오른쪽의 수가 클수록 더 큽니다.

개념 ❷ 소수의 덧셈과 뺄셈

```
  1 . 6 5        ¹ ¹
+ 0 . 4 9   →   1 . 6 5
            + 0 . 4 9
            ─────────
              2 . 1 4
```

```
  5 . 4 0        ⁴ ¹³ ¹⁰
- 2 . 7 6   →   5 . 4 0
            - 2 . 7 6
            ─────────
              2 . 6 4
```

핵심 소수점의 자리를 맞추어 계산

① ❹[   ]의 자리를 맞추어 세로로 씁니다.

② 자연수의 덧셈, 뺄셈과 같은 방법으로 계산합니다.

③ 소수점을 그대로 내려 찍습니다.

[전에 배운 내용]

• 덧셈과 뺄셈

```
  1 6 5          ¹ ¹
+   4 9   →   1 6 5
          +   4 9
          ───────
            2 1 4
```

```
  5 4 0          ⁴ ¹³ ¹⁰
- 2 7 6   →   5 4 0
          - 2 7 6
          ───────
            2 6 4
```

[앞으로 배울 내용]

• 소수의 곱셈
• 소수의 나눗셈

정답 ❶ < ❷ > ❸ > ❹ 소수점

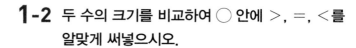
체크

1-1 두 수의 크기를 비교하여 ◯ 안에 >, =, <를 알맞게 써넣으시오.

(1) 4.74 ◯ 1.84

(2) 0.692 ◯ 0.375

(3) 5.61 ◯ 5.68

(4) 2.39 ◯ 2.354

(5) 3.477 ◯ 3.474

1-2 두 수의 크기를 비교하여 ◯ 안에 >, =, <를 알맞게 써넣으시오.

(1) 3.79 ◯ 5.62

(2) 0.392 ◯ 0.682

(3) 2.27 ◯ 2.22

(4) 4.576 ◯ 4.75

(5) 8.365 ◯ 8.363

체크

2-1 계산을 하시오.

(1)
```
  0.5
+ 0.7
```

(2)
```
  4.3
- 1.8
```

(3)
```
  0.6 7
+ 0.4 8
```

(4)
```
  5.2 8
- 2.7 5
```

(5)
```
  0.6
+ 0.9 4
```

(6)
```
  6.5 4
- 2.7
```

2-2 계산을 하시오.

(1)
```
  2.6
+ 3.9
```

(2)
```
  3.5
- 0.8
```

(3)
```
  2.5 6
+ 1.7 9
```

(4)
```
  7.2 9
- 3.6 7
```

(5)
```
  3.4 5
+ 2.9
```

(6)
```
  9.2
- 6.7 5
```

2단계 기본 유형

핵심 내용 ▶ $\frac{■▲}{100}=0.■▲$, $\frac{■▲●}{1000}=0.■▲●$

유형 01 소수 알아보기

01 분수를 소수로 나타내시오.

(1) $\frac{27}{100}$ ( )

(2) $4\frac{653}{1000}$ ( )

02 ☐ 안에 알맞은 소수를 써넣으시오.

(1) 1이 5개, 0.1이 2개, 0.01이 8개인 소수는 ☐ 입니다.

(2) 1이 3개, $\frac{1}{10}$이 6개, $\frac{1}{100}$이 7개인 소수는 ☐ 입니다.

03 밑줄 친 5가 나타내는 수를 쓰시오.

(1) 4.58<u>5</u> → ( )

(2) 5.2<u>5</u>7 → ( )

04 다음 중 소수 둘째 자리 숫자가 가장 큰 수를 찾아 쓰시오.

| 2.47 | 4.16 | 11.04 |

( )

05 수직선을 보고 ㉠과 ㉡에 알맞은 소수를 각각 구하시오.

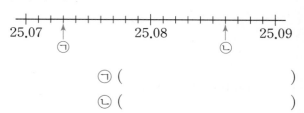

㉠ ( )

㉡ ( )

06 8이 나타내는 수가 큰 수부터 순서대로 기호를 쓰시오.

| ㉠ <u>8</u>.253 | ㉡ 2.<u>8</u>41 |
| ㉢ 7.69<u>8</u> | ㉣ 6.0<u>8</u>5 |

( )

07 소수 6.504에 대한 설명으로 <u>잘못된</u> 것을 모두 찾아보시오. ·························· ( )

① 4가 나타내는 수는 0.004입니다.
② 소수 첫째 자리 숫자는 5입니다.
③ 소수 세 자리 수입니다.
④ 육 점 오사라고 읽습니다.
⑤ 0.001이 504개인 수입니다.

▶핵심 내용▶ 높은 자리부터 같은 자리 수끼리 차례로 비교

유형 02 소수의 크기 비교하기

▶핵심 내용▶ 어떤 수의 $\frac{1}{10}$ 은 소수점을 기준으로 수가 오른쪽으로 한 자리 이동, 어떤 수의 10배는 소수점을 기준으로 수가 왼쪽으로 한 자리 이동

유형 03 소수 사이의 관계

08 소수에서 생략할 수 있는 0을 찾아 보기 와 같이 나타내시오.

보기

| 0.30 | 2.080 |

| 0.072 | 3.160 | 0.094 |
| 10.530 | 0.008 | 8.540 |

12 빈칸에 알맞은 수를 써넣으시오.

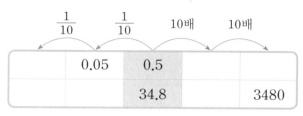

| | 0.05 | 0.5 | | |
| | | 34.8 | | 3480 |

교과서유형
09 두 수의 크기를 비교하여 ◯ 안에 >, =, <를 알맞게 써넣으시오.

(1) 4.95 ◯ 4.93

(2) 2.86 ◯ 2.865

익힘책유형
13 ☐ 안에 알맞은 수를 써넣으시오.

(1) 2.96은 29.6의 $\dfrac{1}{\boxed{}}$ 입니다.

(2) 37.4는 0.374의 ☐ 배입니다.

10 더 작은 수를 나타내는 것에 ◯표 하시오.

| 0.01이 549개인 수 | ( ) |

| 0.001이 5482개인 수 | ( ) |

14 소수 8.3에 대한 설명으로 올바른 것은 어느 것입니까? ····························· ( )

① 0.083을 10배 한 수입니다.

② 83의 $\frac{1}{10}$ 입니다.

③ 83의 $\frac{1}{1000}$ 입니다.

④ 0.83을 1000배 한 수입니다.

⑤ 0.803을 10배 한 수입니다.

익힘책유형
11 3.274보다 크고 3.28보다 작은 소수 세 자리 수는 모두 몇 개입니까?

( )

15 더 큰 수를 찾아 기호를 쓰시오.

| ㉠ 0.07의 100배 | ㉡ 70의 $\frac{1}{100}$ |

( )

3

소수의 덧셈과 뺄셈

2 단계 **기본 유형**

> **핵심 내용** 소수점의 자리를 맞추어 세로로 계산한 후
> 소수점을 그대로 내려 찍음

유형 04 자릿수가 같은 소수의 덧셈과 뺄셈

16 빈 곳에 알맞은 수를 써넣으시오.

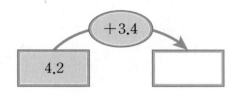

17 두 수의 차를 구하시오.

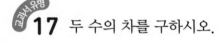

(   )

18 6.2보다 3.7만큼 더 작은 수를 구하시오.

(   )

19 □ 안에 알맞은 수를 써넣으시오.

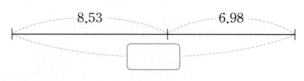

20 가장 큰 수와 가장 작은 수의 차를 구하시오.

| 2.69 | 2.88 | 2.79 |

(   )

21 계산 결과를 비교하여 ○ 안에 >, =, <를
알맞게 써넣으시오.

$$3.6+5.8 \bigcirc 2.9+6.3$$

22 ㉠과 ㉡의 차를 구하시오.

> ㉠ 일의 자리 숫자가 6, 소수 첫째 자리 숫자
> 가 3, 소수 둘째 자리 숫자가 5인 소수 두
> 자리 수
> ㉡ 일의 자리 숫자가 4, 소수 첫째 자리 숫자
> 가 7, 소수 둘째 자리 숫자가 8인 소수 두
> 자리 수

(   )

23 5.8에 어떤 수를 더했더니 12.7이 되었습니다.
어떤 수를 구하시오.

(   )

핵심 내용 소수의 오른쪽 끝자리에 0을 붙여서
자릿수를 같게 한 다음 계산

유형 05 **자릿수가 다른 소수의 덧셈과 뺄셈**

24 세로로 계산하시오.

$2.58+1.6$

	+			

교과서 유형

25 빈 곳에 두 수의 차를 써넣으시오.

4.25	1.7

26 계산 결과를 찾아 선으로 이어 보시오.

$6.4-2.75$ • • 3.65

$5.9-2.62$ • • 3.28

27 빈 곳에 알맞은 수를 써넣으시오.

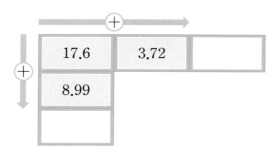

28 직사각형의 긴 변과 짧은 변의 길이의 차는 몇 m입니까?

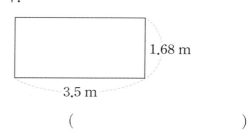

1.68 m

3.5 m

(   )

익힘책 유형

29 계산이 잘못된 이유를 완성하고 바르게 계산하시오.

```
   9. 8 4
 −   7. 2
─────────
   9. 1 2
```
→

이유 같은 자리 수끼리 빼야 하므로

9와 [ ]을/를 나란히 쓰고 8과 [ ]을/를

나란히 써서 계산해야 합니다.

30 ㉠과 ㉡에 알맞은 수를 각각 구하시오.

㉠ → [+2.5] → 16.87 → [−3.9] → ㉡

㉠ (   )

㉡ (   )

3

소수의 덧셈과 뺄셈

잘 틀리는 **유형 06** 나타내는 수 알아보기

31 ☐ 안에 알맞은 수를 써넣으시오.

1이   4개 ⎫
0.1이   7개 ⎬ → ☐
0.01이 15개 ⎪
0.001이   9개 ⎭

32 ☐ 안에 알맞은 수를 써넣으시오.

1이   6개 ⎫
0.1이   3개 ⎬ → 6.326
0.01이   ☐ 개 ⎪
0.001이   6개 ⎭

33 ☐ 안에 알맞은 수를 써넣으시오.

1이   2개 ⎫
0.1이   3개 ⎬ → 2.364
0.01이   5개 ⎪
0.001이   ☐ 개 ⎭

KEY 0.01이 5개인 수는 0.05이므로 2.364의 소수 둘째 자리 숫자가 나타내는 수보다 작아요. 작은 만큼의 수는 0.001의 개수에서 채워야 해요.

잘 틀리는 **유형 07** 단위 사이의 관계

34 영우의 키는 몇 m인지 소수로 나타내시오.

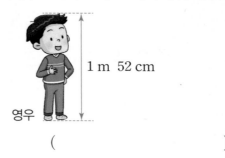

1 m 52 cm

영우

(   )

35 재현이네 집에서 학교까지의 거리는 몇 km인지 소수로 나타내시오.

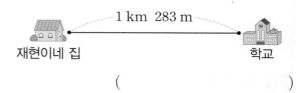

1 km 283 m

재현이네 집   학교

(   )

36 물을 2 L 50 mL까지 담을 수 있는 냄비가 있습니다. 이 냄비의 들이는 몇 L인지 소수로 나타내시오.

2 L 50 mL

(   )

KEY 1000 mL=1 L이므로 1 mL=0.001 L예요. 50 mL를 0.5 L로 생각하지 않도록 주의해요.

서술형 유형

1-1

가장 큰 수와 가장 작은 수의 차는 얼마인지 풀이 과정을 완성하고 답을 구하시오.

3.04	2.78	4.19	5.67

(풀이) 가장 큰 수는 [   ]이고 가장 작은 수는

[   ]이므로 가장 큰 수와 가장 작은 수의

차는 [   ]−[   ]=[   ]입니다.

(답) [   ]

1-2

가장 큰 수와 가장 작은 수의 차는 얼마인지 풀이 과정을 쓰고 답을 구하시오.

7.4	6.29	8.03	9.1

(풀이)

(답) _____

2-1

어떤 소수의 100배는 2478입니다. 어떤 소수는 얼마인지 풀이 과정을 완성하고 답을 구하시오.

(풀이) 어떤 소수의 100배가 2478이므로 어떤 소수

는 2478의 $\dfrac{1}{\boxed{}}$ 입니다.

따라서 어떤 소수는 [   ]입니다.

(답) [   ]

2-2

어떤 소수의 $\dfrac{1}{100}$은 3.956입니다. 어떤 소수는 얼마인지 풀이 과정을 쓰고 답을 구하시오.

(풀이)

(답) _____

01 분수를 소수로 나타내시오.

(1) $\dfrac{42}{100}$ ( )

(2) $2\dfrac{358}{1000}$ ( )

02 밑줄 친 7이 나타내는 수를 쓰시오.

(1) 1.4<u>7</u>5 ➡ ( )

(2) 3.62<u>7</u> ➡ ( )

03 수직선을 보고 ㉠과 ㉡에 알맞은 소수를 각각 구하시오.

```
2.3        2.4        2.5
       ㉠            ㉡
```

㉠ ( )

㉡ ( )

04 두 수의 크기를 비교하여 ○ 안에 >, =, <를 알맞게 써넣으시오.

(1) 3.69 ◯ 3.96

(2) 1.485 ◯ 1.487

05 2.73보다 크고 2.8보다 작은 소수 두 자리 수는 모두 몇 개입니까?

( )

06 빈칸에 알맞은 수를 써넣으시오.

	$\frac{1}{10}$	$\frac{1}{10}$	10배	10배
	0.14	1.4		
		52.6		

07 □ 안에 알맞은 수를 써넣으시오.

(1) 1.527은 1527의 $\dfrac{1}{\boxed{}}$ 입니다.

(2) 858.4는 8.584의 □배입니다.

공부한 날 ◯ 월 ◯ 일

08 빈 곳에 알맞은 수를 써넣으시오.

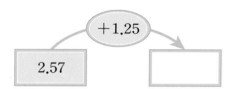

09 5.8보다 3.3만큼 더 큰 수를 구하시오.

( )

10 가장 큰 수와 가장 작은 수의 차를 구하시오.

| 3.8 | 3.9 | 6.6 |

( )

11 어떤 수에 2.74를 더했더니 5.62가 되었습니다. 어떤 수를 구하시오.

( )

12 세로로 계산하시오.

13 계산 결과를 찾아 선으로 이어 보시오.

2.7＋5.86 •   • 8.46

4.56＋3.9 •   • 8.56

3
소수의 덧셈과 뺄셈

14 계산이 <u>잘못된</u> 이유를 완성하고 바르게 계산 하시오.

$$\begin{array}{r} 3.6 \\ +\ 5.4\ 8 \\ \hline 5.8\ 4 \end{array}$$ →

(이유) 같은 자리 수끼리 더해야 하므로

3과 ☐ 을/를 나란히 쓰고 6과 ☐ 을/를 나란히 써서 계산해야 합니다.

15 ☐ 안에 알맞은 수를 써넣으시오.

1이   4개 ─┐
0.1이   2개 ─┤
0.01이   7개 ─┤ → 4.276
0.001이   ☐개 ─┘

16 혜빈이네 집에서 소방서까지의 거리는 몇 km 인지 소수로 나타내시오.

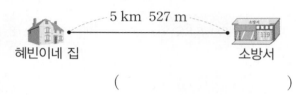

5 km 527 m

혜빈이네 집   소방서

(   )

17 ☐ 안에 알맞은 수를 써넣으시오.

1이   2개 ─┐
0.1이   7개 ─┤
0.01이   ☐개 ─┤ → 2.853
0.001이   13개 ─┘

18 물을 3 L 80 mL까지 담을 수 있는 냄비가 있습니다. 이 냄비의 들이는 몇 L인지 소수로 나타내시오.

3 L 80 mL

(   )

서술형
19 가장 큰 수와 가장 작은 수의 차는 얼마인지 풀이 과정을 쓰고 답을 구하시오.

| 7.3 | 8.4 | 7.59 | 6.82 |

풀이

답

서술형
20 어떤 소수의 10배는 356입니다. 어떤 소수는 얼마인지 풀이 과정을 쓰고 답을 구하시오.

풀이

답

QR 코드를 찍어 **단원평가** 를 풀어 보세요.

4 사각형

4. 사각형
핵심 개념
1 단계

개념에 대한 **자세한 동영상 강의**를 시청하세요.

개념 ❶ 수직과 평행

- 두 직선이 만나서 이루는 각이 직각일 때 두 직선은 서로 수직이라고 합니다.

- 서로 만나지 않는 두 직선을 평행하다고 합니다.

평행선	평행선 사이의 거리

핵심 두 직선이 직각으로 만나는지, 만나지 않는지

직각으로 만나는 두 직선은 서로 ❶ ☐☐ 이고,

서로 만나지 않는 두 직선을 ❷ ☐☐☐ (이)라고 합니다.

[전에 배운 내용]

- 선분, 직선

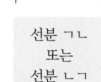

선분 ㄱㄴ 또는 선분 ㄴㄱ	직선 ㄱㄴ 또는 직선 ㄴㄱ

- 각, 직각

각 ㄱㄴㄷ 또는 각 ㄷㄴㄱ	직각 ㄱㄴㄷ 또는 직각 ㄷㄴㄱ

개념 ❷ 여러 가지 사각형

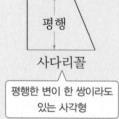
사다리꼴

평행사변형

평행한 변이 한 쌍이라도 있는 사각형	마주 보는 두 쌍의 변이 서로 평행한 사각형

 마름모 ◄ 네 변의 길이가 모두 같은 사각형

핵심 사각형의 관계
평행사변형, 마름모, 직사각형, 정사각형은 평행한 변이 한 쌍이라도 있으므로 사다리꼴이라고 할 수 ❸ (있습니다 , 없습니다).

[전에 배운 내용]

직사각형	정사각형
네 각이 모두 직각인 사각형	네 각이 모두 직각이고 네 변의 길이가 모두 같은 사각형

[앞으로 배울 내용]

정오각형

정육각형

정칠각형

정답 ❶ 수직 ❷ 평행선 ❸ 있습니다에 ◯표

체크

1-1 두 직선이 서로 수직인 것을 모두 찾아 ◯표 하시오.

(   )

(   )

(   )

(   )

(   )

(   )

1-2 두 직선이 서로 평행한 것을 찾아 모두 ◯표 하시오.

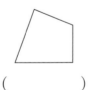

(   )

(   )

(   )

(   )

(   )

(   )

체크

2-1 사각형을 보고 물음에 답하시오.

(1) 사다리꼴을 찾아 ◯표 하시오.

(   ) (   )

(2) 평행사변형을 찾아 ◯표 하시오.

(   ) (   )

(3) 마름모를 찾아 ◯표 하시오.

(   ) (   )

2-2 사각형을 보고 물음에 답하시오.

(1) 사다리꼴을 찾아 ◯표 하시오.

(   ) (   )

(2) 평행사변형을 찾아 ◯표 하시오.

(   ) (   )

(3) 마름모를 찾아 ◯표 하시오.

(   ) (   )

4 사각형

→ 핵심 내용 → 두 직선이 서로 수직으로 만나면
한 직선은 다른 직선에 대한 수선

유형 **01** 수직과 수선

01 그림을 보고 물음에 답하시오.

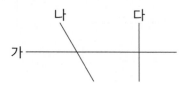

(1) 직선 가에 수직인 직선을 찾아 쓰시오.

( )

(2) 직선 다에 대한 수선을 찾아 쓰시오.

( )

02 오른쪽 도형에서 서로 수직
인 선분을 찾아 쓰시오.

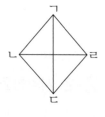

( )

03 오른쪽 도형에 대해 <u>잘못</u> 설
명한 사람을 찾아 이름을 쓰
시오.

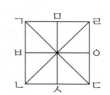

> 진주: 선분 ㅂㅇ과 선분 ㅁㅅ은 서로 수직이야.
> 혜진: 선분 ㄴㄹ에 대한 수선은 선분 ㄱㄷ이지.
> 경호: 선분 ㅁㅅ에 대한 수선은 1개뿐이야.

( )

04 서로 수직인 직선은 모두 몇 쌍입니까?

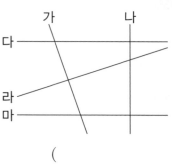

( )

교과서유형
05 삼각자와 각도기를 사용하여 주어진 직선에
대한 수선을 그어 보시오.

삼각자 사용

각도기 사용

06 삼각자를 사용하여 꼭짓점 ㄱ을 지나고 변 ㄴㄷ
에 대한 수선을 그어 보시오.

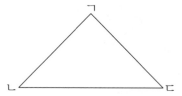

→ 핵심 내용 서로 만나지 않는 두 직선은 평행선

유형 02 평행과 평행선

→ 핵심 내용 평행선 사이의 거리는 평행선 사이의 가장 짧은 선분의 길이

유형 03 평행선 사이의 거리

4

사각형

07 삼각자를 사용하여 주어진 직선과 평행한 직선을 그어 보시오.

(1) —————— (2) │

08 삼각자를 사용하여 점 ㅇ을 지나고 직선 가와 평행한 직선을 그어 보시오.

ㅇ

가 ——————

09 평행선을 잘못 설명한 사람은 누구입니까?

미선: 한 직선에 수직인 두 직선이야.
민국: 두 직선은 아무리 늘여도 만나지 않아.
효린: 한 직선은 다른 직선에 대한 수선이야.

(　　　　　　　　)

10 평행선이 두 쌍인 사각형을 그려 보시오.

(1)　　　　　　(2)

11 평행선 가와 나 사이의 거리를 나타내는 선분을 모두 찾아 기호를 쓰시오.

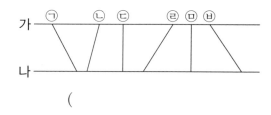

(　　　　　　　　)

12 평행선 사이의 거리를 재어 보시오.

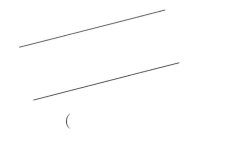

(　　　　　　　　)

13 도형에서 평행선을 찾아 평행선 사이의 거리를 재어 보시오.

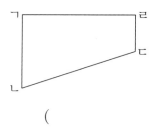

(　　　　　　　　)

14 평행선 사이의 거리가 4 cm가 되도록 주어진 직선과 평행한 직선을 그어 보시오.

│

▶핵심 내용 ▶ 평행한 변이 한 쌍이라도 있으면 사다리꼴

▶핵심 내용 ▶ 마주 보는 두 변의 길이와 두 각의 크기가
각각 같음
이웃하는 두 각의 크기의 합이 180°

유형 **04** 사다리꼴

유형 **05** 평행사변형

15 사다리꼴을 보고 ☐ 안에 알맞게 써넣으시오.

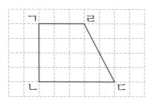

서로 평행한 변은 변 ㄱㄹ과 변 ☐ 입니다.

18 주어진 선분을 두 변으로 하는 평행사변형을
각각 완성해 보시오.

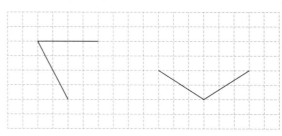

16 직사각형 모양의 종이테이프를 선을 따라 모두
잘랐습니다. 물음에 답하시오.

(1) 잘라 낸 도형들은 모두 사다리꼴입니까?

( )

(2) (1)과 같이 답한 이유를 완성해 보시오.

이유 잘라 낸 도형들은 모두 ☐ 한 변이
한 쌍이라도 있기 때문입니다.

[19~20] 평행사변형입니다. ☐ 안에 알맞은 수를 써
넣으시오.

19

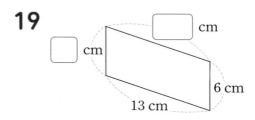

20

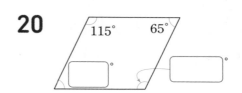

17 주어진 선분을 한 변으로 하는 사다리꼴을 완성
해 보시오.

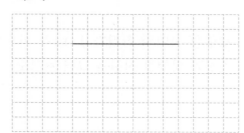

21 평행사변형입니다. ㉠의 각도를 구하시오.

( )

> **핵심 내용** 마주 보는 꼭짓점끼리 이은 두 선분이 수직으로 만나고 서로 이등분함

유형 **06** 마름모

22 마름모를 모두 찾아 기호를 쓰시오.

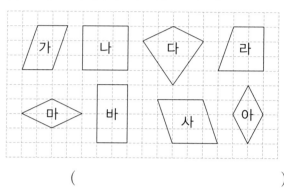

(   )

23 마름모입니다. □ 안에 알맞은 수를 써넣으시오.

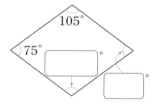

24 마름모입니다. 네 변의 길이의 합은 몇 cm입니까?

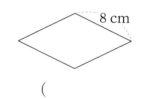

(   )

25 마름모를 보고 □ 안에 알맞은 수를 써넣으시오.

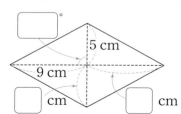

유형 **07** 여러 가지 사각형

26 사각형을 보고 물음에 답하시오.

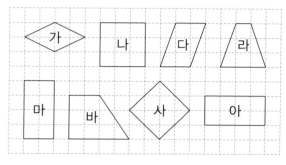

(1) 사다리꼴을 모두 찾아 기호를 쓰시오.

(   )

(2) 평행사변형을 모두 찾아 기호를 쓰시오.

(   )

(3) 마름모를 모두 찾아 기호를 쓰시오.

(   )

(4) 직사각형을 모두 찾아 기호를 쓰시오.

(   )

(5) 정사각형을 모두 찾아 기호를 쓰시오.

(   )

27 다음 사각형의 이름으로 알맞은 것을 모두 고르시오. ············(   )

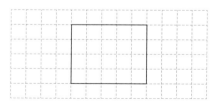

① 사다리꼴   ② 평행사변형
③ 마름모   ④ 직사각형
⑤ 정사각형

4 사각형

잘 틀리는 유형 08 서로 수직인 변 찾기

28 도형에서 서로 수직인 변은 모두 몇 쌍입니까?

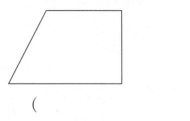

(   )

29 도형에서 서로 수직인 변은 모두 몇 쌍입니까?

(   )

함정유형 30 도형에서 서로 수직인 변은 모두 몇 쌍입니까?

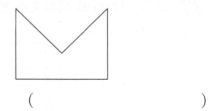

(   )

KEY 도형 안쪽 뿐만 아니라 도형 바깥쪽에 있는 각도 생각해야 해요.

잘 틀리는 유형 09 사각형의 네 변의 길이의 합

31 평행사변형입니다. 네 변의 길이의 합은 몇 cm 입니까?

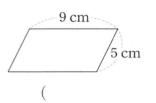

(   )

32 오른쪽 마름모의 네 변의 길이의 합이 68 cm일 때 ㉠은 몇 cm입니까?

(   )

함정유형 33 직사각형입니다. 네 변의 길이의 합이 34 cm 일 때 ☐ 안에 알맞은 수를 써넣으시오.

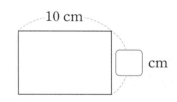

KEY 직사각형은 마주 보는 두 변의 길이가 같습니다.

서술형 유형

4

사각형

1-1

도형에서 평행선 사이의 거리는 몇 cm인지 풀이 과정을 완성하고 답을 구하시오.

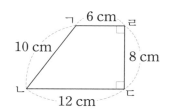

풀이　평행한 두 변은 변 ㄱㄹ과 변 [　　] 입니다.

따라서 평행선 사이의 거리는 변 [　　] 의

길이와 같으므로 [　] cm입니다.

답 [　] cm

2-1

다음 사각형은 평행사변형이라고 할 수 있습니까? 알맞은 말에 ○표 하고 그렇게 생각한 이유를 완성해 보시오.

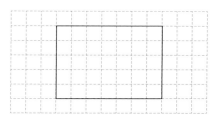

답　평행사변형이라고 할 수 (있습니다 , 없습니다).

이유　마주 보는 두 쌍의 변이 서로 [　　] 하기

때문입니다.

1-2

도형에서 평행선 사이의 거리는 몇 cm인지 풀이 과정을 쓰고 답을 구하시오.

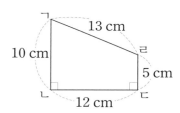

풀이

답

2-2

다음 사각형은 마름모라고 할 수 있습니까? 그렇게 생각한 이유를 써 보시오.

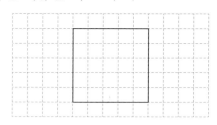

답

이유

3 단계 유형 ^{단원} 평가

점수 /

01 그림을 보고 물음에 답하시오.

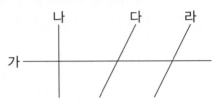

(1) 직선 가에 수직인 직선을 찾아 쓰시오.

( )

(2) 직선 나에 대한 수선을 찾아 쓰시오.

( )

02 서로 수직인 직선은 모두 몇 쌍입니까?

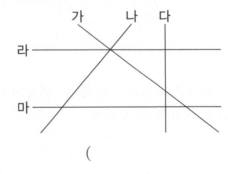

( )

03 삼각자를 사용하여 주어진 직선에 대한 수선을 그어 보시오.

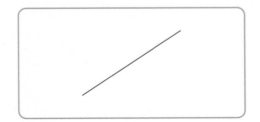

04 삼각자를 사용하여 주어진 직선과 평행한 직선을 그어 보시오.

(1) (2)

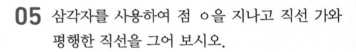

05 삼각자를 사용하여 점 ㅇ을 지나고 직선 가와 평행한 직선을 그어 보시오.

가 ─────────────

ㅇ

06 평행선 사이의 거리를 재어 보시오.

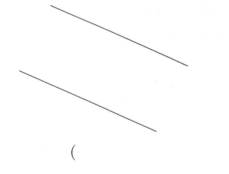

( )

07 도형에서 평행선을 찾아 평행선 사이의 거리를 재어 보시오.

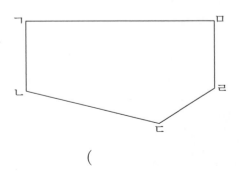

( )

08 주어진 선분을 한 변으로 하는 사다리꼴을 완성해 보시오.

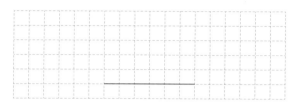

09 평행사변형입니다. ☐ 안에 알맞은 수를 써넣으시오.

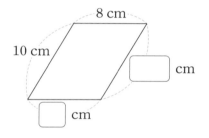

10 평행사변형입니다. ㉠의 각도를 구하시오.

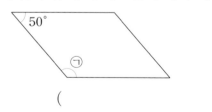

(   )

11 마름모입니다. ☐ 안에 알맞은 수를 써넣으시오.

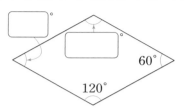

12 마름모입니다. 네 변의 길이의 합은 몇 cm입니까?

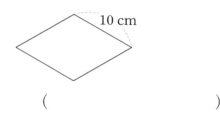

(   )

[13~14] 사각형을 보고 물음에 답하시오.

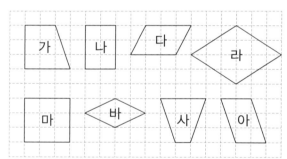

13 평행사변형을 모두 찾아 기호를 쓰시오.

(   )

14 마름모를 모두 찾아 기호를 쓰시오.

(   )

15 도형에서 서로 수직인 변은 모두 몇 쌍입니까?

(   )

16 다음 마름모의 네 변의 길이의 합이 32 cm일 때 ㉠은 몇 cm입니까?

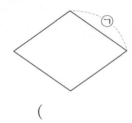

(   )

17 도형에서 서로 수직인 변은 모두 몇 쌍입니까?

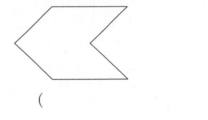

(   )

18 직사각형입니다. 네 변의 길이의 합이 28 cm 일 때 ☐ 안에 알맞은 수를 써넣으시오.

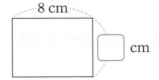

서술형

19 도형에서 평행선 사이의 거리는 몇 cm인지 풀이 과정을 쓰고 답을 구하시오.

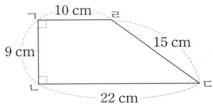

풀이

답

서술형

20 다음 사각형은 사다리꼴이라고 할 수 있습니까? 그렇게 생각한 이유를 써 보시오.

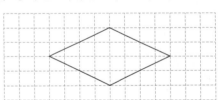

답

이유

QR 코드를 찍어 단원평가 를 풀어 보세요.

5

꺾은선그래프

학습 계획표

계획표대로 공부했으면 ○표, 못했으면 △표 하세요.

핵심 개념

개념에 대한 **자세한 동영상 강의를** 시청하세요.

개념 ❶ 꺾은선그래프 알아보기

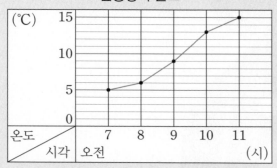

운동장의 온도

→ 운동장의 온도의 변화가 가장 큰 때는 오전 9시와 오전 10시 사이입니다. └ 선분이 가장 많이 기울어진 때

핵심 선분이 기울어진 정도

연속적으로 변화하는 양을 점으로 표시하고, 그 점들을 선분으로 이어 그린 그래프를
❶ ☐☐☐☐☐☐ (이)라고 합니다.

[전에 배운 내용]

• 막대그래프

좋아하는 운동별 학생 수

→ 가장 많은 학생들이 좋아하는 운동은 양궁입니다. └ 가장 긴 막대

[앞으로 배울 내용]

• 띠그래프: 전체에 대한 각 부분의 비율을 띠 모양에 나타낸 그래프
• 원그래프: 전체에 대한 각 부분의 비율을 원 모양에 나타낸 그래프

개념 ❷ 꺾은선그래프로 나타내기

• 꺾은선그래프로 나타내는 방법

① 가로와 세로에 각각 무엇을 나타낼지 정합니다.
② 세로 눈금 한 칸의 크기와 눈금의 수를 정합니다.
③ 가로 눈금과 세로 눈금이 만나는 자리에 점을 찍습니다.
④ 점들을 선분으로 잇습니다.
⑤ 꺾은선그래프에 알맞은 제목을 붙입니다.

핵심 세로 눈금 한 칸의 크기, 눈금의 수

꺾은선그래프로 나타낼 때, 세로 눈금의 필요 없는 부분을 ❷ ☐☐☐ (으)로 줄여서 나타낼 수 있습니다.

[전에 배운 내용]

• 막대그래프 그리는 방법

① 가로와 세로 중 어느 쪽에 조사한 수를 나타낼 것인가를 정합니다.
② 눈금 한 칸의 크기를 정하고, 조사한 수 중 가장 큰 수를 나타낼 수 있도록 눈금의 수를 정합니다.
③ 조사한 수에 맞도록 막대를 그립니다.
④ 막대그래프에 알맞은 제목을 붙입니다.

참고 조사한 수를 가로와 세로 중 어디에 나타낼 것인지에 따라 막대를 가로로 나타낼 수도 있고 세로로 나타낼 수도 있습니다.

정답 ❶ 꺾은선그래프 ❷ 물결선

1-1 도빈이가 사용하고 있는 색연필의 길이를 7월에 조사하여 나타낸 꺾은선그래프입니다. 물음에 답하시오.

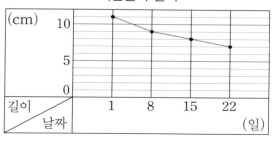

(1) 가로와 세로는 각각 무엇을 나타냅니까?

가로 (   )

세로 (   )

(2) 세로 눈금 한 칸은 몇 cm를 나타냅니까?

(   )

1-2 10월에 나팔꽃의 키를 조사하여 나타낸 꺾은선그래프입니다. 물음에 답하시오.

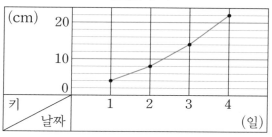

(1) 가로와 세로는 각각 무엇을 나타냅니까?

가로 (   )

세로 (   )

(2) 세로 눈금 한 칸은 몇 cm를 나타냅니까?

(   )

체크

2-1 윤호 동생의 몸무게를 조사하여 나타낸 표를 보고 꺾은선그래프를 완성하시오.

윤호 동생의 몸무게

나이(살)	2	3	4	5
몸무게(kg)	7	10	13	15

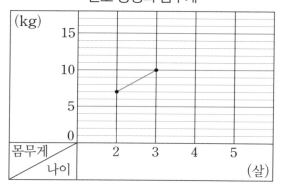

2-2 교실의 온도를 조사하여 나타낸 표를 보고 꺾은선그래프를 완성하시오.

교실의 온도

시각	오전 9시	오전 11시	오후 1시	오후 3시
온도(℃)	21.5	21.6	22.1	22.3

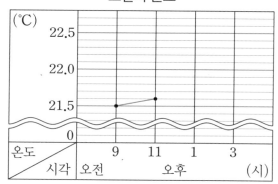

핵심 내용 ▸ 시간에 따라 변화하는 자료를 나타내기에 알맞은 그래프

유형 01 꺾은선그래프 알아보기

01 가와 나 중에서 민주의 키의 변화를 한눈에 알아보기 쉬운 그래프는 어느 것입니까?

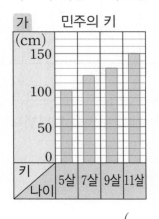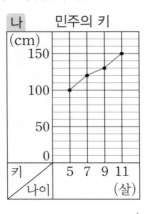

( )

교과서유형
02 꺾은선그래프를 보고 진주와 진호 중 바르게 말한 사람은 누구입니까?

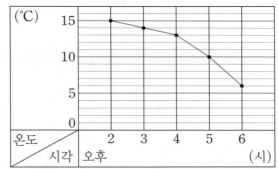

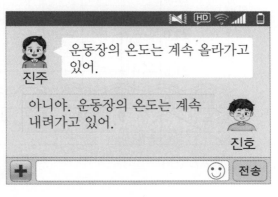

( )

[03~07] 어느 장난감 공장의 월별 불량품 수를 조사하여 나타낸 꺾은선그래프입니다. 물음에 답하시오.

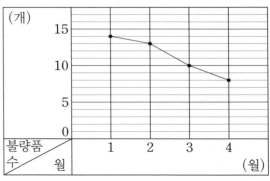

03 가로와 세로는 각각 무엇을 나타냅니까?

가로 ( )

세로 ( )

04 세로 눈금 한 칸은 몇 개를 나타냅니까?

( )

05 4월의 불량품 수는 몇 개입니까?

( )

06 불량품 수가 10개인 때는 몇 월입니까?

( )

익힘책유형
07 불량품 수가 가장 많은 때와 가장 적은 때의 불량품 수의 차는 몇 개입니까?

( )

핵심 내용 ▶ 필요 없는 부분을 물결선으로 줄이고
세로 눈금 한 칸의 크기를 작게 하기

유형 02 물결선을 사용한 꺾은선그래프 알아보기

[08~10] 나래의 체온을 시간별로 재어 두 꺾은선그래프로 나타냈습니다. 물음에 답하시오.

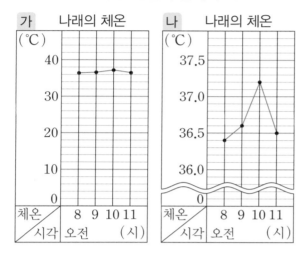

08 두 그래프의 같은 점과 다른 점을 완성해 보시오.

(같은점) 가로는 [　　　]을/를 나타내고,

세로는 [　　　]을/를 나타냅니다.

(다른점) 세로 눈금 한 칸이 가 그래프는 [　]℃

를 나타내고, 나 그래프는 [　]℃를
나타냅니다.

09 나래의 체온 변화를 더 뚜렷하게 알 수 있는 그래프는 어느 것입니까?

(　　　　　　　　　)

10 꺾은선그래프를 표로 나타내시오.

나래의 체온

시각	오전 8시	9시	10시	11시
체온(℃)				

[11~13] 어느 도시의 월별 관광객 수를 조사하여 나타낸 꺾은선그래프입니다. 물음에 답하시오.

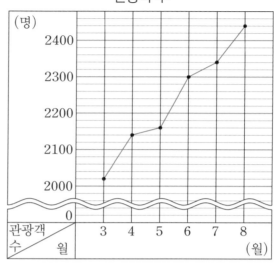

11 세로 눈금이 물결선 위로 2000명부터 시작한 이유를 완성해 보시오.

(이유) [　　]명과 [　　　　]명 사이는 필요 없는
부분이기 때문입니다.

12 관광객 수가 2300명인 때는 몇 월입니까?

(　　　　　　　　　)

13 관광객 수가 가장 많은 때와 가장 적은 때의 관광객 수를 각각 구하시오.

가장 많은 때 (　　　　　　　　)
가장 적은 때 (　　　　　　　　)

2단계 **기본유형**

핵심 내용 → 가로 눈금과 세로 눈금이 만나는 자리에
점을 찍고 선분으로 잇기

유형 **03** 꺾은선그래프로 나타내기

[14~16] 9월에 옥수수 싹의 키를 조사하여 나타낸 표를 보고 꺾은선그래프로 나타내려고 합니다. 물음에 답하시오.

옥수수 싹의 키

날짜(일)	1	2	3	4	5
키(cm)	3	4	6	9	15

옥수수 싹의 키

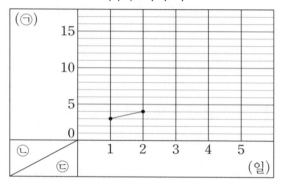

14 꺾은선그래프에서 ㉠, ㉡, ㉢에 알맞게 쓰시오.

㉠ (   )

㉡ (   )

㉢ (   )

15 꺾은선그래프를 완성하시오.

교과서유형
16 옥수수 싹은 며칠과 며칠 사이에 가장 많이 자랐습니까?

(   )

┌ 비, 눈, 우박, 서리 등과 같이 땅에 떨어져
  내린 물의 전체 양을 측정한 값

17 해법 마을의 월별 강수량을 조사하여 나타낸 표를 보고 꺾은선그래프로 나타내시오.

강수량

월	8	9	10	11	12
강수량(mm)	130	120	100	80	50

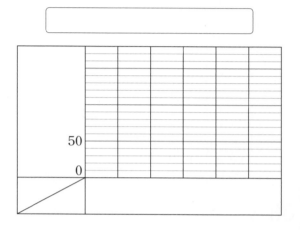

┌ 지진의 강도를 나타내는 단위

익힘책유형
18 어느 나라의 규모 3.0 이상 지진 발생 횟수를 조사하여 나타낸 표를 보고 꺾은선그래프로 나타내시오.

지진 발생 횟수

연도(년)	2017	2018	2019	2020	2021
횟수(회)	11	8	15	5	4

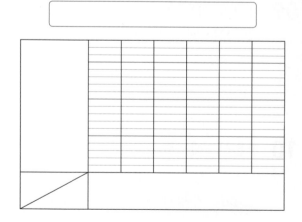

→ **핵심 내용** 꼭 필요한 부분과 필요 없는 부분을
알아보고 물결선으로 줄일 부분 찾기

유형 04 물결선을 사용한 꺾은선그래프로 나타내기

[19~21] 온실의 온도를 한 시간마다 재어 나타낸 표를 보고 물결선을 사용하여 꺾은선그래프로 나타내려고 합니다. 물음에 답하시오.

온실의 온도

시각	오후 1시	오후 2시	오후 3시	오후 4시
온도(℃)	26.1	26.8	26.6	26.2

19 물결선을 몇 ℃와 몇 ℃ 사이에 넣으면 좋을지 바르게 말한 사람은 누구입니까?

0 ℃와 26.0 ℃ 사이   0 ℃와 26.5 ℃ 사이

진주   진호

(   )

20 세로 눈금 한 칸은 몇 ℃로 하는 것이 좋겠습니까?

(   )

21 위의 표를 보고 물결선을 사용하여 꺾은선그래프로 나타내시오.

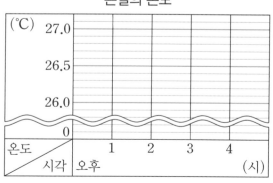

온실의 온도

[22~24] 성민이가 키우고 있는 강아지의 무게를 재어 나타낸 표를 보고 물결선을 사용하여 꺾은선그래프로 나타내려고 합니다. 물음에 답하시오.

강아지의 무게

월	7	8	9	10	11
무게(kg)	6.0	6.6	7.0	7.8	8.0

22 ☐ 안에 알맞은 수를 써넣으시오.

강아지의 무게가 가장 적을 때가 ☐ kg이기 때문에 물결선을 0 kg과 ☐ kg 사이에 넣으면 좋습니다.

23 세로 눈금 한 칸은 몇 kg으로 하는 것이 좋겠습니까?

(   )

익힘책 유형
24 위의 표를 보고 물결선을 사용하여 꺾은선그래프로 나타내시오.

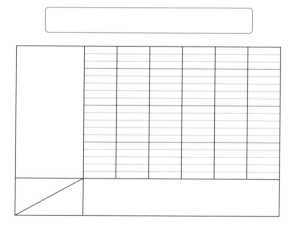

5

꺾은선그래프

핵심 내용 선분이 많이 기울어질수록 변화가 큼

잘 틀리는 유형 **05** 변화가 가장 클 때 알아보기

25 토마토 싹의 키를 조사하여 나타낸 꺾은선그래프입니다. 토마토 싹의 키의 변화가 가장 큰 때는 무슨 요일과 무슨 요일 사이입니까?

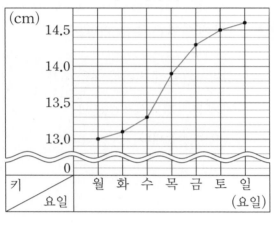

( )

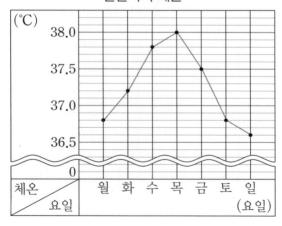

26 현빈이가 감기에 걸린 동안 매일 오전 10시에 체온을 재어 나타낸 꺾은선그래프입니다. 체온의 변화가 가장 큰 때는 무슨 요일과 무슨 요일 사이입니까?

( )

KEY 변화가 가장 큰 때는 오른쪽으로 올라가거나 내려가는 것에 관계없이 가장 많이 기울어진 선분을 찾아요

잘 틀리는 유형 **06** 표와 꺾은선그래프 비교하여 완성하기

[27~28] 표와 꺾은선그래프를 비교하여 표와 꺾은선그래프를 완성하시오.

27 A 도시의 인구

연도(년)	2005	2010	2015	2020
인구(만 명)	144	153		

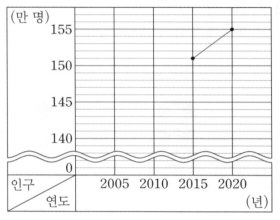

28 자전거 판매량

월	1	2	3	4	합계
판매량(대)				142	516

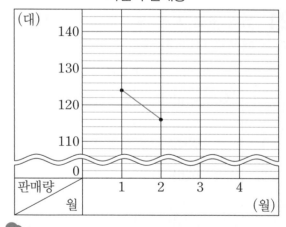

KEY 합계에서 아는 값을 빼면 모르는 값을 구할 수 있어요.

서술형 유형

1-1

다음 꺾은선그래프를 보고 고추 수확량이 가장 많은 때의 수확량은 몇 kg인지 풀이 과정을 완성하고 답을 구하시오.

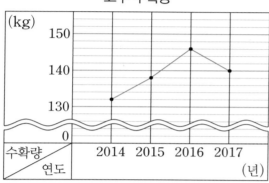

고추 수확량

풀이 고추 수확량이 가장 많은 때는 [   ]년 입니다. 세로 눈금 한 칸이 [   ]kg을 나타내 므로 이때의 수확량은 [   ]kg입니다.

답 [   ] kg

1-2

위 **1-1**의 꺾은선그래프에서 고추 수확량이 가장 적은 때의 수확량은 몇 kg인지 풀이 과정을 쓰고 답을 구하시오.

풀이

답

2-1

다음 꺾은선그래프를 보고 오전 10시는 오전 8시 보다 기온이 몇 ℃ 올랐는지 풀이 과정을 완성하고 답을 구하시오.

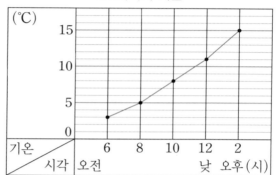

A 지역의 기온

풀이 오전 10시의 기온은 [   ]℃이고 오전 8시의 기온은 [   ]℃입니다.

따라서 오전 10시는 오전 8시보다 기온이

[   ] − [   ] = [   ] (℃) 올랐습니다.

답 [   ] ℃

2-2

위 **2-1**의 꺾은선그래프에서 오후 2시는 낮 12시 보다 기온이 몇 ℃ 올랐는지 풀이 과정을 쓰고 답을 구하시오.

풀이

답

5

꺾은선그래프

3단계 유형평가 단원

[01~05] 어느 지역의 월별 강수량을 나타낸 꺾은선 그래프입니다. 물음에 답하시오.

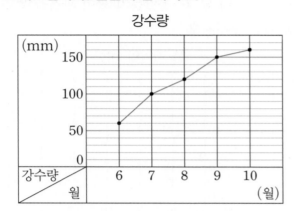

01 진주와 진호 중 바르게 말한 사람은 누구입니까?

> 강수량이 계속 많아지고 있어.
> 진주

> 아니야. 강수량이 계속 적어지고 있어.
> 진호

( )

02 세로 눈금 한 칸은 몇 mm를 나타냅니까?

( )

03 8월의 강수량은 몇 mm입니까?

( )

04 강수량이 100 mm인 때는 몇 월입니까?

( )

05 강수량이 가장 많은 때와 가장 적은 때의 강수량의 차는 몇 mm입니까?

( )

[06~10] 봉숭아의 키를 월별로 재어 두 꺾은선그래프로 나타냈습니다. 물음에 답하시오.

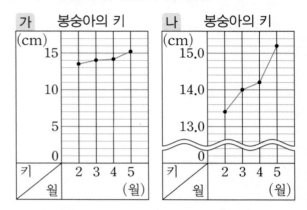

06 두 그래프의 다른 점을 완성해 보시오.

다른 점 세로 눈금 한 칸이 가 그래프는 ☐cm를, 나 그래프는 ☐cm를 나타냅니다.

07 봉숭아의 키 변화를 더 뚜렷하게 알 수 있는 그래프는 어느 것입니까?

( )

08 꺾은선그래프를 표로 나타내시오.

봉숭아의 키

월	2	3	4	5
키(cm)				

09 나 그래프의 세로 눈금이 물결선 위로 13.0 cm부터 시작한 이유를 완성해 보시오.

이유 ☐cm와 ☐cm 사이는 필요 없는 부분이기 때문입니다.

10 봉숭아의 키가 가장 큰 때의 키를 구하시오.

( )

[11~14] 성우의 키를 매월 15일에 조사하여 나타낸 표를 보고 물결선을 사용하여 꺾은선그래프로 나타내려고 합니다. 물음에 답하시오.

성우의 키

월	1	2	3	4	5
키(cm)	140.1	140.2	140.4	140.9	141.1

11 물결선을 몇 cm와 몇 cm 사이에 넣으면 좋을지 바르게 말한 사람은 누구입니까?

> 진호: 0 cm와 141.0 cm 사이가 좋을 것 같아.
> 진주: 아니야. 0 cm와 140.0 cm 사이가 좋겠어.

( )

12 세로 눈금 한 칸은 몇 cm로 하는 것이 좋겠습니까?

( )

13 위의 표를 보고 물결선을 사용하여 꺾은선그래프로 나타내시오.

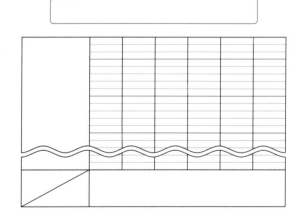

14 성우의 키는 몇 월과 몇 월 사이에 가장 많이 자랐습니까?

( )

15 인하가 키우는 식물의 키를 조사하여 나타낸 꺾은선그래프입니다. 식물의 키의 변화가 가장 큰 때는 며칠과 며칠 사이입니까?

식물의 키

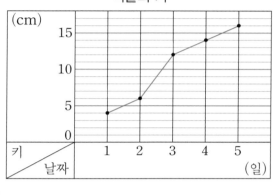

( )

16 표와 꺾은선그래프를 비교하여 표와 꺾은선그래프를 완성하시오.

복도의 온도

시각	오후 1시	오후 2시	오후 3시	오후 4시
온도(℃)			21.3	21.5

복도의 온도

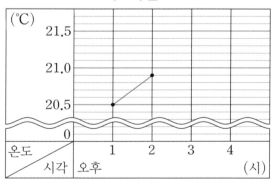

17 10월 중 하루의 기온을 조사하여 나타낸 꺾은선그래프입니다. 기온의 변화가 가장 큰 때는 몇 시와 몇 시 사이입니까?

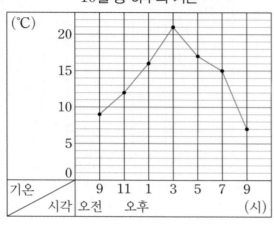

10월 중 하루의 기온

( )

18 표와 꺾은선그래프를 비교하여 표와 꺾은선그래프를 완성하시오.

자동차 수출량

월	1	2	3	4	합계
수출량(대)	9400				37000

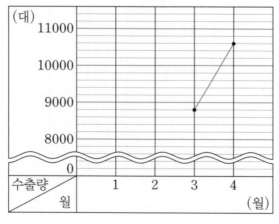

자동차 수출량

서술형
19 다음 꺾은선그래프를 보고 마스크 판매량이 가장 많은 때의 판매량은 몇 상자인지 풀이 과정을 쓰고 답을 구하시오.

마스크 판매량

풀이

답

서술형
20 위 **19**의 꺾은선그래프에서 10월의 마스크 판매량은 8월보다 몇 상자 더 많은지 풀이 과정을 쓰고 답을 구하시오.

풀이

답

QR **코드**를 찍어 단원평가 를 풀어 보세요.

6 다각형

학습 계획표

계획표대로 공부했으면 ○표, 못했으면 △표 하세요.

개념에 대한 **자세한 동영상 강의**를 시청하세요.

개념 ❶ 다각형, 정다각형

다각형

곡선인 부분이 있음

정다각형

네 각의 크기가 모두 같지 않음

핵심 변의 수에 따라 이름이 정해짐

선분으로만 둘러싸인 도형을 ❶ ☐☐☐ 이라고 합니다.

변의 길이가 모두 같고, 각의 크기가 모두 같은 다각형을 ❷ ☐☐☐☐ 이라고 합니다.

[전에 배운 내용]
• 직사각형: 네 각이 모두 직각인 사각형
• 정사각형: 네 각이 모두 직각이고 네 변의 길이가 모두 같은 사각형
• 사다리꼴: 평행한 변이 한 쌍이라도 있는 사각형
• 평행사변형: 마주 보는 두 쌍의 변이 서로 평행한 사각형
• 마름모: 네 변의 길이가 모두 같은 사각형

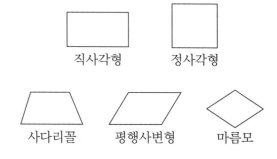

직사각형   정사각형

사다리꼴   평행사변형   마름모

개념 ❷ 대각선

• 두 대각선의 길이가 같은 사각형

직사각형   정사각형

• 한 대각선이 다른 대각선을 반으로 나누는 사각형

평행사변형   마름모   직사각형   정사각형

• 두 대각선이 서로 수직으로 만나는 사각형

마름모   정사각형

핵심 꼭짓점의 수가 많을수록 대각선의 수가 많음

[전에 배운 내용]
• 두 직선이 만나서 이루는 각이 직각일 때 서로 수직이라고 합니다.
• 두 직선이 서로 수직으로 만나면 한 직선을 다른 직선에 대한 수선이라고 합니다.

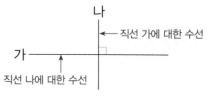

직선 가에 대한 수선

직선 나에 대한 수선

• 한 직선에 수직인 두 직선을 그었을 때, 그 두 직선은 서로 만나지 않습니다. 이와 같이 서로 만나지 않는 두 직선을 평행하다고 합니다.
• 평행한 두 직선을 평행선이라고 합니다.

평행선

체크

1-1 다각형에 ○표 하시오.

(   )

(   )

(   )

(   )

(   )

(   )

1-2 정다각형에 ○표 하시오.

(   )

(   )

(   )

(   )

(   )

(   )

체크

2-1 사각형에 대각선을 그으려고 합니다. ☐ 안을 알맞게 채우시오.

(1)

→ 꼭짓점 ㄱ과 꼭짓점 ☐ 을 이어야 합니다.

(2)

→ 꼭짓점 ㄴ과 꼭짓점 ☐ 을 이어야 합니다.

2-2 사각형에서 대각선을 찾아 쓰려고 합니다. ☐ 안을 알맞게 채우시오.

(1)
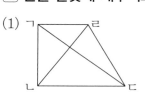

→ 선분 ㄱㄷ과 선분 ☐

(2)
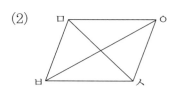

→ 선분 ☐ 과 선분 ㅂㅇ

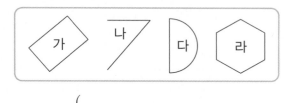

2 단계 기본 유형

유형 01 다각형 알아보기

01 다각형을 모두 찾아 기호를 쓰시오.

가 나 다 라

( )

02 빨간색 선으로 표시한 다각형의 이름을 찾아 선으로 이으시오.

 · · 팔각형

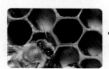 · · 육각형

 · · 오각형

03 도형판에 만든 다각형의 이름을 쓰시오.

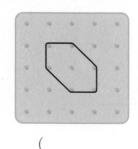

( )

04 칠각형을 찾아 ○표 하시오.

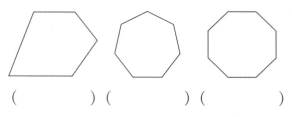

( ) ( ) ( )

05 점 종이에 그어진 선분을 이용하여 다각형을 완성하시오.

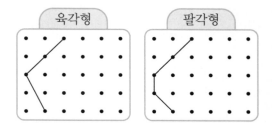

육각형   팔각형

06 안전 표지판에서 볼 수 있는 다각형의 이름을 쓰시오.

㉠   ㉡

㉠ ( )

㉡ ( )

07 두 수의 크기를 비교하여 ○ 안에 >, =, < 를 알맞게 써넣으시오.

오각형의 변의 수 칠각형의 각의 수

공부한 날 ◯ 월 ◯ 일

→ 핵심 내용 다각형 중 변의 길이가 모두 같고, 각의 크기가 모두 같은 것이 정다각형

유형 02 정다각형 알아보기

08 정다각형을 찾아 기호를 쓰시오.

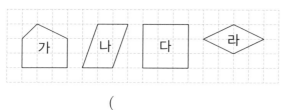

( )

09 정다각형의 이름을 쓰시오.

( )

10 정육각형을 찾아 ◯표 하시오.

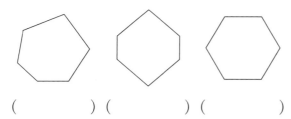

( ) ( ) ( )

11 다음에서 설명하는 도형의 이름은 무엇입니까?

- 10개의 선분으로만 둘러싸여 있습니다.
- 변의 길이가 모두 같습니다.
- 각의 크기가 모두 같습니다.

( )

12 도형을 이루고 있는 모양 조각 중 정다각형을 모두 찾아 색칠하고, 색칠한 정다각형의 이름을 모두 쓰시오.

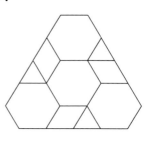

( )

13 한 변의 길이가 6 cm인 정오각형의 모든 변의 길이의 합은 몇 cm입니까?

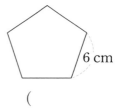

6 cm

( )

14 정육각형의 한 각의 크기는 120°입니다. 정육각형의 모든 각의 크기의 합은 몇 도입니까?

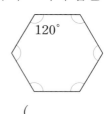

120°

( )

6

다각형

2단계 기본 유형

→ 핵심 내용 ▶ 서로 이웃하지 않는 두 꼭짓점만 이어야 함

유형 03 대각선 알아보기

15 정사각형에 대각선을 바르게 나타낸 것에 ○표 하시오.

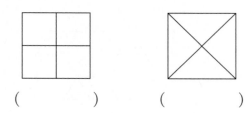

( ) ( )

16 다음 그림에서 대각선이 <u>아닌</u> 것을 찾아 기호를 쓰시오.

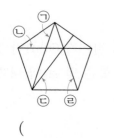

( )

17 대각선을 그을 수 <u>없는</u> 도형을 찾아 기호를 쓰시오.

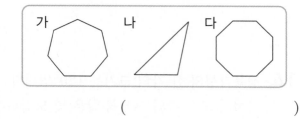

( )

18 다각형에 대각선을 모두 그어 보시오.

19 대각선의 수가 많은 도형부터 차례로 기호를 쓰시오.

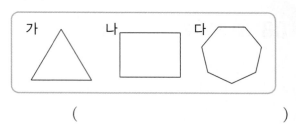

( )

[20~22] 사각형을 보고 물음에 답하시오.

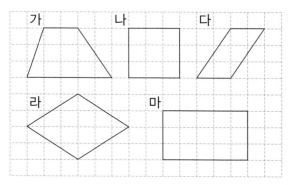

20 두 대각선의 길이가 같은 사각형을 모두 찾아 기호를 쓰시오.

( )

21 한 대각선이 다른 대각선을 반으로 나누는 사각형을 모두 찾아 기호를 쓰시오.

( )

22 두 대각선이 서로 수직으로 만나는 사각형을 모두 찾아 기호를 쓰시오.

( )

핵심 내용 ▶ 길이가 같은 변끼리 이어 붙이고, 서로 겹치거나 빈틈이 생기지 않게 채움

유형 **04** 모양 만들기와 채우기

23 여러 가지 모양 조각으로 정육각형을 채운 것입니다. 모양 채우기의 방법을 잘못 설명한 것을 찾아 기호를 쓰시오.

ㄱ 길이가 같은 변끼리 이어 붙였습니다.
ㄴ 서로 겹치도록 이어 붙였습니다.
ㄷ 빈틈없이 이어 붙였습니다.

(   )

24 정삼각형 모양 조각과 평행사변형 모양 조각을 모두 사용하여 정육각형을 채우시오. (단, 같은 모양 조각을 여러 번 사용할 수 있습니다.)

25 모양을 만드는 데 사용한 다각형이 <u>아닌</u> 것에 ×표 하시오.

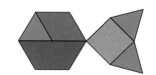

(삼각형 , 사각형 , 오각형)

26 모양을 만드는 데 사용한 다각형은 각각 몇 개인지 세어 ☐ 안에 알맞은 수를 써넣으시오.

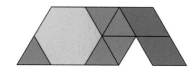

삼각형: ☐개, 사각형: ☐개, 육각형: ☐개

[27~29] 모양 조각을 보고 물음에 답하시오.

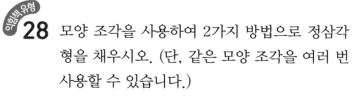

27 위 모양 조각 중에서 정다각형 모양 조각은 모두 몇 개입니까?

(   )

28 모양 조각을 사용하여 2가지 방법으로 정삼각형을 채우시오. (단, 같은 모양 조각을 여러 번 사용할 수 있습니다.)

방법 1   방법 2

29 모양 조각을 사용하여 아래의 모양을 만드시오. (단, 같은 모양 조각을 여러 번 사용할 수 있습니다.)

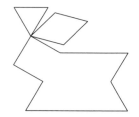

잘 틀리는 유형 **05** 여러 가지 다각형 그리기

30 주어진 선분을 한 변으로 하는 정육각형을 완성하시오.

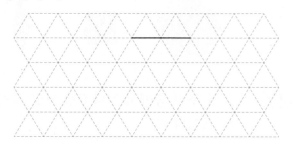

31 수정이는 점선을 따라 다음과 같이 도형을 그렸습니다. 수정이가 그린 도형에서 찾을 수 있는 정다각형의 이름을 모두 쓰시오.

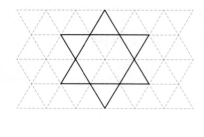

( )

함정유형 **32** 점선을 따라 그릴 수 <u>없는</u> 다각형을 찾아 기호를 쓰시오.

| ㉠ 사다리꼴 |
| ㉡ 마름모 |
| ㉢ 평행사변형 |
| ㉣ 직사각형 |

( )

KEY 점선을 따라 그릴 수 없는 각이 있는 도형을 찾아야 해요.

잘 틀리는 유형 **06** 정다각형의 이름 찾기

33 한 변의 길이가 5 cm이고 모든 변의 길이의 합이 30 cm인 정다각형의 이름은 무엇입니까?

( )

34 다음 철사를 남김없이 사용하여 한 변의 길이가 4 cm인 정다각형 1개를 만들었습니다. 이 정다각형의 이름은 무엇입니까?

20 cm

( )

함정유형 **35** 다음 정삼각형을 만든 철사를 남김없이 사용하여 한 변의 길이가 9 cm인 정다각형 1개를 새로 만들었습니다. 새로 만든 정다각형의 이름은 무엇입니까?

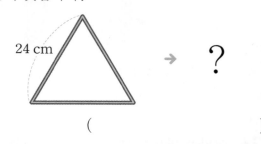

24 cm → ?

( )

KEY 새로 만든 정다각형의 모든 변의 길이의 합은 주어진 정삼각형의 모든 변의 길이의 합과 같아요.

서술형유형

1-1

정육각형의 모든 변의 길이의 합은 몇 cm인지 풀이 과정을 완성하고 답을 구하시오.

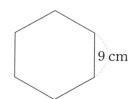

9 cm

(풀이) 정육각형은 길이가 같은 변 ☐ 개로 둘러싸여 있습니다.

따라서 정육각형의 모든 변의 길이의 합은

9 × ☐ = ☐ (cm)입니다.

(답) ☐ cm

2-1

오각형의 모든 각의 크기의 합은 몇 도인지 풀이 과정을 완성하고 답을 구하시오.

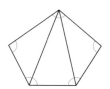

(풀이) 삼각형의 세 각의 크기의 합은 ☐°이고,

오각형은 삼각형 ☐ 개로 나누어집니다.

따라서 오각형의 모든 각의 크기의 합은

☐° × ☐ = ☐°입니다.

(답) ☐°

1-2

정칠각형의 모든 변의 길이의 합은 몇 cm인지 풀이 과정을 쓰고 답을 구하시오.

8 cm

(풀이)

(답) _____

2-2

육각형의 모든 각의 크기의 합은 몇 도인지 풀이 과정을 쓰고 답을 구하시오.

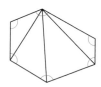

(풀이)

(답) _____

3단계 유형단원평가

점수

01 다각형을 모두 찾아 기호를 쓰시오.

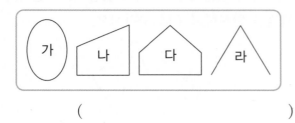

( )

02 도형판에 만든 다각형의 이름을 쓰시오.

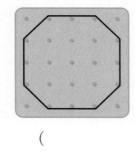

( )

03 오각형을 찾아 ○표 하시오.

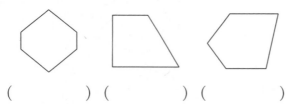

( ) ( ) ( )

04 두 수의 크기를 비교하여 ○ 안에 >, =, < 를 알맞게 써넣으시오.

구각형의 변의 수 ○ 팔각형의 각의 수

05 다음에서 설명하는 도형의 이름은 무엇입니까?

- 12개의 선분으로만 둘러싸여 있습니다.
- 변의 길이가 모두 같습니다.
- 각의 크기가 모두 같습니다.

( )

06 한 변의 길이가 8 cm인 정육각형의 모든 변의 길이의 합은 몇 cm입니까?

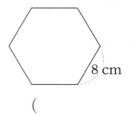

8 cm

( )

07 정팔각형의 한 각의 크기는 135°입니다. 정팔각형의 모든 각의 크기의 합은 몇 도입니까?

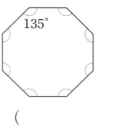

135°

( )

08 다각형에 대각선을 모두 그어 보시오.

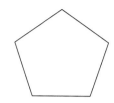

[09~11] **사각형을 보고 물음에 답하시오.**

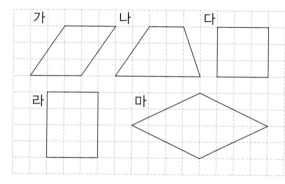

09 두 대각선의 길이가 다른 사각형을 모두 찾아 기호를 쓰시오.

(　　　　　　　　　　　)

10 한 대각선이 다른 대각선을 반으로 나누지 않는 사각형을 찾아 기호를 쓰시오.

(　　　　　　　　　　　)

11 두 대각선이 서로 수직으로 만나지 않는 사각형을 모두 찾아 기호를 쓰시오.

(　　　　　　　　　　　)

12 정삼각형 모양 조각과 사다리꼴 모양 조각을 모두 사용하여 정육각형을 채우시오. (단, 같은 모양 조각을 여러 번 사용할 수 있습니다.)

[13~14] **모양 조각을 보고 물음에 답하시오.**

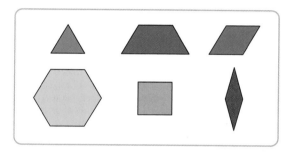

13 모양 조각을 사용하여 2가지 방법으로 평행사변형을 채우시오. (단, 같은 모양 조각을 여러 번 사용할 수 있습니다.)

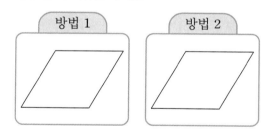

14 모양 조각을 사용하여 아래의 모양을 만드시오. (단, 같은 모양 조각을 여러 번 사용할 수 있습니다.)

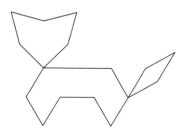

15 점선을 따라 크기가 서로 다른 정육각형을 2개 그리시오.

16 한 변의 길이가 6 cm이고 모든 변의 길이의 합이 54 cm인 정다각형의 이름은 무엇입니까?

(   )

 17 점선을 따라 그릴 수 <u>없는</u> 다각형을 모두 찾아 기호를 쓰시오.

> ㉠ 정삼각형
> ㉡ 정사각형
> ㉢ 정오각형
> ㉣ 정육각형

(   )

 18 다음 정사각형을 만든 철사를 남김없이 사용하여 한 변의 길이가 10 cm인 정다각형 1개를 새로 만들었습니다. 새로 만든 정다각형의 이름은 무엇입니까?

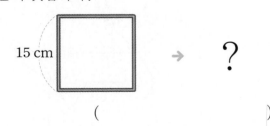

(   )

---

 19 정팔각형의 모든 변의 길이의 합은 몇 cm인지 풀이 과정을 쓰고 답을 구하시오.

6 cm

풀이 _____

_____

_____

_____

답 _____

 20 칠각형의 모든 각의 크기의 합은 몇 도인지 풀이 과정을 쓰고 답을 구하시오.

풀이 _____

_____

_____

_____

답 _____

QR 코드를 찍어 **단원평가** 를 풀어 보세요.

유형 해결의 법칙 BOOK 2 QR 활용 안내

오답 노트

오답노트 저장! 출력!

학습을 마칠 때에는 **오답노트**에 어떤 문제를 틀렸는지 표시해.
나중에 틀린 문제만 모아서 다시 풀면 **실력도 쑥쑥** 늘겠지?

① 오답노트 앱을 설치 후 로그인
② 책 표지의 QR 코드를 스캔하여 내 교재 등록
③ 오답 노트를 작성할 교재 아래에 있는 ⑭ 를 터치하여 문항 번호를 선택하기

문항번호 선택

날짜별 또는 단원별 보기

틀린 문제는 모르는 채 넘어가지 말자구!

인쇄 가능

모든 문제의 풀이 동영상 강의 제공

문제 풀이 동영상 강의

잘 틀리는 **실력 유형**

문제 풀이 동영상 강의

다르지만 **같은 유형**

유사 문제 제공

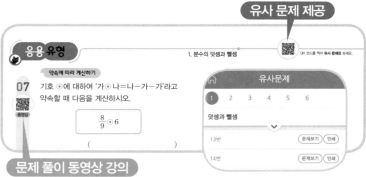

응용 유형

문제 풀이 동영상 강의

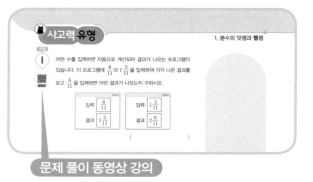

사고력 유형

문제 풀이 동영상 강의

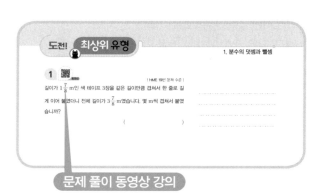

도전! 최상위 유형

문제 풀이 동영상 강의

 실력 난이도 중, 상과 최상위 문제로 구성하였습니다.

연습

완성

도전

잘 틀리는 실력 유형
다르지만 같은 유형

응용 유형

사고력 유형
최상위 유형

잘 틀리는 실력 유형

잘 틀리는 실력 유형으로 오답을 피할 수 있도록 연습하고 새 교과서에 나온 활동 유형으로 다른 교과서에 나오는 잘 틀리는 문제를 연습합니다.

▶ 동영상 강의 제공

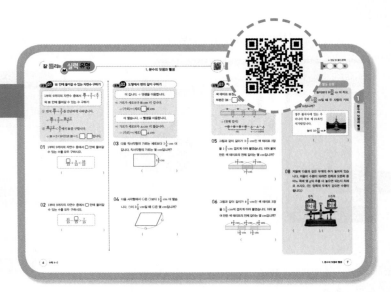

다르지만 같은 유형

다르지만 같은 유형으로 어려운 문제도 결국 같은 유형이라는 것을 안다면 쉽게 해결할 수 있습니다.

▶ 동영상 강의 제공

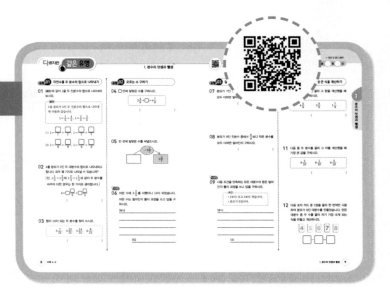

응용 유형

응용 유형 문제를 풀면서 어려운 문제도
풀 수 있는 힘을 키워 보세요.

▶ 동영상 강의 제공

👥 유사 문제 제공

사고력 유형

평소 쉽게 접하지 않은 사고력 유형도
연습할 수 있습니다.

▶ 동영상 강의 제공

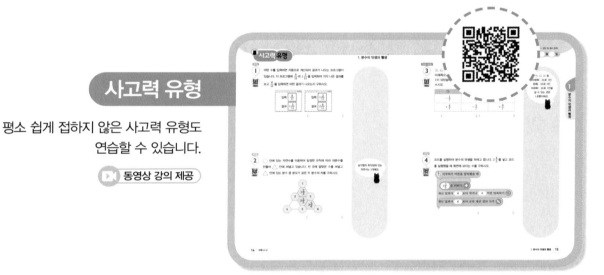

최상위 유형

도전! 최상위 유형~ 가장 어려운 최상위
문제를 풀려고 도전해 보세요.

▶ 동영상 강의 제공

차례

Book2

분수의 덧셈과 뺄셈

유형 01 ■ 안에 들어갈 수 있는 자연수 구하기

1부터 9까지의 자연수 중에서 $\dfrac{■}{7}+\dfrac{2}{7}<\dfrac{6}{7}$ 의 ■ 안에 들어갈 수 있는 수 구하기

① 먼저 $\dfrac{■}{7}+\dfrac{2}{7}$ 를 간단하게 나타냅니다.

→ $\dfrac{■}{7}+\dfrac{2}{7}=\dfrac{■+2}{7}$

② $\dfrac{■+2}{7}<\dfrac{6}{7}$ 에서 ■를 구합니다.

→ ■+2<6이므로 ■=1, □, □ 입니다.

01 1부터 9까지의 자연수 중에서 □ 안에 들어갈 수 있는 수를 모두 구하시오.

$$\dfrac{□}{13}+\dfrac{5}{13}<\dfrac{10}{13}$$

( )

02 1부터 9까지의 자연수 중에서 □ 안에 들어갈 수 있는 수를 모두 구하시오.

$$\dfrac{11}{15}-\dfrac{□}{15}>\dfrac{7}{15}$$

( )

유형 02 도형에서 변의 길이 구하기

더 깁니다. → 덧셈을 이용합니다.

예) 가로가 세로보다 ■ cm 더 깁니다.

→ (가로)=(세로)$\boxed{}$■ cm

더 짧습니다. → 뺄셈을 이용합니다.

예) 가로가 세로보다 ▲ cm 더 짧습니다.

→ (가로)=(세로)$\boxed{}$▲ cm

03 다음 직사각형의 가로는 세로보다 $1\dfrac{1}{6}$ cm 더 깁니다. 직사각형의 가로는 몇 cm입니까?

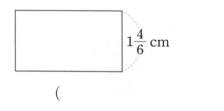

( )

04 다음 사각형에서 ㉡은 ㉠보다 $1\dfrac{2}{8}$ cm 더 짧습니다. ㉠이 $3\dfrac{7}{8}$ cm일 때 ㉡은 몇 cm입니까?

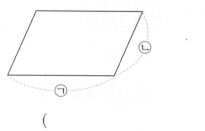

( )

1

분수의 덧셈과 뺄셈

유형 03 이어 붙인 전체 길이 구하기

색 테이프 ■장을 겹치게 이어 붙이면 겹치는 부분은 (■−☐)군데입니다.

(전체 길이)

= ●+●+●+● − ▲−▲−▲

4장   4−1=3(군데)

05 그림과 같이 길이가 $3\frac{2}{7}$ cm인 색 테이프 2장을 $1\frac{3}{7}$ cm 겹치게 이어 붙였습니다. 이어 붙여 만든 색 테이프의 전체 길이는 몇 cm입니까?

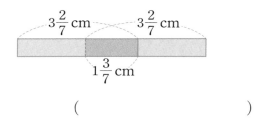

$3\frac{2}{7}$ cm $3\frac{2}{7}$ cm

$1\frac{3}{7}$ cm

(   )

06 그림과 같이 길이가 $4\frac{2}{9}$ cm인 색 테이프 3장을 $1\frac{5}{9}$ cm씩 겹치게 이어 붙였습니다. 이어 붙여 만든 색 테이프의 전체 길이는 몇 cm입니까?

$4\frac{2}{9}$ cm $4\frac{2}{9}$ cm $4\frac{2}{9}$ cm

$1\frac{5}{9}$ cm $1\frac{5}{9}$ cm

(   )

유형 04 새 교과서에 나온 활동 유형

07 영수의 키는 석가탑 높이보다 $8\frac{35}{36}$ m 더 작고, 도빈이의 키는 $1\frac{25}{36}$ m일 때 두 사람의 키의 차는 몇 m입니까?

경주 불국사에 있는 우리나라 국보 제 21호인 석가탑입니다.

높이: $10\frac{27}{36}$ m ▶

(   )

08 저울에 다음과 같은 무게의 추가 놓여져 있습니다. 저울이 수평이 되려면 왼쪽과 오른쪽 중 어느 쪽에 몇 g의 추를 더 놓으면 되는지 차례로 쓰시오. (단, 양쪽의 무게가 같으면 수평이 됩니다.)

왼쪽   오른쪽

$14\frac{1}{8}$ g $10\frac{3}{8}$ g

(   ), (   )

유형 01 자연수를 두 분수의 합으로 나타내기

01 보기 와 같이 1을 두 진분수의 합으로 나타내어 보시오.

> **보기**
>
> 1을 분모가 5인 두 진분수의 합으로 나타내면 다음과 같습니다.
>
> $$1 = \frac{1}{5} + \frac{4}{5}, \ 1 = \frac{2}{5} + \frac{3}{5}$$

(1) $1 = \dfrac{\square}{7} + \dfrac{\square}{7}$, $1 = \dfrac{\square}{7} + \dfrac{\square}{7}$

(2) $1 = \dfrac{\square}{9} + \dfrac{\square}{9}$, $1 = \dfrac{\square}{9} + \dfrac{\square}{9}$

02 4를 분모가 5인 두 대분수의 합으로 나타내려고 합니다. 모두 몇 가지로 나타낼 수 있습니까?

$\left(\text{단, } 1\dfrac{1}{3} + 1\dfrac{2}{3}\text{와 } 1\dfrac{2}{3} + 1\dfrac{1}{3}\text{과 같이 두 분수를}\right.$
바꾸어 더한 경우는 한 가지로 생각합니다.$\left.\right)$

$$4 = \square\dfrac{\square}{5} + \square\dfrac{\square}{5}$$

( )

03 합이 10이 되는 두 분수를 찾아 쓰시오.

$$5\frac{7}{21}, \quad 3\frac{13}{21}, \quad 5\frac{14}{21}, \quad 6\frac{8}{21}$$

( )

유형 02 모르는 수 구하기

04 $\square$ 안에 알맞은 수를 구하시오.

$$2\frac{4}{8} + \square = 4\frac{7}{8}$$

( )

05 빈 곳에 알맞은 수를 써넣으시오.

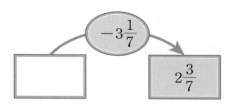

서술형

06 어떤 수에 $3\frac{2}{5}$를 더했더니 10이 되었습니다. 어떤 수는 얼마인지 풀이 과정을 쓰고 답을 구하시오.

[풀이]

_____

_____

_____

[답]

유형 03 **알맞은 분수 찾아 계산하기**

07 분모가 7인 진분수 중에서 $\frac{2}{7}$보다 큰 분수를 모두 더하면 얼마인지 구하시오.

(   )

08 분모가 8인 진분수 중에서 $\frac{6}{8}$보다 작은 분수를 모두 더하면 얼마인지 구하시오.

(   )

09 다음 조건을 만족하는 모든 대분수의 합은 얼마인지 풀이 과정을 쓰고 답을 구하시오.

┌─ 조건 ─
• 2보다 크고 3보다 작습니다.
• 분모가 5입니다.
└─

[풀이]
_____
_____
_____
_____

[답] _____

유형 04 **합 또는 차가 가장 큰 식을 계산하기**

10 다음 중 두 분수를 골라 그 합을 계산했을 때 가장 큰 값을 구하시오.

$$4\frac{5}{9} \qquad 3\frac{8}{9} \qquad 1\frac{7}{9}$$

(   )

11 다음 중 두 분수를 골라 그 차를 계산했을 때 가장 큰 값을 구하시오.

$$9\frac{2}{10} \qquad 8\frac{1}{10} \qquad 6\frac{5}{10}$$

(   )

12 다음 숫자 카드 중 3장을 골라 한 번씩만 사용하여 분모가 8인 대분수를 만들었습니다. 만든 대분수 중 두 수를 골라 차가 가장 크게 되는 식을 만들고 계산하시오.

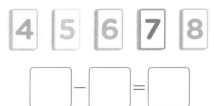

□ − □ = □

1

분수의 덧셈과 뺄셈

약속에 따라 계산하기

01 ❶기호 ▣에 대하여 '가▣나=가−나−나'라고 약속할 때 / ❷다음을 계산하시오.

$$4 ▣ \frac{5}{7}$$

(   )

❶ 약속에 따라 식을 씁니다.
❷ ❶에서 쓴 식을 앞에서부터 차례로 계산합니다.

각각 나타내는 수의 합 구하기

02 ❸㉠과 ㉡의 합을 구하시오.

> ❶㉠ $\frac{6}{8}$보다 $\frac{5}{8}$만큼 더 큰 수
>
> ❷㉡ $\frac{7}{8}$보다 $\frac{1}{8}$만큼 더 작은 수

(   )

❶ ■보다 ▲만큼 더 큰 수는 ■+▲입니다.
❷ ■보다 ▲만큼 더 작은 수는 ■−▲입니다.
❸ ㉠과 ㉡이 나타내는 수를 더합니다.

겹친 길이 구하기

03 ❶길이가 각각 $3\frac{3}{5}$ m와 $4\frac{3}{5}$ m인 색 테이프 2장을 / ❷겹쳐서 한줄로 길게 이어 붙였더니 전체 길이가 $7\frac{4}{5}$ m 였습니다. / ❸몇 m를 겹쳐서 붙였습니까?

(   )

❶ 색 테이프 2장의 길이의 합을 구합니다.
❷ (겹친 길이)=❶−(전체 길이)
❸ ❷의 식을 계산하여 답을 구합니다.

1

분수의 덧셈과 뺄셈

바르게 계산한 값 구하기

04 ❶어떤 수에서 $\frac{4}{5}$를 빼야 할 것을 잘못하여 더했더니 5가 되었습니다. / ❷바르게 계산한 값을 구하시오.

( )

❶ 어떤 수를 ☐라 하고 잘못 계산한 식을 세워 어떤 수를 구합니다.

❷ (어떤 수)−$\frac{4}{5}$를 계산합니다.

범위 안에 알맞은 분수 구하기

05 ❷☐ 안에 들어갈 수 있는 분모가 15인 분수 중에서 / ❸가장 큰 수와 가장 작은 수의 차를 구하시오.

$$❶3\frac{2}{15} - 1\frac{13}{15} < ☐ < 1\frac{6}{15} + \frac{7}{15}$$

( )

❶ 계산할 수 있는 부분을 먼저 계산하여 분수의 범위를 구합니다.

❷ ❶에서 구한 분수의 범위 안에 들어갈 수 있는 분모가 15인 분수를 알아봅니다.

❸ ❷에서 알아본 분수 중 가장 큰 수에서 가장 작은 수를 뺍니다.

시각 구하기

06 ❶하루에 $5\frac{1}{3}$분씩 빨라지는 시계가 있습니다. 이 시계를 오늘 낮 12시에 정확하게 맞추어 놓았습니다. 5일 후 낮 12시에 / ❷이 시계는 몇 시 몇 분 몇 초를 가리키겠습니까?

( )

❶ 5일 동안 빨라지는 시간을 구합니다.

❷ 12시에 ❶에서 구한 시간을 더합니다.

약속에 따라 계산하기

07 기호 ⊙에 대하여 '가⊙나=나−가−가'라고 약속할 때 다음을 계산하시오.

$$\frac{8}{9} ⊙ 6$$

(   )

08 분모가 9인 진분수가 2개 있습니다. 합이 $\frac{7}{9}$, 차가 $\frac{3}{9}$인 두 진분수를 구하시오.

(   )

각각 나타내는 수의 합 구하기

09 ㉠과 ㉡의 합을 구하시오.

㉠ $\frac{7}{10}$보다 $\frac{9}{10}$만큼 더 큰 수

㉡ $\frac{8}{10}$보다 $\frac{1}{10}$만큼 더 작은 수

(   )

10 원영이는 운동을 어제는 $\frac{7}{8}$시간 했고, 오늘은 $\frac{6}{8}$시간 했습니다. 원영이가 내일까지 모두 3시간 운동하려고 한다면 내일은 운동을 몇 시간 해야 합니까?

(   )

겹친 길이 구하기

11 길이가 각각 $4\frac{6}{7}$ m와 $6\frac{4}{7}$ m인 색 테이프 2장을 겹쳐서 한 줄로 길게 이어 붙였더니 전체 길이가 $10\frac{5}{7}$ m였습니다. 몇 m를 겹쳐서 붙였습니까?

(   )

12 밀가루 $2\frac{3}{4}$ kg이 있습니다. 케이크 한 개를 만드는 데 밀가루 $1\frac{1}{4}$ kg이 필요합니다. 케이크를 몇 개까지 만들 수 있고, 남는 밀가루는 몇 kg인지 차례로 쓰시오.

(   ), (   )

QR 코드를 찍어 **유사 문제**를 보세요.

바르게 계산한 값 구하기

13

동영상

어떤 수에서 $1\frac{4}{7}$ 를 빼야 할 것을 잘못하여 더했더니 6이 되었습니다. 바르게 계산한 값을 구하시오.

( )

14

동영상

대분수로만 만들어진 뺄셈식입니다. ㉠+㉡의 값이 가장 클 때의 값을 구하시오.

$$3\frac{㉠}{7}-2\frac{㉡}{7}=1\frac{1}{7}$$

( )

범위 안에 알맞은 분수 구하기

15

동영상

◻ 안에 들어갈 수 있는 분모가 17인 분수 중에서 가장 큰 수와 가장 작은 수의 차를 구하시오.

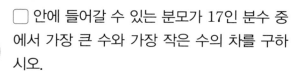

$$5\frac{2}{17}-1\frac{14}{17}<◻<3\frac{6}{17}+\frac{9}{17}$$

( )

16

동영상

세 분수 가, 나, 다가 다음을 만족할 때 가를 구하시오.

가+나$=1\frac{6}{9}$, 나+다$=2$, 다+가$=\frac{5}{9}$

( )

시각 구하기

17

동영상

하루에 $3\frac{1}{4}$ 분씩 빨라지는 시계가 있습니다. 이 시계를 오늘 낮 12시에 정확하게 맞추어 놓았습니다. 6일 후 낮 12시에 이 시계는 몇 시 몇 분 몇 초를 가리키겠습니까?

( )

18

동영상

물이 ㉮ 수도는 $\frac{1}{3}$ 시간 동안 $25\frac{1}{3}$ L씩 나오고, ㉯ 수도는 $\frac{1}{4}$ 시간 동안 $20\frac{1}{5}$ L씩 나온다고 합니다. 두 수도를 동시에 틀어서 한 시간 동안 받을 수 있는 물의 양은 모두 몇 L입니까?

( )

1

분수의 덧셈과 뺄셈

코딩

1 어떤 수를 입력하면 자동으로 계산되어 결과가 나오는 프로그램이 있습니다. 이 프로그램에 $\frac{8}{11}$과 $1\frac{3}{11}$을 입력하여 각각 나온 결과를 보고 $\frac{6}{11}$을 입력하면 어떤 결과가 나오는지 구하시오.

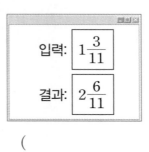

입력: $\frac{8}{11}$

결과: $1\frac{5}{11}$

입력: $1\frac{3}{11}$

결과: $2\frac{6}{11}$

(   )

추론

2 ◯ 안에 있는 자연수를 이용하여 일정한 규칙에 따라 대분수를 만들어 △ 안에 써넣고 있습니다. 빈 곳에 알맞은 수를 써넣고 △ 안에 있는 분수 중 분모가 같은 두 분수의 차를 구하시오.

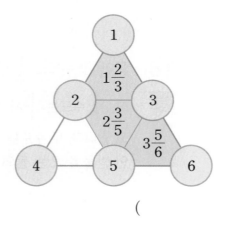

삼각형의 꼭짓점에 있는 자연수는 3개예요.

(   )

문제 해결

3

동영상

㉠, ㉡, ㉢ 중 한 곳에서 시작하여 아래쪽으로 1칸, 왼쪽으로 2칸, 아래쪽으로 1칸을 가면서 만나는 곳을 순서대로 계산하였더니 1이 되었습니다. 시작한 곳의 기호와 기호가 나타내는 수를 차례로 쓰시오.

㉠	㉡	㉢
$-\dfrac{1}{7}$	$+\dfrac{2}{7}$	$-\dfrac{3}{7}$
$+\dfrac{4}{7}$	$-\dfrac{5}{7}$	$+\dfrac{6}{7}$

(　　　　　), (　　　　　)

㉠, ㉡, ㉢ 중 아래쪽(↓)으로 1칸, 왼쪽(←)으로 2칸, 아래쪽(↓)으로 1칸을 갈 수 있는 곳은 1곳뿐이에요.

코딩

4

동영상

코드를 실행하여 분수의 덧셈을 하려고 합니다. $2\dfrac{4}{5}$를 넣고 코드를 실행했을 때 화면에 보이는 수를 구하시오.

👆 시작하기 버튼을 클릭했을 때

 $1\dfrac{3}{5}$ 을 더하기 ➕

계산 결과가 ⬭6 보다 작거나 ⬭6 이면 반복하기 🔄

계산 결과가 ⬭6 보다 크면 계산 결과 쓰기 ✏️

(　　　　　)

1

| HME 19번 문제 수준 |

길이가 $1\frac{7}{8}$ m인 색 테이프 3장을 같은 길이만큼 겹쳐서 한 줄로 길게 이어 붙였더니 전체 길이가 $3\frac{7}{8}$ m였습니다. 몇 m씩 겹쳐서 붙였습니까?

(   )

2

| HME 20번 문제 수준 |

길이가 같은 철사를 각각 남김없이 사용하여 현철이는 직사각형을, 경옥이는 정사각형을 1개씩 만들었습니다. ☐ 안에 알맞은 수를 구하시오.

직사각형은 마주 보는 두 변의 길이가 같고, 정사각형은 네 변의 길이가 모두 같습니다.

$1\frac{12}{13}$ cm

☐ cm

현철

$2\frac{10}{13}$ cm

경옥

(   )

3 📱 동영상

| HME 21번 문제 수준 |

무게가 똑같은 멜론 6통이 들어 있는 상자의 무게를 재어 보았더니 $8\frac{4}{7}$ kg이었습니다. 여기에서 멜론 5통을 꺼낸 후 무게를 재어 보았더니 $2\frac{1}{7}$ kg이었습니다. 상자에 멜론 5통을 담았을 때의 무게는 몇 kg입니까?

(   )

4 📱 동영상

| HME 23번 문제 수준 |

안나, 근우, 정희가 어떤 일을 함께 하려고 합니다. 하루에 안나는 전체의 $\frac{4}{50}$만큼, 근우는 전체의 $\frac{3}{50}$만큼, 정희는 전체의 $\frac{2}{50}$만큼 일을 합니다. 세 사람이 함께 일을 시작하여 2일 동안 일을 한 후 안나와 근우가 함께 하루 동안 일을 하고, 근우와 정희가 함께 하루 동안 일을 하였습니다. 나머지는 안나가 혼자서 한다고 할 때 세 사람이 일을 시작한 지 며칠 만에 끝낼 수 있습니까? (단, 쉬는 날 없이 일을 합니다.)

(   )

◇ 세 사람이 해야 할 전체 일의 양을 1이라고 생각합니다.

책에서 찾은 분수 이야기

세계 최초의 수학책, 〈린드 파피루스〉에서 찾은 분수

세계에서 가장 오래된 수학책은 어떤 책일까요?

지금까지 발견된 수학책 중에 가장 오래된 것은 기원전 1650년쯤에 쓰인 책이에요.

이 책은 영국의 고고학자 헨리 린드가 이집트를 탐험하던 중 1858년에 발견했어요.

그래서 이 책을 헨리 린드의 이름을 따서 〈린드 파피루스〉 또는 수학자의 이름을 따서

〈아메스 파피루스〉라고 하지요.

그럼 과연 세계에서 가장 오래된 수학책 〈린드 파피루스〉에도 분수 이야기가 나올까요?

아주 오래 전에 쓰인 책인데 말이에요. 이 책을 펼쳐 보면 놀랍게도 분수 이야기가 담겨

있어요.

위의 그림은 아메스가 쓴 〈린드 파피루스〉에 나오는 문장이에요. 마치 그림 같지요?

〈린드 파피루스〉를 쓴 아메스는 이집트 사람으로 분수를 처음으로 연구한 것으로 알려져 있어요. 그런 그가 쓴 책이니 이집트인들이 어떻게 분수를 사용했는지 기록해 두었겠지요?

이집트는 실생활과 관련하여 수학이 꽤 발달해 있었어요. 분수도 생활 안에서 사용하고 있었지요.

〈린드 파피루스〉에는 이집트인들이 사용한 분수에 대한 개념과 분수에 관한 다양한 문제들도 함께 기록되어 있답니다.

재미있는 것은 이집트 사람들은 분자가 모두 1인 단위분수를 사용해 계산했다는 거예요.

$$\frac{1}{2} \qquad \frac{1}{3} \qquad \frac{1}{4} \qquad \frac{1}{5} \qquad \frac{1}{10} \qquad \frac{1}{100}$$

2 삼각형

학습 계획표
계획표대로 공부했으면 ○표, 못했으면 △표 하세요.

내용	쪽수	날짜		확인
잘 틀리는 실력 유형	20~21쪽	월	일	
다르지만 같은 유형	22~23쪽	월	일	
응용 유형	24~27쪽	월	일	
사고력 유형	28~29쪽	월	일	
최상위 유형	30~31쪽	월	일	

유형 01 삼각형의 이름 맞히기

두 각의 크기만 주어졌을 때는 나머지 한 각의 크기를 먼저 구합니다.

두 각의 크기가 80°, 50°인 삼각형의 이름 맞히기
(나머지 한 각의 크기)
$=180°-80°-50°=$ ☐ $°$

→ 삼각형의 세 각의 크기: 80°, 50°, 50°
따라서 세 각이 모두 예각이므로 예각삼각형이고,
두 각의 크기가 같으므로 ☐ 삼각형입니다.

01 삼각형의 일부가 지워졌습니다. 이 삼각형의 이름이 될 수 있는 것을 모두 쓰시오.

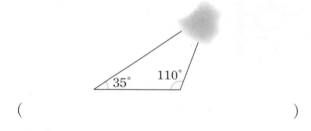

(   )

02 두 각의 크기가 다음과 같은 삼각형의 이름이 될 수 있는 것을 모두 쓰시오.

90°, 45°

(   )

유형 02 크고 작은 정삼각형 찾기

똑같은 정삼각형 4개를 변끼리 이어 붙여 만든 도형에서 찾을 수 있는 크고 작은 정삼각형의 수 구하기

• 1개짜리: ①, ②, ③, ☐ → 4개
• 4개짜리: ①②③④ → 1개
따라서 모두 4+1= ☐ (개)입니다.

03 똑같은 정삼각형 9개를 변끼리 이어 붙여 만든 다음 도형에서 찾을 수 있는 크고 작은 정삼각형은 모두 몇 개입니까?

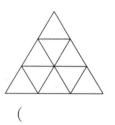

(   )

04 똑같은 정삼각형 13개를 변끼리 이어 붙여 만든 다음 도형에서 찾을 수 있는 크고 작은 정삼각형은 모두 몇 개입니까?

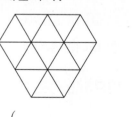

(   )

QR 코드를 찍어 **동영상 특강**을 보세요.

유형 **03** 크고 작은 예각(둔각)삼각형 찾기

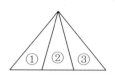

도형에서 찾을 수 있는 크
고 작은 예각삼각형의 수
구하기

① ② ③

- 1개짜리: ☐ ➡ 1개
- 2개짜리: ①②, ②③ ➡ 2개
- 3개짜리: ①②③ ➡ 1개

따라서 모두 1+2+1=☐(개)입니다.

05 도형에서 찾을 수 있는 크고 작은 예각삼각형
은 모두 몇 개입니까?

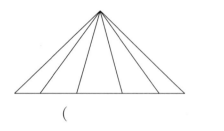

(   )

06 도형에서 찾을 수 있는 크고 작은 둔각삼각형
은 모두 몇 개입니까?

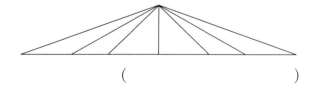

(   )

유형 **04** 새 교과서에 나온 활동 유형

07 정사각형 모양의 색종이로 다음과 같이 삼각형
을 만들었습니다. 진호의 말이 옳으면 ○표, 틀
리면 ×표 하시오.

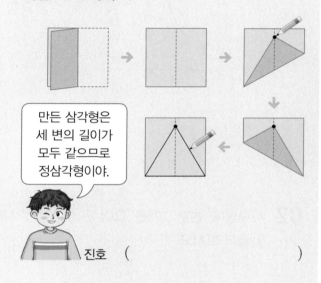

만든 삼각형은
세 변의 길이가
모두 같으므로
정삼각형이야.

진호 (   )

서술형

08 윤지가 누름 못을 고무줄로 연결하여 예각삼각
형을 만들었습니다. 둔각삼각형으로 만들려면
㉠에 있는 고무줄을 어떻게 움직여야 하는지
설명하시오.

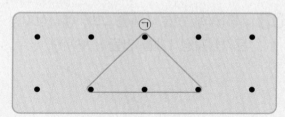

설명

_____

_____

유형 01 예각삼각형과 둔각삼각형 만들기

01 사각형에 선분 1개를 그어 예각삼각형 2개를 만들어 보시오.

02 사각형에 선분 1개를 그어 둔각삼각형 2개를 만들어 보시오.

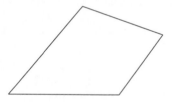

03 사각형에 선분 1개를 그어 예각삼각형 1개와 둔각삼각형 1개를 만들어 보시오.

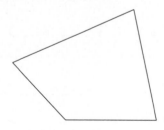

유형 02 정삼각형으로 만든 도형의 둘레 구하기

04 한 변의 길이가 3 cm인 정삼각형 6개를 변끼리 이어 붙여서 도형을 만들었습니다. 만든 도형의 둘레는 몇 cm입니까?

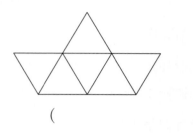

(   )

05 한 변의 길이가 5 cm인 정삼각형 10개를 다음과 같이 변끼리 이어 붙여서 도형을 만들었습니다. 만든 도형의 둘레는 몇 cm입니까?

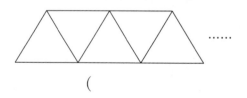

(   )

06 한 변의 길이가 8 cm인 정삼각형 9개를 변끼리 이어 붙여서 정삼각형을 만들었습니다. 만든 정삼각형의 둘레는 몇 cm입니까?

(   )

유형 **03** 삼각형 밖에 있는 각도 구하기

07 삼각형 ㄱㄴㄷ은 정삼각형입니다. ☐ 안에 알맞은 수를 써넣으시오.

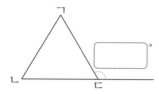

08 삼각형 ㄱㄴㄷ은 이등변삼각형입니다. ㉠의 각도는 몇 도입니까?

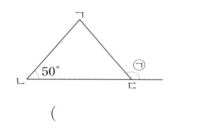

(　　　　　　)

09 삼각형 ㄱㄴㄷ은 정삼각형입니다. ㉠, ㉡, ㉢의 각도의 합은 몇 도입니까?

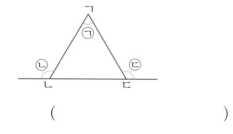

(　　　　　　)

유형 **04** 이등변삼각형에서 모르는 각도 구하기

10 삼각형 ㄱㄴㄷ은 이등변삼각형입니다. 각 ㄱㄴㄷ의 크기는 몇 도입니까?

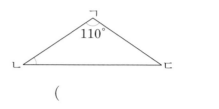

(　　　　　　)

11 삼각형 ㄱㄴㄷ은 이등변삼각형입니다. 각 ㄴㄱㄷ의 크기는 몇 도입니까?

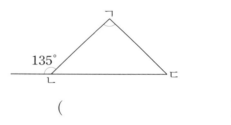

(　　　　　　)

12 삼각형 ㄱㄴㄷ과 삼각형 ㄱㄷㄹ은 이등변삼각형입니다. 각 ㄴㄱㄹ의 크기는 몇 도입니까?

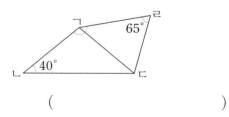

(　　　　　　)

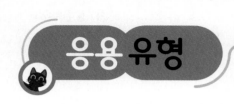
이등변삼각형의 세 변의 길이의 합 구하기

01 ❷정삼각형 가, 정사각형 나, 이등변삼각형 다를 변끼리 이어 붙여 아래의 도형을 만들었습니다. / ❶정삼각형 가의 세 변의 길이의 합이 9 cm일 때 / ❸이등변삼각형 다의 세 변의 길이의 합은 몇 cm입니까?

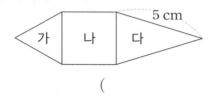

(   )

❶ 정삼각형은 세 변의 길이가 같음을 이용하여 정삼각형 가의 한 변의 길이를 구합니다.

❷ 이어 붙인 변끼리는 길이가 같음을 이용하여 이등변삼각형 다의 짧은 변의 길이를 구합니다.

❸ 이등변삼각형은 두 변의 길이가 같음을 이용하여 이등변삼각형 다의 세 변의 길이의 합을 구합니다.

삼각형 밖에 있는 각도 구하기

02 ❶삼각형 ㄱㄴㄷ은 이등변삼각형입니다. / ❷㉠의 각도는 몇 도입니까?

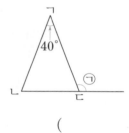

(   )

❶ 이등변삼각형은 두 각의 크기가 같음을 이용하여 각 ㄱㄷㄴ의 크기를 구합니다.

❷ 일직선은 180°임을 이용하여 ㉠의 각도를 구합니다.

사각형과 삼각형을 겹친 모양에서 각도 구하기

03 ❶직사각형 ㄱㄴㄷㄹ 안에 / ❷이등변삼각형 ㅁㄴㄷ을 그렸습니다. / ❸각 ㄴㅁㄷ의 크기는 몇 도입니까?

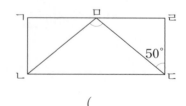

(   )

❶ 직사각형의 한 각의 크기는 90°임을 이용하여 각 ㅁㄷㄷ의 크기를 구합니다.

❷ 이등변삼각형은 두 각의 크기가 같음을 이용하여 각 ㅁㄴㄷ의 크기를 구합니다.

❸ 삼각형의 세 각의 크기의 합은 180°임을 이용하여 각 ㄴㅁㄷ의 크기를 구합니다.

크고 작은 둔각삼각형 찾기

04 ❶도형에서 찾을 수 있는 크고 작은 둔각삼각형은 / ❷모두 몇 개입니까?

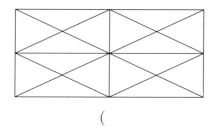

(   )

❶ 삼각형 1개짜리, 4개짜리로 나누어 찾습니다.
❷ ❶에서 찾은 삼각형의 수를 모두 더합니다.

삼각형을 두 개 붙인 모양에서 각도 구하기

05 ❶삼각형 ㄱㄴㄷ과 / ❷삼각형 ㄹㄷㅁ을 / ❸한 직선 위에 놓았습니다. ㉠의 각도는 몇 도입니까?

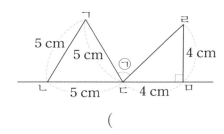

(   )

❶ 삼각형 ㄱㄴㄷ이 어떤 삼각형인지 알아본 후 각 ㄱㄷㄴ의 크기를 구합니다.
❷ 삼각형 ㄹㄷㅁ은 어떤 삼각형인지 알아본 후 각 ㄹㄷㅁ의 크기를 구합니다.
❸ 일직선은 180°임을 이용하여 ㉠의 각도를 구합니다.

삼각형을 두 개 겹친 모양에서 각도 구하기

06 ❶정삼각형 ㄱㄴㄷ과 / ❷이등변삼각형 ㅁㄴㄹ을 / ❸겹쳐 놓은 것입니다. / ❹각 ㅁㅂㄷ의 크기는 몇 도입니까?

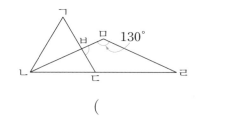

(   )

❶ 정삼각형의 한 각의 크기는 60°임을 이용하여 각 ㄱㄷㄴ의 크기를 구합니다.
❷ 이등변삼각형은 두 각의 크기가 같음을 이용하여 각 ㅁㄴㄹ의 크기를 구합니다.
❸ 겹친 부분인 삼각형 ㅂㄴㄷ에서 각 ㄴㅂㄷ의 크기를 구합니다.
❹ 일직선은 180°임을 이용하여 각 ㅁㅂㄷ의 크기를 구합니다.

이등변삼각형의 세 변의 길이의 합 구하기

07 이등변삼각형 가, 정사각형 나, 정삼각형 다를 변끼리 이어 붙여 아래의 도형을 만들었습니다. 정삼각형 다의 세 변의 길이의 합이 12 cm일 때 이등변삼각형 가의 세 변의 길이의 합은 몇 cm입니까?

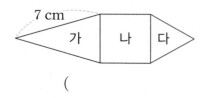

(   )

08 이등변삼각형 ㄴㄷㄹ의 세 변의 길이의 합은 24 cm입니다. 정삼각형 ㄱㄴㄹ의 세 변의 길이의 합은 몇 cm입니까?

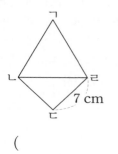

(   )

09 세 변의 길이의 합이 이등변삼각형 ㄱㄴㄷ과 같은 정삼각형을 그리려고 합니다. 정삼각형의 한 변의 길이를 몇 cm로 하면 됩니까?

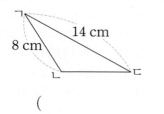

(   )

삼각형 밖에 있는 각도 구하기

10 삼각형 ㄱㄴㄷ은 이등변삼각형입니다. ㉠의 각도는 몇 도입니까?

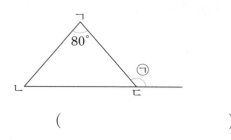

(   )

사각형과 삼각형을 겹친 모양에서 각도 구하기

11 직사각형 ㄱㄴㄷㄹ 안에 이등변삼각형 ㄱㄴㅁ을 그렸습니다. 각 ㄱㅁㄴ의 크기는 몇 도입니까?

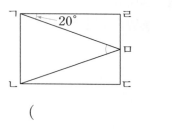

(   )

12 삼각형 ㄱㄴㄷ은 이등변삼각형이고, 삼각형 ㄱㄷㄹ은 정삼각형입니다. 각 ㄴㄱㄹ의 크기는 몇 도입니까?

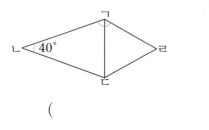

(   )

QR 코드를 찍어 **유사 문제**를 보세요.

13 다음과 같은 규칙으로 똑같은 정삼각형 12개를 변끼리 이어 붙여 도형을 만들었습니다. 만든 도형의 둘레가 192 cm일 때 가장 작은 정삼각형의 세 변의 길이의 합은 몇 cm입니까?

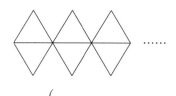

(   )

크고 작은 예각삼각형 찾기

14 도형에서 찾을 수 있는 크고 작은 예각삼각형은 모두 몇 개입니까?

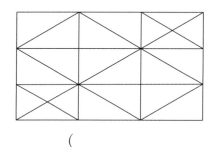

(   )

삼각형을 두 개 붙인 모양에서 각도 구하기

15 삼각형 ㄱㄴㄷ과 삼각형 ㄹㄷㅁ을 한 직선 위에 놓았습니다. ㉠의 각도는 몇 도입니까?

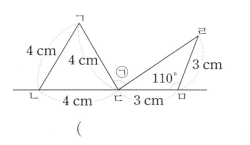

(   )

16 민준이는 길이가 1 cm인 수수깡 21개를 꿰어 팔찌 1개를 만들었습니다. 이 팔찌 1개를 가지고 만들 수 있는 이등변삼각형은 모두 몇 가지입니까? (단, 수수깡을 구부리지 않습니다.)

(   )

삼각형을 두 개 겹친 모양에서 각도 구하기

17 이등변삼각형 ㄱㄴㄷ과 이등변삼각형 ㅁㄴㄹ을 겹쳐 놓은 것입니다. 각 ㅁㅂㄷ의 크기는 몇 도입니까?

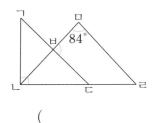

(   )

18 똑같은 정삼각형 18개를 변끼리 이어 붙여 만든 다음 도형에서 찾을 수 있는 크고 작은 정삼각형은 모두 몇 개입니까?

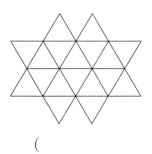

(   )

코딩

1 삼각형을 각의 크기에 따라 분류하는 과정을 나타낸 순서도입니다. 끝에 나오는 삼각형의 이름을 예각삼각형, 직각삼각형, 둔각삼각형 중에서 찾아 각각 쓰시오.

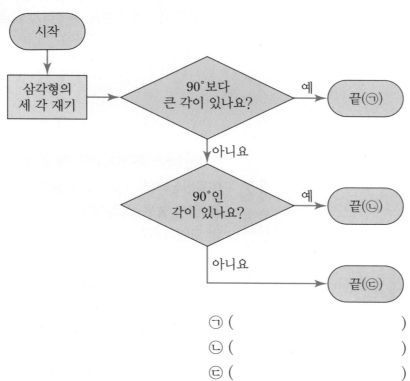

ㄱ (   )

ㄴ (   )

ㄷ (   )

문제 해결

2 점 ㄱ은 크기가 같은 두 원이 만나는 점이고, 점 ㄴ과 점 ㄷ은 각각 원의 중심입니다. 삼각형 ㄱㄴㄷ의 이름이 될 수 있는 것을 모두 고르시오. ·· (   )

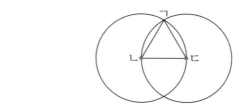

① 이등변삼각형   ② 정삼각형   ③ 예각삼각형

④ 직각삼각형   ⑤ 둔각삼각형

한 원에서
원의 반지름은
모두 같습니다.

3

다음과 같이 직사각형 모양의 색종이를 반으로 접고 선을 그은 후 선을 따라 잘랐습니다. 잘라낸 삼각형을 펼쳤을 때 펼친 삼각형의 세 변의 길이의 합은 몇 cm입니까?

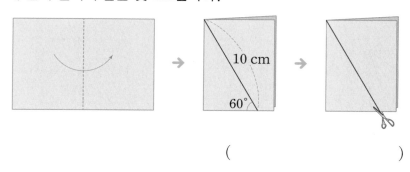

(   )

4

원에 일정한 각도로 반지름을 그렸습니다. 보기 와 같이 반지름을 두 변으로 하는 삼각형을 그리고, 그린 삼각형의 이름이 될 수 있는 것을 두 가지 쓰시오.

보기

한 각의 크기가 30°인 삼각형

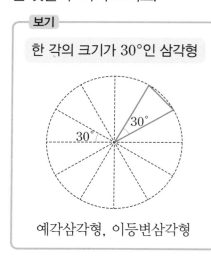

예각삼각형, 이등변삼각형

한 각의 크기가 90°인 삼각형

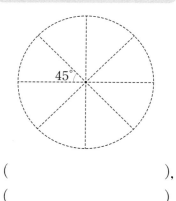

(   ),

(   )

반지름을 두 변으로
하는 삼각형을 그리면
이등변삼각형이 됩니다.

2

삼각형

2. 삼각형   **29**

도전! 최상위 유형

1

| HME 20번 문제 수준 |

도형에서 찾을 수 있는 크고 작은 예각삼각형은 모두 몇 개입니까?

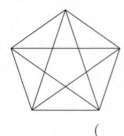

(   )

2

| HME 21번 문제 수준 |

사각형 ㄱㄴㄷㄹ은 정사각형이고, 삼각형 ㄱㄴㅁ은 정삼각형입니다.
각 ㄹㅁㄷ의 크기는 몇 도입니까?

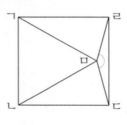

(   )

정삼각형의 한 각의 크기는 60°이고,
정사각형의 한 각의 크기는 90°입니다.

3

| HME 23번 문제 수준 |

도형에서 선분 ㄴㅂ, 선분 ㅂㄷ, 선분 ㄷㅁ, 선분 ㅁㄹ의 길이가 모두 같습니다. 각 ㄱㅂㄴ의 크기는 몇 도입니까?

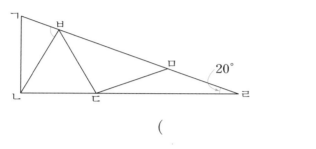

(　　　　　　　　　　　)

◇ 삼각형 ㅂㄴㄷ, 삼각형 ㅂㄷㅁ, 삼각형 ㅁㄷㄹ은 모두 이등변삼각형입니다.

2

삼각형

4

| HME 24번 문제 수준 |

보기 와 같이 이등변삼각형을 그릴 수 있는 점 종이가 있습니다. 16개의 점이 일정한 간격으로 있을 때 이 중에서 점 3개를 꼭짓점으로 하는 이등변삼각형을 모두 몇 개 그릴 수 있습니까? (단, 돌리거나 뒤집었을 때 같은 모양은 1개로 생각합니다.)

(　　　　　　　　　　　)

삼각형과 관련된 재미있는 이야기

피라미드는 왜 정삼각형으로 만들었을까?

고대 이집트의 피라미드는 세계 7대 불가사의 중 하나로 아직까지 풀리지 않는 비밀이 많은 건축물이에요.

피라미드의 바닥은 사각형 모양이고 옆면은 정삼각형을 이루도록 돌이나 벽돌을 쌓아 올렸어요.
이처럼 피라미드의 옆면이 정삼각형을 이루는 것은 우주의 에너지를 모으기 위해서였다고 해요.
정삼각형은 세 변의 길이가 같고 세 각의 크기가 같으면서 매우 안정적인 도형이기 때문에 정삼각형으로 둘러싸인 피라미드의 중심에는 우주의 에너지가 모인다고 생각했어요.

이집트의 피라미드는 고대 이집트의 국왕, 왕비 등 왕족의 무덤인데 이들의 미라를 피라미드의 중심에 놓아서 우주의 에너지를 받도록 만들었어요. 죽은 왕이나 왕비가 영원한 생명을 얻을 수 있다고 믿었던 것이죠.
실제로 피라미드의 무게 중심에 녹슨 면도날을 두면 녹이 사라진다는 얘기도 있다고 하니 정말 신기하죠?

3

소수의 덧셈과 뺄셈

학습 계획표
계획표대로 공부했으면 ○표, 못했으면 △표 하세요.

내용	쪽수	날짜	확인
잘 틀리는 실력 유형	34~35쪽	월 일	
다르지만 같은 유형	36~37쪽	월 일	
응용 유형	38~41쪽	월 일	
사고력 유형	42~43쪽	월 일	
최상위 유형	44~45쪽	월 일	

유형 **01** ■에 알맞은 수 구하기

> ■의 왼쪽 자리 수가 모두 같으면 ■의 오른쪽
> 자리 수에 따라 ■가 결정됩니다.
>
> 같음
> 4.2 45 > 4.2 ■7
>
> 45 > ■7이어야 하므로 ■에 알맞은 수는
>
> 0, ☐, ☐, ☐ 입니다.
>
> 같음
> 4.2 45 < 4.2 ■3
>
> 45 < ■3이어야 하므로 ■에 알맞은 수는
>
> 5, ☐, ☐, ☐, ☐ 입니다.

[01~03] 0부터 9까지의 수 중에서 ☐ 안에 들어갈 수
있는 수를 모두 구하시오.

01

28.934 > 28.9 ☐ 1

( )

02

4.056 < 4.0 ☐ 2

( )

03

42.295 < 42. ☐ 87 < 42.788

( )

유형 **02** 단위가 다른 수의 계산

> 같은 단위로 나타낸 다음 소수점의 자리를 맞
> 추어 계산합니다.
>
> 1 cm = 0.01 m
> 1.5 m − 26 cm = 1.5 m − 0.26 m
>
> = ☐ m
>
> 1 m = 0.001 km
> 3.2 km + 730 m = 3.2 km + 0.73 km
>
> = ☐ km

04 쌀 3.62 kg이 들어 있는 바구니에 쌀 170 g을
더 부었습니다. 바구니에 들어 있는 쌀은 모두
몇 kg입니까?

( )

05 미연이의 키는 149 cm이고 현철이의 키는
1.75 m입니다. 현철이는 미연이보다 키가 몇
m 더 큽니까?

( )

06 다음과 같이 컵 ㉮와 ㉯에 물이 들어 있습니다.
물을 컵 ㉮에는 470 mL, 컵 ㉯에는 640 mL
더 부었다면 어느 컵에 물이 더 많이 들어 있습
니까?

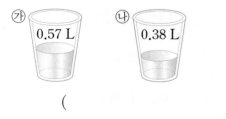

( )

QR 코드를 찍어 **동영상 특강**을 보세요.

유형 **03** 숨겨진 숫자 구하기

$$
\begin{array}{r}
8\ .\ ㉠ \\
-\ ㉡\ .\ 4 \\
\hline
6\ .\ 7
\end{array}
$$

• ㉠−4=7이 될 수 없으므로 일의 자리에서 받아내림합니다.

10+㉠−4=7, ㉠=☐

• 8−1−㉡=6이므로 ㉡=☐ 입니다.

07 ☐ 안에 알맞은 수를 써넣으시오.

$$
\begin{array}{r}
☐\ .\ ☐\ \ 8 \\
-\ \ 3\ .\ 2\ \ ☐ \\
\hline
5\ .\ 8\ \ 5
\end{array}
$$

08 소수 두 자리 수끼리의 덧셈식에 잉크가 묻어 일부분이 보이지 않습니다. 두 소수를 각각 구하시오.

$$
\begin{array}{r}
5\ .\ ⬤\ \ 8 \\
+\ ⬤\ .\ 6\ \ ⬤ \\
\hline
1\ 3\ .\ 1\ \ 6
\end{array}
$$

( ), ( )

09 진호가 소수 한 자리 수 5.㉠에서 소수 두 자리 수 2.7㉡을 뺐더니 소수 두 자리 수 ㉢.36 이 되었습니다. ㉠, ㉡, ㉢에 알맞은 수를 각각 구하시오.

㉠ ( )

㉡ ( )

㉢ ( )

유형 **04** 새 교과서에 나온 활동 유형

[10~11] 제주 올레길 중 9코스는 대평포구에서 출발하여 군산오름 정상부, 안덕계곡, 창고천 다리를 지나 화순금모래해수욕장에 도착하는 코스입니다. 전체 거리가 11.8 km일 때 물음에 답하시오.

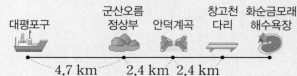

10 대평포구에서 출발하여 선호는 군산오름 정상부에 도착했고 은정이는 창고천 다리에 도착했습니다. 두 사람 사이의 거리는 몇 km입니까?

( )

11 창고천 다리에 도착한 은정이가 화순금모래해수욕장까지 가려면 몇 km를 이동해야 합니까?

( )

유형 01 어떤 수 알아보고 알맞은 수 구하기

01 어떤 수의 $\frac{1}{10}$은 0.516입니다. 어떤 수의 100배는 얼마입니까?

( )

02 보라가 생각한 수의 $\frac{1}{100}$은 얼마인지 구하시오.

내가 생각한 수의 10배는 8750야.

보라

( )

03 어떤 수를 10배 한 수를 구해야 할 것을 잘못하여 어떤 수의 $\frac{1}{10}$을 구했더니 4.093이었습니다. 어떤 수를 10배 한 수는 얼마인지 풀이 과정을 쓰고 답을 구하시오.

[풀이]

_____

_____

_____

[답]

유형 02 수 카드로 소수 만들어서 계산하기

04 4장의 카드를 한 번씩 모두 사용하여 만들 수 있는 소수 두 자리 수 중에서 가장 큰 수와 가장 작은 수의 합을 구하시오.

| 2 | 5 | 7 | . |

( )

05 4장의 카드를 한 번씩 모두 사용하여 만들 수 있는 소수 두 자리 수 중에서 가장 큰 수와 가장 작은 수의 차를 구하시오.

| 3 | 4 | 8 | . |

( )

06 4장의 카드를 한 번씩 모두 사용하여 만들 수 있는 소수 한 자리 수 중에서 가장 큰 수와 가장 작은 수의 차는 얼마인지 풀이 과정을 쓰고 답을 구하시오.

| 1 | 6 | 9 | . |

[풀이]

_____

_____

_____

[답]

유형 03 겹치는 부분이 있는 길이와 거리 구하기

07 길이가 8.4 cm인 색 테이프와 7.8 cm인 색 테이프를 2.5 cm만큼 겹치게 이어 붙였습니다. 이어 붙인 색 테이프 전체의 길이는 몇 cm인지 구하시오.

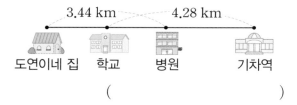

( )

08 도연이네 집에서 학교, 병원을 거쳐 기차역까지의 거리가 6.02 km일 때 학교에서 병원까지의 거리는 몇 km인지 구하시오.

3.44 km   4.28 km

도연이네 집   학교   병원   기차역

( )

서술형

09 파란색 테이프와 노란색 테이프를 겹쳐서 한 줄로 길게 이어 붙였더니 전체 길이가 6.38 m였습니다. 파란색 테이프의 길이가 2.8 m이고 겹친 부분의 길이가 0.75 m라면 노란색 테이프의 길이는 몇 m인지 풀이 과정을 쓰고 답을 구하시오.

[풀이]

_____

_____

_____

[답]
_____

유형 04 범위에 알맞은 수 구하기

10 ☐ 안에 들어갈 수 있는 수 중에서 가장 작은 소수 한 자리 수를 구하시오.

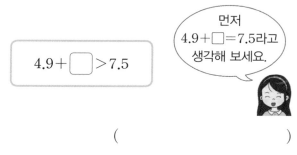

$4.9 + \boxed{} > 7.5$

먼저
$4.9 + \boxed{} = 7.5$라고 생각해 보세요.

( )

11 ☐ 안에 들어갈 수 있는 수 중에서 가장 큰 소수 두 자리 수를 구하시오.

$\boxed{} + 1.48 < 3.84$

( )

12 ☐ 안에 들어갈 수 있는 수 중에서 가장 큰 소수 두 자리 수를 구하시오.

$8.72 - \boxed{} > 3.48$

( )

3

소수의 덧셈과 뺄셈

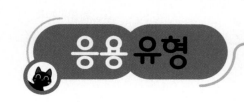

소수 세 자리 수

01 ❶5장의 카드를 한 번씩 모두 사용하여 가장 큰 소수 세 자리 수를 만들었습니다. / ❷만든 소수에서 4가 나타내는 수를 구하시오.

2 8 4 5 .

( )

❶ 가장 큰 소수 세 자리 수는 가장 큰 수부터 차례로 일의 자리, 소수 첫째 자리, 소수 둘째 자리, 소수 셋째 자리에 놓습니다.

❷ ❶에서 만든 소수 세 자리 수에서 4가 나타내는 수를 알아봅니다.

소수의 크기 비교

02 ❶소수 세 자리 수 3개를 작은 수부터 차례로 쓴 것입니다. / ❷0부터 9까지의 수 중 ㉠, ㉡, ㉢에 알맞은 수를 각각 구하시오.

6.㉠96,   ㉡.184,   6.1㉢2

㉠ ( )
㉡ ( )
㉢ ( )

❶ 6.㉠96 < ㉡.184 < 6.1㉢2입니다.

❷ 일의 자리, 소수 첫째 자리, 소수 둘째 자리, 소수 셋째 자리 순서대로 비교합니다.

나타내는 수의 합 구하기

03 ❸㉠과 ㉡의 합을 구하시오.

❶㉠ 1이 5개, 0.1이 9개, 0.01이 7개인 수
❷㉡ 1이 3개, $\frac{1}{10}$이 5개, $\frac{1}{100}$이 8개인 수

( )

❶ 1이 ■개이면 ■, 0.1이 ▲개이면 0.▲, 0.01이 ●개이면 0.0●입니다.

❷ $\frac{1}{10}$ = 0.1, $\frac{1}{100}$ = 0.01입니다.

❸ ㉠과 ㉡이 나타내는 두 소수를 더합니다.

소수 사이의 관계 활용하기

04 ❶어떤 수를 10배 한 수가 384입니다. / ❷어떤 수의 $\frac{1}{100}$ 에서 / ❸8이 나타내는 수를 구하시오.

(   )

❶ 어떤 수는 384의 $\frac{1}{10}$입니다.

❷ 어떤 수의 $\frac{1}{100}$은 소수점을 기준으로 수가 오른쪽으로 두 자리 이동합니다.

❸ ❷에서 구한 수에서 8이 나타내는 수를 알아봅니다.

어떤 수 구하는 문제의 활용

05 ❶14.57에서 어떤 수를 빼야 할 것을 잘못하여 더했더니 19.84가 되었습니다. / ❷바르게 계산한 값을 구하시오.

(   )

❶ 어떤 수를 □라 하고 식을 세워 어떤 수를 구합니다.

❷ (바르게 계산한 값)=14.57-(어떤 수)

범위에 알맞은 수 구하기

06 ❷0부터 9까지의 수 중 □ 안에 들어갈 수 있는 / ❸가장 큰 수를 구하시오.

$$❶12.54-5.\boxed{}8>6.88$$

(   )

❶ 12.54-★=6.88이라 생각하고 ★을 구합니다.

❷ 5.□8이 ★보다 작아야 함을 이용하여 □ 안에 들어갈 수 있는 수를 구합니다.

❸ ❷에서 구한 수 중 가장 큰 수를 구합니다.

3

소수의 덧셈과 뺄셈

07

다음 소수에서 ㉠이 나타내는 수는 ㉡이 나타내는 수의 몇 배입니까?

$$19.049$$
$$\uparrow \quad \uparrow$$
$$㉠ \quad ㉡$$

( )

08

조건을 모두 만족하는 소수를 쓰고 읽어 보시오.

┌ 조건 ┐
- 소수 두 자리 수입니다.
- 4보다 크고 5보다 작습니다.
- 소수 첫째 자리 숫자는 0입니다.
- 소수 둘째 자리 숫자는 6입니다.

쓰기 ( )
읽기 ( )

소수 세 자리 수

09

5장의 카드를 한 번씩 모두 사용하여 가장 작은 소수 세 자리 수를 만들었습니다. 만든 소수에서 9가 나타내는 수를 구하시오.

7   3   6   9   .

( )

10

㉮와 ㉯의 계산 결과가 같을 때 ☐ 안에 알맞은 수를 구하시오.

㉮ 5.2+☐   ㉯ 13.82−1.17

( )

소수의 크기 비교

11

소수 세 자리 수 3개를 큰 수부터 차례로 쓴 것입니다. 0부터 9까지의 수 중 ㉠, ㉡, ㉢에 알맞은 수를 각각 구하시오.

$$7.41㉠, \quad 7.㉡18, \quad 7.4㉢9$$

㉠ ( )
㉡ ( )
㉢ ( )

12

다음 소수 세 자리 수의 크기를 비교하여 큰 수부터 차례로 기호를 쓰시오.

㉠ 1.☐03   ㉡ 2.☐04
㉢ 2.9☐6   ㉣ 1.9☐5

( )

나타내는 수의 합 구하기

13

㉠과 ㉡의 합을 구하시오.

> ㉠ 1이 2개, 0.1이 6개, 0.01이 4개인 수
> ㉡ 1이 4개, $\frac{1}{10}$이 7개, $\frac{1}{100}$이 9개인 수

(　　　　　　　　　)

14

5장의 카드를 한 번씩 모두 사용하여 만들 수 있는 소수 세 자리 수 중에서 8이 0.008을 나타내는 수를 모두 구하시오.

| 2 | 3 | 5 | 8 | . |

_____

_____

소수 사이의 관계 활용하기

15

어떤 수를 100배 한 수가 5127입니다. 어떤 수의 $\frac{1}{10}$에서 7이 나타내는 수를 구하시오.

(　　　　　　　　　)

16

5장의 카드 중에서 4장을 골라 한 번씩 모두 사용하여 소수를 만들려고 합니다. 만들 수 있는 둘째로 큰 소수 두 자리 수와 둘째로 작은 소수 한 자리 수의 차를 구하시오.

| 3 | 5 | 6 | 7 | . |

(　　　　　　　　　)

어떤 수 구하는 문제의 활용

17

16.28에 어떤 수를 더해야 할 것을 잘못하여 뺐더니 11.89가 되었습니다. 바르게 계산한 값을 구하시오.

(　　　　　　　　　)

범위에 알맞은 수 구하기

18

0부터 9까지의 수 중 ☐ 안에 들어갈 수 있는 가장 큰 수를 구하시오.

$$3.67 + 4.\boxed{}9 < 8.25$$

(　　　　　　　　　)

3

소수의 덧셈과 뺄셈

사고력 유형

1

동영상

네덜란드의 수학자 스테빈은 다음과 같이 소수점은 ◎, 소수 첫째 자리는 ①, 소수 둘째 자리는 ②, 소수 셋째 자리는 ③으로 나타내었습니다.

$$3.582 \rightarrow 3◎5①8②2③$$

스테빈의 방법으로 나타낸 수 6◎4①0②7③을 100배 한 수를 현재의 소수로 써 보시오.

(   )

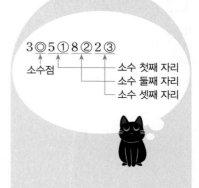

3◎5①8②2③
소수점   소수 첫째 자리
         소수 둘째 자리
         소수 셋째 자리

2

동영상

규칙에 따라 화살표 방향으로 계산하여 ♥에 알맞은 값은 얼마인지 구하시오.

규칙

➡ : 0.4를 더합니다.   ⬇ : 0.55를 뺍니다.

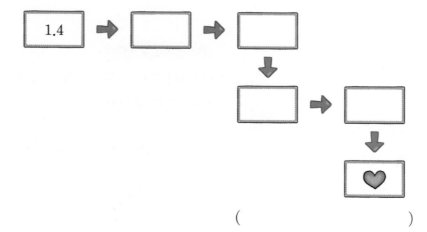

(   )

추론

3 규칙을 찾아 빈 곳에 알맞은 수를 써넣으시오.

동영상

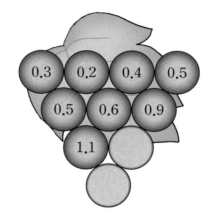

0.3과 0.2 아래에 0.5,
0.2와 0.4 아래에 0.6,
0.4와 0.5 아래에 0.9예요.

코딩

4 순서도에 따라 출력되는 값을 구하시오.

동영상

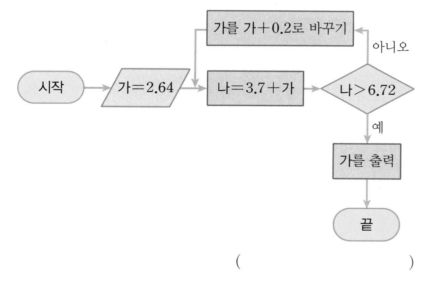

(　　　　　　　　　　　)

3

소수의 덧셈과 뺄셈

1

| HME 19번 문제 수준 |

5장의 수 카드를 한 번씩 모두 사용하여 만들 수 있는 소수 세 자리 수 중에서 5에 가장 가까운 수를 구하시오.

(   )

◇ 5에 가장 가까운 수는 5보다 작은 수에 있을 수도 있고 5보다 큰 수에 있을 수도 있습니다.

2

| HME 20번 문제 수준 |

다음과 같이 일정한 규칙에 따라 수를 늘어놓고 있습니다. 16번째 수와 20번째 수의 차를 구하시오.

9.34, 9.1, 8.86, 8.62 ……

(   )

3

| HME 21번 문제 수준 |

다음은 소수 두 자리 수 3개의 크기를 비교한 것입니다. ㉠, ㉡, ㉢이 0부터 9까지의 수일 때 알맞은 (㉠, ㉡, ㉢)은 모두 몇 가지인지 구하시오. (단, ㉡은 0이 아닙니다.)

$$38.㉠4 < 38.2㉡ < 3㉢.17$$

(   )

△ 먼저 ㉢에 알맞은 수를 구합니다.

3

소수의 덧셈과 뺄셈

4

| HME 22번 문제 수준 |

조건을 모두 만족하는 가장 큰 소수 세 자리 수를 구하시오.
(단, 자연수 부분은 한 자리 수입니다.)

╲조건╱
• 자연수 부분은 소수 셋째 자리 숫자의 2배입니다.
• 소수 첫째 자리 숫자는 4보다 작고, 소수 셋째 자리 숫자는 짝수입니다.
• 소수 둘째 자리 숫자는 13.5의 $\frac{1}{100}$인 수의 소수 둘째 자리 숫자와 같습니다.

(   )

쉬어가기

숨어 있는 소수 이야기

우리가 쓰는 말에 소수의 단위가 숨어 있다고?

어떤 일이 갑자기 일어났을 때 우리는 어떤 표현을 쓰나요?
"순식간에 일어난 일이야."
라고 말하지요. 순식간은 눈을 한 번 깜빡이거나 숨을 한 번 쉴 만한 아주 짧은 동안을 말해요.
또 비슷한 의미로 더 짧은 순간을 나타내는 '찰나'라는 단어도 있어요.

'순식', '찰나'와 같은 단어를 소수로 나타낼 수 있답니다.
1보다 작은 수의 단위를 한번 살펴볼까요?

0.1−분
0.01−리
0.001−모
0.0001−사
0.00001−홀
0.000001−미
0.0000001−섬
0.00000001−사
0.000000001−진
0.0000000001−애
0.00000000001−묘
0.000000000001−막
0.0000000000001−모호
0.00000000000001−준순
0.000000000000001−수유
0.0000000000000001−순식
0.00000000000000001−탄지
0.000000000000000001−찰나
0.0000000000000000001−육덕
0.00000000000000000001−허공
0.000000000000000000001−청정

이렇게 숫자로 나타내 보니 '순식', '찰나'가 얼마나 짧은 순간을 의미하는지 알 수 있겠지요?

그럼 '청정'은 얼마나 작은 수를 나타낼까요?
먼지를 천만 번 나눈 후에 다시 천만 번 나누고 그것을 다시 천만 번 나누면 티끌 하나 없이 아주 깨끗한 상태가 되지요.
그래서 아주 깨끗한 상태를 나타낼 때 '청정'이라는 말을 사용한답니다.

4

사각형

학습 계획표

계획표대로 공부했으면 ○표, 못했으면 △표 하세요.

내용	쪽수	날짜		확인
잘 틀리는 실력 유형	48~49쪽	월	일	
다르지만 같은 유형	50~51쪽	월	일	
응용 유형	52~55쪽	월	일	
사고력 유형	56~57쪽	월	일	
최상위 유형	58~59쪽	월	일	

유형 **01** 평행선과 한 직선이 만날 때 생기는 같은 쪽의 각

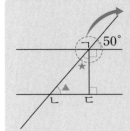

- $50° + 90° + ★ = 180°$, $★ = 40°$
- 삼각형 ㄱㄴㄷ에서 $40° + ▲ + 90° = \boxed{}°$, $▲ = \boxed{}°$

평행선과 한 직선이 만날 때 생기는 같은 쪽의 각의 크기는 같습니다.

유형 **02** 평행선과 한 직선이 만날 때 생기는 반대쪽의 각

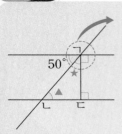

- $50° + ★ + 90° = 180°$, $★ = 40°$
- 삼각형 ㄱㄴㄷ에서 $40° + ▲ + 90° = \boxed{}°$, $▲ = \boxed{}°$

평행선과 한 직선이 만날 때 생기는 반대쪽의 각의 크기는 같습니다.

[01~03] 직선 가와 직선 나가 서로 평행합니다. ☐ 안에 알맞은 각도를 써넣으시오.

01

02

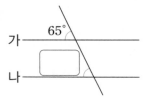

03

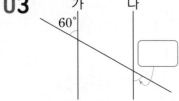

[04~06] 직선 가와 직선 나가 서로 평행합니다. ☐ 안에 알맞은 각도를 써넣으시오.

04

05

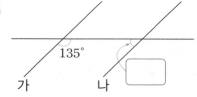

06

4

사각형

유형 03 평행선 사이에 선을 그어 각도 구하기

평행선 사이에 있는 각의 크기를 구할 때에는 주어진 평행선과 평행한 선을 그어 구합니다.

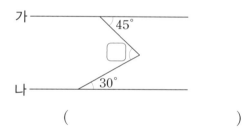

평행선과 한 직선이 만날 때 생기는 반대쪽의 각의 크기는 같으므로 ㉠=☐°, ㉡=☐° 입니다.

→ ☐=㉠+㉡=☐°+☐°=☐°

07 직선 가와 직선 나가 서로 평행합니다. ☐ 안에 알맞은 각도를 구하시오.

가
45°
☐
나
30°

( )

08 직선 가와 직선 나가 서로 평행합니다. ㉠의 각도를 구하시오.

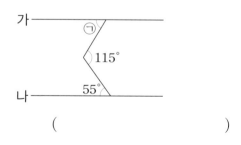

가 ㉠
115°
나 55°

( )

유형 04 새 교과서에 나온 활동 유형

09 그림과 같이 직사각형 모양의 종이 두 장을 겹쳐 놓았습니다. 겹쳐진 부분에 만들어지는 도형의 이름을 쓰고, 그렇게 생각한 이유를 완성하시오.

[이름]

[이유] 마주 보는 ☐ 쌍의 변이 서로 ☐ 하기 때문입니다.

10 다음을 읽고 공원에서 놀이터의 위치를 찾아 기호를 쓰시오.

• 공원에는 길이 4개 있습니다.
• 놀이터는 평행한 두 길 사이에 있습니다.
• 놀이터는 평행한 두 길과 수직으로 만나는 길의 위쪽에 있습니다.

( )

유형 01 수직을 이용하여 각도 구하기

01 직선 가와 직선 나가 서로 수직일 때 ㉠과 ㉡의 각도를 각각 구하시오.

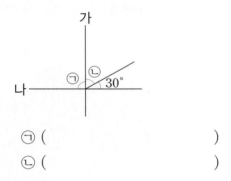

㉠ (   )

㉡ (   )

02 직선 가와 직선 나가 서로 수직일 때 ㉠과 ㉡의 각도를 각각 구하시오.

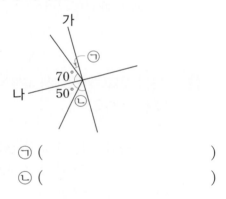

㉠ (   )

㉡ (   )

03 직선 가는 직선 나에 대한 수선입니다. ㉠과 ㉡의 각도의 합을 구하시오.

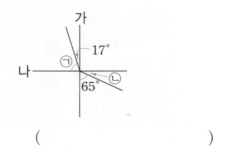

(   )

유형 02 삼각형의 성질을 이용하여 평행선 사이의 거리 구하기

04 삼각형 ㄹㄴㄷ은 이등변삼각형입니다. 도형에서 평행선 사이의 거리는 몇 cm입니까?

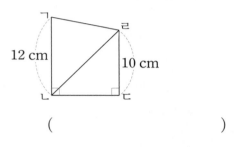

(   )

05 다음 도형에서 변 ㄱㅁ과 변 ㄴㄷ은 서로 평행합니다. 평행선 사이의 거리는 몇 cm입니까?

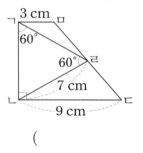

(   )

06 다음 도형에서 변 ㄱㄴ과 변 ㄹㄷ은 서로 평행합니다. 평행선 사이의 거리는 몇 cm입니까?

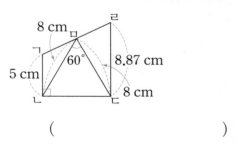

(   )

QR 코드를 찍어 **동영상 특강**을 보세요.

4
사
각
형

유형 03 사각형의 네 변의 길이의 합 활용하기

07 오른쪽은 평행사변형과 마름모를 겹치지 않게 이어 붙여서 만든 도형입니다. 빨간 선의 길이는 몇 cm 입니까?

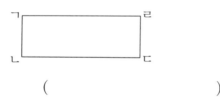

(   )

08 직사각형 ㄱㄴㄷㄹ의 네 변의 길이의 합은 60 cm입니다. 변 ㄱㄹ의 길이가 변 ㄱㄴ의 길이보다 14 cm 더 길 때 변 ㄱㄴ의 길이는 몇 cm입니까?

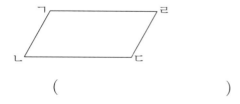

(   )

09 평행사변형 ㄱㄴㄷㄹ의 네 변의 길이의 합은 42 cm입니다. 변 ㄱㄹ의 길이가 변 ㄱㄴ의 길이의 2배일 때 변 ㄱㄴ의 길이는 몇 cm입니까?

(   )

유형 04 사각형의 포함 관계

10 다음을 읽고 ☐ 안에 알맞은 사각형의 이름을 써넣으시오.

정사각형은 네 변의 길이가 모두 같으니까 ☐☐☐☐ (이)라고 할 수 있습니다.

11 ☐ 안에 들어갈 수 있는 사각형의 이름을 **보기**에서 찾아 모두 써 보시오.

마름모는 ☐☐☐☐☐ 입니다.

보기

사다리꼴, 평행사변형, 직사각형, 정사각형

(   )

12 다음 중 틀린 것을 찾아 기호를 쓰시오.

㉠ 정사각형은 직사각형입니다.
㉡ 평행사변형은 마름모입니다.
㉢ 직사각형은 평행사변형입니다.
㉣ 마름모는 사다리꼴입니다.

(   )

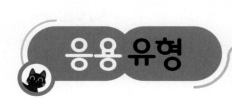

평행선 사이의 거리 구하기

01 도형에서 ❷가장 먼 평행선 사이의 거리는 몇 cm입니까?

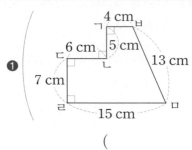

(   )

❶ 가로와 세로 방향에서 가장 먼 평행선을 각각 찾아 평행선 사이의 거리를 구합니다.

❷ ❶에서 구한 평행선 사이의 거리를 비교합니다.

수선과 평행선이 있는 글자 찾기

02 ❷수선과 평행선이 모두 있는 글자는 몇 개입니까?

❶
ㄱ ㄴ ㄷ ㄹ ㅁ
ㅂ ㅋ ㅌ ㅍ ㅎ

(   )

❶ 수선이 있는 글자와 평행선이 있는 글자를 각각 찾습니다.

❷ ❶에서 찾은 글자 중 중복되는 글자를 알아봅니다.

평행선과 직선이 만날 때 생기는 각도 구하기

03 ❶직선 가와 직선 나가 서로 평행합니다. / ❷㉠의 각도를 구하시오.

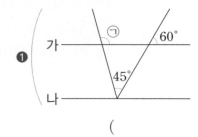

(   )

❶ 평행선과 한 직선이 만날 때 생기는 같은 쪽의 각의 크기는 같음을 이용하여 60°와 같은 각을 알아봅니다.

❷ ❶의 성질을 이용하여 ㉠의 각도를 구합니다.

평행사변형의 각의 성질 활용

04 ❶사각형 ㄱㄴㄷㄹ은 평행사변형입니다. / ❷각 ㄴㄷㄹ의 크기가 각 ㄱㄴㄷ의 크기보다 100° 더 클 때 각 ㄱㄴㄷ의 크기를 구하시오.

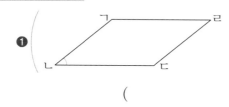

(   )

❶ 평행사변형에서 이웃하는 두 각의 크기의 합은 180°입니다.
❷ (각 ㄴㄷㄹ)=(각 ㄱㄴㄷ)+100°이므로 ❶에 맞는 식을 세워 각 ㄱㄴㄷ의 크기를 구합니다.

평행사변형의 네 변의 길이의 합 구하기

05 ❷도형에서 사각형 ㄱㄴㄷㄹ은 평행사변형입니다. / ❸사각형 ㄱㄴㄷㄹ의 네 변의 길이의 합은 몇 cm입니까?

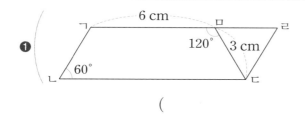

(   )

❶ 일직선은 180°임을 이용하여 각 ㄹㅁㄷ의 크기를 구합니다.
❷ 평행사변형의 각의 성질을 이용하여 각 ㄱㄹㄷ의 크기를 구합니다.
❸ 삼각형 ㅁㄷㄹ의 종류를 알고 변 ㅁㄹ과 변 ㄹㄷ의 길이를 구하여 사각형 ㄱㄴㄷㄹ의 네 변의 길이의 합을 구합니다.

직사각형과 정사각형의 성질 활용

06 ❶오른쪽 정사각형을 선을 따라 자르면 크기가 같은 직사각형 2개로 나누어집니다. / ❷직사각형 한 개의 네 변의 길이의 합이 30 cm일 때 / ❸처음 정사각형의 한 변의 길이는 몇 cm입니까?

(   )

❶ 직사각형의 짧은 변의 길이를 □라고 하면 직사각형의 긴 변의 길이는 □×2입니다.
❷ 직사각형의 네 변의 길이의 합을 구하는 식을 세워 각 변의 길이를 알아봅니다.
❸ (처음 정사각형의 한 변의 길이)
　=(직사각형의 긴 변의 길이)

07 사다리꼴 ㄱㄴㄷㄹ에서 변 ㄹㄷ에 평행한 선분 ㄱㅁ을 그었습니다. 변 ㄴㅁ의 길이는 몇 cm입니까?

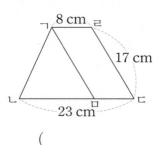

(   )

평행선 사이의 거리 구하기

08 도형에서 가장 먼 평행선 사이의 거리는 몇 cm입니까?

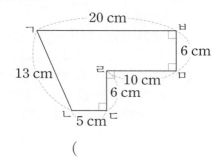

(   )

수선과 평행선이 있는 숫자 찾기

09 수선과 평행선이 모두 있는 숫자는 몇 개입니까?

(   )

10 그림과 같이 직사각형 모양의 종이 2장을 겹쳐 놓았습니다. ㉠의 각도를 구하시오.

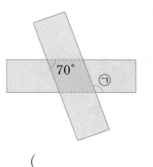

(   )

11 도형에서 선분 ㄱㄹ과 선분 ㄴㄷ은 서로 평행합니다. 이 도형에서 찾을 수 있는 크고 작은 사다리꼴은 모두 몇 개입니까?

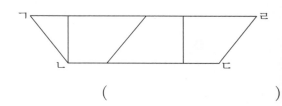

(   )

12 직선 가, 나, 다는 서로 평행합니다. 직선 가와 나 사이의 거리는 4.5 cm이고 직선 나와 다 사이의 거리는 7 cm입니다. 직선 가와 다가 가장 가까울 때의 거리는 몇 cm입니까?

(   )

4
사각형

13 다음과 같은 평행사변형 여러 개를 겹치지 않게 이어 붙여서 가장 작은 마름모를 만들었습니다. 만든 마름모의 네 변의 길이의 합은 몇 cm입니까? (단, 길이가 같은 변끼리 이어 붙입니다.)

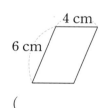

( )

14 도형에서 선분 ㄱㄴ과 선분 ㄱㄷ의 길이가 같고 선분 ㄹㅁ과 선분 ㄴㄷ은 서로 평행합니다. 각 ㄴㄹㅁ의 크기를 구하시오.

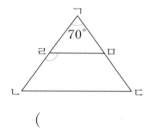

( )

평행선과 직선이 만날 때 생기는 각도 구하기

15 직선 가와 직선 나가 서로 평행합니다. ㉠의 각도를 구하시오.

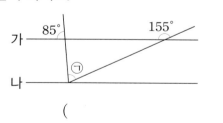

( )

평행사변형의 각의 성질 활용

16 사각형 ㄱㄴㄷㄹ은 평행사변형입니다. 각 ㄱㄴㄷ의 크기가 각 ㄴㄷㄹ의 크기보다 80° 더 클 때 각 ㄴㄷㄹ의 크기를 구하시오.

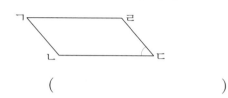

( )

평행사변형의 네 변의 길이의 합 구하기

17 도형에서 사각형 ㄱㄴㄷㄹ은 평행사변형입니다. 사각형 ㄱㄴㄷㄹ의 네 변의 길이의 합은 몇 cm입니까?

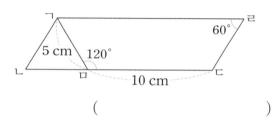

( )

직사각형과 정사각형의 성질 활용

18 오른쪽 정사각형을 선을 따라 자르면 크기가 같은 직사각형 3개로 나누어집니다. 직사각형 한 개의 네 변의 길이의 합이 72 cm일 때 처음 정사각형의 한 변의 길이는 몇 cm입니까?

( )

1 보기 와 같이 사각형의 꼭짓점 ㄱ에서 선분을 그어서 사다리꼴을 만들고 색칠해 보시오.

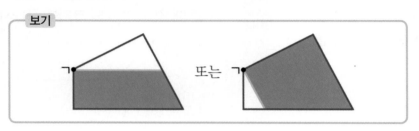

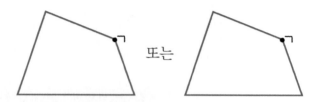

2 그림과 같이 직사각형 모양의 종이 2장을 겹쳐 놓았습니다. 표시된 각 중에서 크기가 120°인 각은 모두 몇 개인지 구하시오.

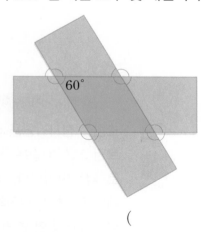

(   )

종이가 겹쳐진 부분은 마주 보는 두 쌍의 변이 서로 평행한 사각형이므로 평행사변형이에요.

4

사각형

문제 해결

3

동영상

7개의 칠교판 조각을 한 번씩 모두 사용하여 다음과 같은 모양을 만들었습니다. 가장 먼 평행선 사이의 거리는 몇 cm인지 구하시오.

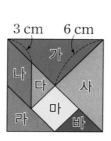

(   )

먼저 칠교판 조각으로 주어진 모양을 만들어 보세요.

코딩

4

동영상

아래의 버튼을 눌러서 직사각형을 1개 그렸습니다. ☐ 안에 알맞게 써넣고, 버튼을 적어도 몇 번 눌렀는지 구하시오.

버튼 설명

▶ 앞으로 1칸 움직이기

▶▶ 앞으로 2칸 움직이기

↻ 오른쪽으로 90°만큼 돌기

↺ 왼쪽으로 90°만큼 돌기

시작

앞으로 4칸 움직이기 → 오른쪽으로 90°만큼 돌기

→ 앞으로 6칸 움직이기 → ☐쪽으로 90°만큼 돌기

→ 앞으로 ☐칸 움직이기 → ☐쪽으로 90°만큼 돌기

→ 앞으로 ☐칸 움직이기

(   )

1

| HME 20번 문제 수준 |

다음 모양에서 찾을 수 있는 크고 작은 사다리꼴은 모두 몇 개인지 구하시오.

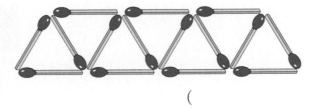

(   )

2

| HME 21번 문제 수준 |

다음 그림과 같이 정사각형 안에 ★이 있습니다. ★을 포함한 직사각형은 모두 몇 개인지 구하시오.

(   )

🔷 반드시 ★을 포함해야 하고,

정사각형은 직사각형이라고 할 수 있습니다.

3 동영상

| HME 21번 문제 수준 |

원 위에 6개의 점이 일정한 간격으로 찍혀 있습니다. 4개의 점을 연결하여 만들 수 있는 사다리꼴은 모두 몇 개인지 구하시오.

(   )

4 동영상

| HME 22번 문제 수준 |

직선 가와 직선 나가 서로 평행합니다. ㉠의 각도를 구하시오.

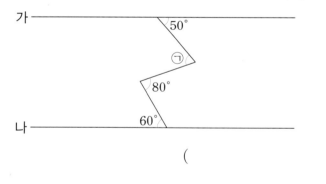

(   )

✏️ 주어진 평행선과 평행한 선을 2개 그어 봅니다.

평행선의 이모저모

길이가 달라도 평행선이 될 수 있을까?

하나는 길고 하나는 짧은 두 선분이 있다고 생각해
봐요.
이 두 선분은 평행선일까요?
길이가 길고 짧은 것만으로는 평행선인지 아닌지
알 수가 없어요. 평행선이 되려면 길이와는 상관없
이 두 선분이 서로 평행하다는 조건만 만족하면 된
답니다.
그렇지만 길이가 서로 다르면 평행선인지 아닌지
알기가 쉽지 않죠?

너랑 나랑 키는 달라도
평행선은 될 수 있어!

두 선분 중 짧은 선분을 길게 늘여 두 선분의 길이를 똑같이 맞춘 다음 비교해 보면 쉽게
알 수 있어요.
이처럼 길이가 다른 두 선분도 평행선이 될 수 있답니다.

이 세상에 평행선이 하나도 없다면?

이 세상에 평행선이 모두 사라진다면 어떻게 될까요?
도로에는 자동차들이 평행하게 달리지 못해 여기저
기 교통 사고가 날 거예요. 횡단보도도 평행하지 않
게 되어 사람들이 길을 건너는 데 불편함을 겪을 거
예요.

으앙~ 나 진짜
공부하고 싶단 말이에요.

또, 집 안의 평행하지 못한 선반은 기울어져 있어서
어떤 물건을 올려도 다시 아래로 떨어져 버릴 거예요.
책상과 바닥도 평행하지 않아서 책상 위에 책을 놓고
공부할 수 없게 되겠지요.
우리가 살고 있는 세상에 평행선이 하나도 없다면 말할 수 없이 혼란스러워질 거예요.

5

꺾은선그래프

학습 계획표

계획표대로 공부했으면 ○표, 못했으면 △표 하세요.

내용	쪽수	날짜		확인
잘 틀리는 실력 유형	62~63쪽	월	일	
다르지만 같은 유형	64~65쪽	월	일	
응용 유형	66~69쪽	월	일	
사고력 유형	70~71쪽	월	일	
최상위 유형	72~73쪽	월	일	

유형 **01** 꺾은선그래프를 보고 문장 완성하기

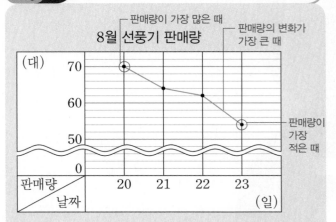

• 선풍기가 가장 많이 팔린 날은 ☐ 일입니다.

• 선풍기가 가장 적게 팔린 날은 ☐ 일입니다.

01 유형01의 꺾은선그래프를 보고 ㉠, ㉡에 알맞은 수를 각각 구하시오.

• 21일의 선풍기 판매량은 ㉠대입니다.
• 23일의 선풍기 판매량은 ㉡대입니다.

㉠ (   )

㉡ (   )

02 유형01의 꺾은선그래프를 보고 알맞은 문장이 되도록 완성하시오.

(1) 선풍기 판매량의 변화가 가장 작은 때는

_____

(2) 선풍기 판매량은 (늘어나고 , 줄어들고) 있으므로 24일 판매량은 23일보다

_____

유형 **02** 꺾은선그래프를 비교하여 내용 알아보기

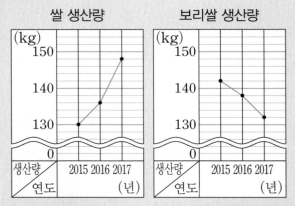

• 쌀 생산량은 늘어나고 있습니다.— 선분이 오른쪽으로 올라감
• 보리쌀 생산량은 줄어들고 있습니다.— 선분이 오른쪽으로 내려감
• 2017년 쌀과 보리쌀의 생산량을 더하면

$148 +$ ☐ $=$ ☐ (kg)입니다.

[03~04] 어느 야구 선수의 홈런과 도루의 기록을 나타낸 꺾은선그래프입니다. 물음에 답하시오.

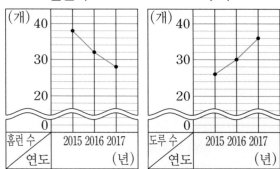

03 알맞은 말에 ○표 하시오.

해가 지날수록 홈런 수는 (줄어들고 , 늘어나고) 도루 수는 (줄어들고 , 늘어나고) 있습니다.

┌ 홈런과 도루 둘다 30개씩 또는 30개보다
│ 많이 성공하면 가입할 수 있습니다.

04 30−30 클럽에 가입한 해는 몇 년입니까?

(   )

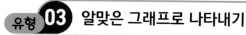
QR 코드를 찍어 **동영상 특강**을 보세요.

유형 **03** 알맞은 그래프로 나타내기

| 자료의 양을 비교할 때 | ⇨ | ☐ 그래프 |

| 자료의 연속적인 변화 정도를 알아볼 때 | ⇨ | ☐ 그래프 |

[05~06] 표를 보고 제기차기 횟수의 변화와 60대 이상 인터넷 이용자 수의 변화를 알맞은 그래프로 나타내시오.

05

제기차기 횟수

날짜(일)	1	2	3	4
횟수(회)	14	18	20	24

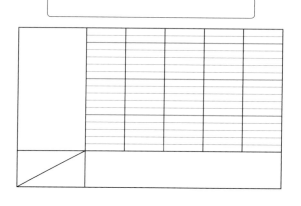

06

60대 이상 인터넷 이용자 수

연도(년)	2018	2019	2020	2021
이용자 수(명)	2650	2680	2730	2750

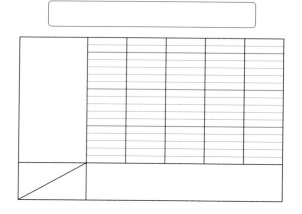

유형 **04** 새 교과서에 나온 활동 유형

07 어느 날 시각별 기온과 아이스크림 판매량을 조사하여 나타낸 꺾은선그래프입니다. 기온 변화가 가장 컸을 때 아이스크림의 판매량은 몇 개 늘었습니까?

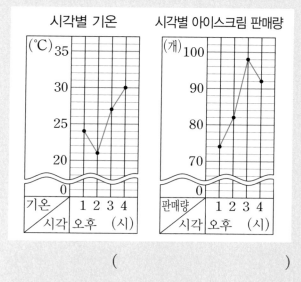

(   )

🖊️서술형

08 서울시 1인 가구 수를 나타낸 그래프를 보고 알 수 있는 내용을 써 보시오.

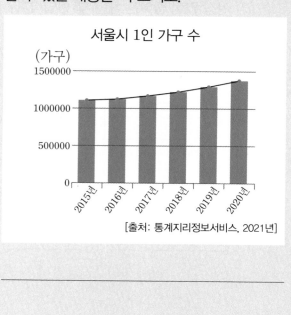

서울시 1인 가구 수

[출처: 통계지리정보서비스, 2021년]

_____

_____

5 꺾은선그래프

유형 01 전년과 비교한 변화 알아보기

01 어느 지역의 70~90대 노인 수를 조사하여 나타낸 꺾은선그래프입니다. 전년과 비교하여 70~90대 노인 수가 가장 많이 늘어난 해는 몇 년입니까?

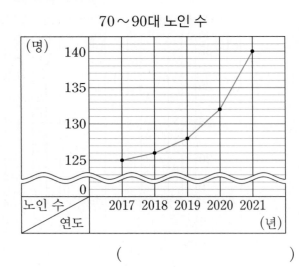

(   )

02 어느 지역의 출생아 수를 조사하여 나타낸 꺾은선그래프입니다. 전년과 비교하여 출생아 수가 가장 많이 줄어든 해는 몇 년입니까?

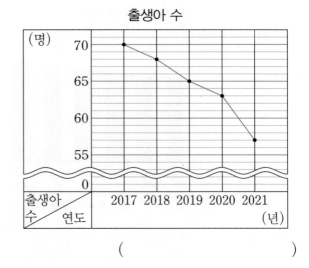

(   )

유형 02 눈금 한 칸의 크기를 다르게 하여 나타내기

[03~04] 어떤 공장의 불량품 수를 조사하여 나타낸 꺾은선그래프를 보고 각각의 꺾은선그래프로 다시 나타내시오.

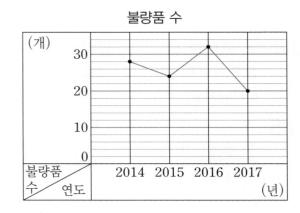

03

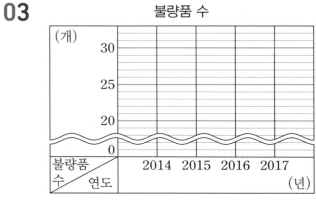

04

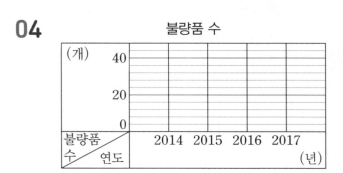

● 정답 및 풀이 52쪽

QR 코드를 찍어 **동영상 특강**을 보세요.

유형 03 그래프에 나타나 있지 않은 값 알아보기

05 양초에 불을 붙인 후 10분이 지날 때마다 양초의 길이를 재어 나타낸 꺾은선그래프입니다. ◻ 안에 알맞은 수를 써넣으시오.

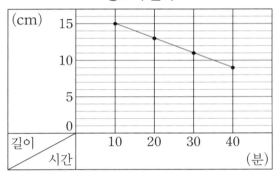

불을 붙인 후 25분이 지났을 때 양초의 길이는 20분이 지났을 때 양초의 길이인 ◻ cm와 30분이 지났을 때 양초의 길이인 ◻ cm의 중간인 ◻ cm 라고 할 수 있습니다.

06 주희의 키를 2년마다 조사하여 나타낸 꺾은선그래프입니다. 주희가 10살일 때 키는 몇 cm였겠습니까?

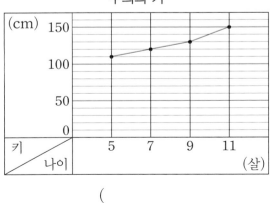

( )

유형 04 전체 수 구하기

07 미술관의 입장객 수를 5일 동안 조사하여 나타낸 꺾은선그래프입니다. 5일 동안 미술관에 입장한 사람은 모두 몇 명입니까?

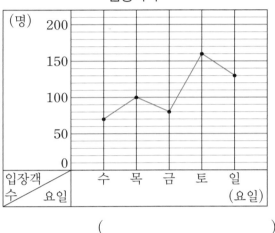

( )

08 공원의 입장객 수를 5일 동안 조사하여 나타낸 꺾은선그래프입니다. 한 명의 입장료가 1000원일 때 5일 동안 받은 입장료는 모두 얼마입니까?

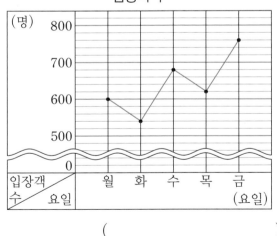

( )

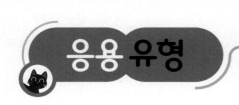

변화가 가장 큰 때의 자료 값 구하기

01 현수의 키를 조사하여 나타낸 꺾은선그래프입니다. ❶현수의 키의 변화가 가장 큰 때는 / ❷몇 cm 자랐습니까?

❶ 선분이 많이 기울어질수록 변화가 크므로 선분의 기울어진 정도를 비교합니다.
❷ 선분의 양쪽 자료 값의 차를 구합니다.

현수의 키

❶

(   )

꺾은선 2개로 나타낸 그래프 알아보기

02 세희네 학교의 남녀 학생 수를 조사하여 나타낸 꺾은선그래프입니다. ❶남학생과 여학생 수의 차가 가장 큰 해는 / ❷몇 년이고, / ❸이때 남학생과 여학생 수의 차는 몇 명인지 차례로 쓰시오.

❶ 두 점 사이의 간격이 멀수록 자료 값의 차가 큽니다.
❷ 두 점 사이의 간격이 가장 먼 연도를 찾습니다.
❸ ❷에서 찾은 연도의 남학생 수와 여학생 수의 차를 구합니다.

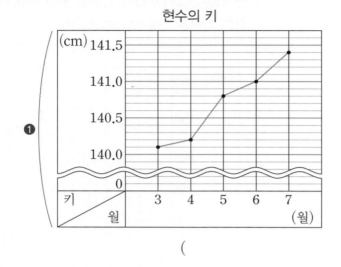

남녀 학생 수

❷

남학생 -----   여학생 ——

(   ), (   )

조사 결과를 보고 꺾은선그래프 완성하기

03 미소 마을의 <u>강우량</u> 조사 결과를 보고 ^❸<u>꺾은선그래프를</u>
　　<u>완성하시오.</u>
　　└ 비가 내린 양만 측정한 값

❷
> **미소 마을의 강우량 조사 결과**
> • 8월은 7월보다 0.6 cm 많습니다.
> • 9월은 7월과 같습니다.
> • 10월은 9월보다 0.6 cm 적습니다.

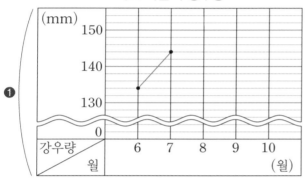

미소 마을의 강우량

❶ 세로 눈금 한 칸의 크기를 알아보고 7월의
　강우량을 구합니다.

❷ 0.1 cm＝1 mm임을 이용하여 8월, 9월,
　10월의 강우량을 각각 구합니다.

❸ 8월, 9월, 10월의 강우량만큼 점을 찍고
　선분으로 잇습니다.

꺾은선그래프의 세로 눈금 한 칸의 크기 활용하기

04 수현이의 요일별 윗몸 일으키기 횟수를 조사하여 나타
　　낸 꺾은선그래프입니다. ^❶<u>월요일의 윗몸 일으키기 횟수</u>
　　<u>가 16회라면</u> / ^❷<u>금요일의 윗몸 일으키기 횟수는 몇 회</u>
　　<u>입니까?</u>

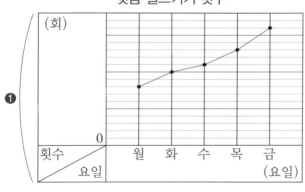

윗몸 일으키기 횟수

❶ 월요일의 윗몸 일으키기 횟수를 이용하여
　세로 눈금 한 칸의 크기를 구합니다.

❷ ❶에서 구한 세로 눈금 한 칸의 크기를 이
　용하여 금요일의 윗몸 일으키기 횟수를 구
　합니다.

(　　　　　　　　　　　)

05 어느 도서관의 방문자 수를 조사하여 나타낸 꺾은선그래프입니다. 방문자 수가 목요일에는 금요일보다 6명 더 많았습니다. 꺾은선그래프를 완성하시오.

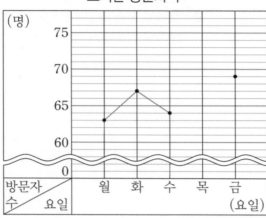

도서관 방문자 수

07 어느 수영장의 월별 회원 수를 조사하여 나타낸 꺾은선그래프입니다. 조사하는 동안 회원 수는 몇 명 늘었습니까?

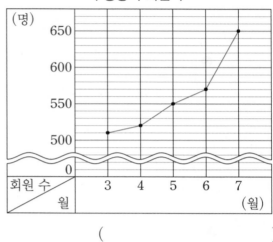

수영장의 회원 수

( )

변화가 가장 큰 때의 자료 값 구하기

06 민경이의 몸무게를 조사하여 나타낸 꺾은선그래프입니다. 민경이의 몸무게의 변화가 가장 큰 때는 몇 kg 늘었습니까?

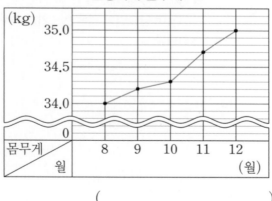

민경이의 몸무게

( )

꺾은선 2개로 나타낸 그래프 알아보기

08 은우와 효주의 몸무게를 조사하여 나타낸 꺾은선그래프입니다. 두 사람의 몸무게의 차가 가장 작은 달은 몇 월이고, 이때 몸무게의 차는 몇 kg인지 차례로 쓰시오.

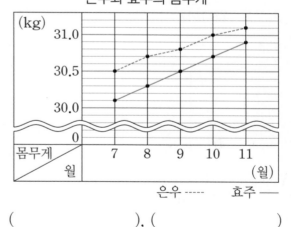

은우와 효주의 몸무게

은우 ----- 효주 ———

( ), ( )

● 정답 및 풀이 53쪽

QR 코드를 찍어 **유사 문제**를 보세요.

09 예은이의 월별 영어 점수와 수학 점수를 조사하여 나타낸 꺾은선그래프입니다. 10월의 영어 점수와 수학 점수의 차는 몇 점입니까?

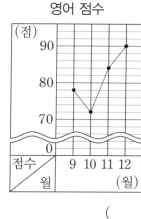
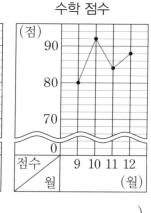

(　　　　　　　　　　　　　)

꺾은선그래프의 세로 눈금 한 칸의 크기 활용하기

11 태희의 요일별 줄넘기 횟수를 조사하여 나타낸 꺾은선그래프입니다. 목요일의 줄넘기 횟수가 76회라면 일요일의 줄넘기 횟수는 몇 회입니까?

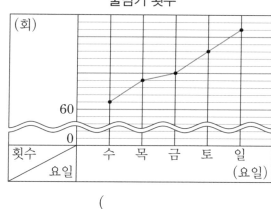

(　　　　　　　　　　　　　)

조사 결과를 보고 꺾은선그래프 완성하기

10 천재 마을의 강수량 조사 결과를 보고 꺾은선그래프를 완성하시오.

비, 눈, 우박, 서리 등과 같이 땅에 떨어져 내린 물의 전체 양을 측정한 값

천재 마을의 강수량 조사 결과
• 1월은 2월보다 0.8 cm 적습니다.
• 4월은 2월과 같습니다.
• 5월은 4월보다 0.8 cm 많습니다.

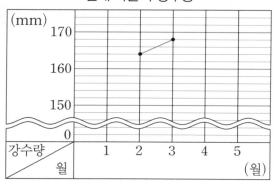

---

12 A 학교 학생 수를 조사하여 나타낸 꺾은선그래프입니다. 이 그래프를 세로 눈금 한 칸이 5명을 나타내도록 다시 그린다면 2015년과 2019년의 세로 눈금은 몇 칸 차이가 납니까?

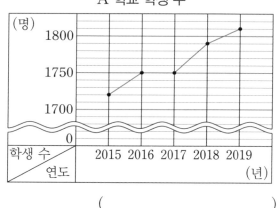

(　　　　　　　　　　　　　)

추론

1

동영상

2015년부터 2020년까지 다문화 가구 수를 조사하여 나타낸 꺾은
선그래프입니다. 2021년의 다문화 가구 수는 어떻게 변할 것인지
알맞은 말에 ○표 하시오.

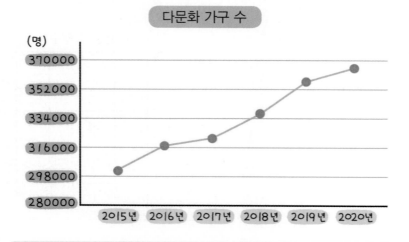

2015년부터 2020년까지 다문화 가구 수가 계속
(늘어나고 , 줄어들고) 있으므로 2021년의 다문화 가구 수는
2020년보다 (늘어날 , 줄어들) 것입니다.

창의·융합

2

동영상

자료를 정리하여 그래프로 나타낼 때 어떤 그래프가 알맞을까요?
각각의 그래프로 나타낼 수 있는 자료를 써 보시오.

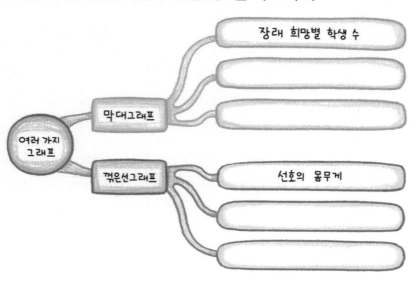

자료의 양을 비교할 때는
막대그래프로 나타내고,
자료의 연속적인 변화 정도를
알아볼 때는 꺾은선그래프로
나타내요.

문제 해결

3 지율이와 현빈이의 키를 매년 6월에 조사하여 나타낸 꺾은선그래프입니다. 1학년 때부터 4학년 때까지 누구의 키가 몇 cm 더 많이 자랐는지 알아보시오.

지율이와 현빈이의 키

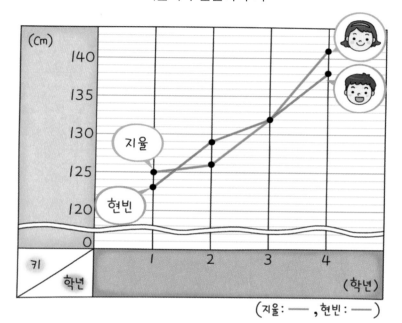

(지율 : ——— , 현빈 : ———)

지율이의 키를 나타내는 그래프는 초록색이고, 현빈이의 키를 나타내는 그래프는 빨간색이에요.

1 지율이는 1학년 때부터 4학년 때까지 몇 cm 자랐습니까?

(   )

2 현빈이는 1학년 때부터 4학년 때까지 몇 cm 자랐습니까?

(   )

3 누구의 키가 몇 cm 더 많이 자랐는지 차례로 쓰시오.

(   ), (   )

5

꺾은선그래프

1

| HME 19번 문제 수준 |

어느 피자 가게의 요일별 판매량을 조사하여 나타낸 표와 꺾은선그래프입니다. 금요일의 판매량이 목요일의 판매량보다 120판 더 많을 때 표와 꺾은선그래프를 완성하시오.

◇ (목요일과 금요일의 판매량의 합)

= (합계) − (월요일, 화요일, 수요일의 판매량)

피자 판매량

요일	월	화	수	목	금	합계
판매량(판)	140	220	200			1000

피자 판매량

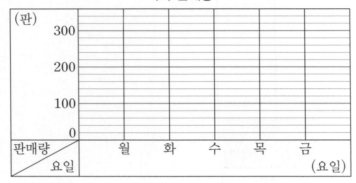

2

| HME 20번 문제 수준 |

어느 자동차 공장의 자동차 생산량을 조사하여 나타낸 꺾은선그래프입니다. 같은 빠르기로 쉬지 않고 자동차를 만든다면 2시간 동안 자동차를 몇 대 만들 수 있는지 구하시오.

◇ 10분 동안 만드는 자동차 수를 알면 2시간 동안 만들 수 있는 자동차 수를 구할 수 있습니다.

자동차 생산량

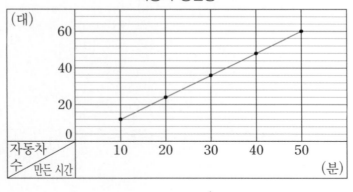

( )

3

| HME 20번 문제 수준 |

94 L 들이의 빈 수조에 일정한 양의 물이 나오는 수도꼭지로 물을 받다가 수조의 밑바닥이 도중에 새기 시작하여 물이 새는 것을 막은 후 계속 물을 받았습니다. 꺾은선그래프를 보고 이 수조에 물이 가득 찰 때는 물을 받기 시작한 지 몇 분 후인지 구하시오.

받은 물의 양

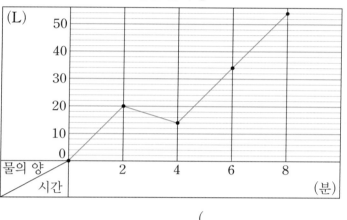

(   )

4

| HME 22번 문제 수준 |

토끼와 거북이 10 km 달리기 경주에서 달린 시간과 달린 거리를 나타낸 그래프의 일부입니다. 토끼는 2시간에 5 km를 가는 빠르기로 2시간 달린 후 낮잠을 2시간 자고, 다시 같은 빠르기로 달렸습니다. 거북은 처음부터 끝까지 쉬지 않고 일정한 빠르기로 달렸습니다. 토끼의 그래프를 완성하고 누가 몇 시간 먼저 결승점에 도착했는지 차례로 쓰시오.

토끼와 거북이 달린 시간과 달린 거리

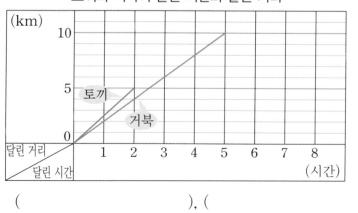

(   ), (   )

그래프의 시작을 찾아서

파리 덕분에 만들어진 가로 눈금과 세로 눈금

그래프를 그리려면 먼저 가로 눈금과 세로 눈금을 그려야 해요.

눈금이란 수나 양을 헤아릴 수 있게 나타낸 금을 말해요.

이 눈금은 좌표에서 시작되었어요. 좌표는 점의 위치를 가로 눈금과 세로 눈금의 수를 헤아려 숫자로 표시해 놓은 것을 말해요.

따라서 오늘날 그래프를 그리는 데 사용되는 좌표는 그래프의 시작이라고 할 수 있어요.

그런데 이 좌표의 발명에 재미있는 이야기가 숨어 있답니다.

┌ 좌표가 정해진 평면
좌표평면을 처음으로 생각해 낸 사람은 17세기의 수학자 데카르트예요.

철학자이기도 한 데카르트는 '나는 생각한다. 고로 나는 존재한다.'라는 말로 유명하지요.

데카르트는 방 안을 날아다니는 파리를 보고 우연히 좌표를 생각해 냈답니다.

어릴 때부터 몸이 허약했던 데카르트는 침대에 누워 지낼 때가 많았어요.

어느 날 평소와 같이 침대에 누워 있는데 파리 한 마리가 천장에 앉았어요.

그러더니 이리저리 움직이며 자리를 옮기는 것이 아니겠어요?

데카르트는 천장을 옮겨 다니는 파리를 유심히 보다가 위치를 따져 보기 시작했어요.

빈 공간에서 위치를 따져 기억하는 것이 쉽지 않자 데카르트는 천장을 가로 선과 세로 선을 가진 평면이라고 생각하고 파리의 위치를 점으로 찍어 나타냈지요.

이렇게 우연히 탄생한 것이 가로 눈금과 세로 눈금이 정해진 좌표평면이랍니다.

좌표평면은 그래프를 그릴 때만 사용되는 것이 아니라 지도를 그릴 때 등 다양하게 사용되지요.

6

다각형

학습 계획표

계획표대로 공부했으면 ○표, 못했으면 △표 하세요.

내용	쪽수	날짜		확인
잘 틀리는 실력 유형	76~77쪽	월	일	
다르지만 같은 유형	78~79쪽	월	일	
응용 유형	80~83쪽	월	일	
사고력 유형	84~85쪽	월	일	
최상위 유형	86~87쪽	월	일	

유형 01 대각선의 성질로 도형의 이름 찾기

- 두 대각선의 길이가 같은 사각형
  → 직사각형, ☐사각형
- 한 대각선이 다른 대각선을 반으로 나누는 사각형
  → 평행사변형, 마름모, 직사각형, 정사각형
- 두 대각선이 서로 수직으로 만나는 사각형
  → 마름모, ☐사각형

01 사각형 ㄱㄴㄷㄹ은 직사각형입니다. 삼각형 ㄱㅁㄹ의 이름이 될 수 있는 것을 모두 고르시오. ················ (   )

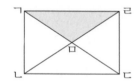

① 예각삼각형 ② 직각삼각형
③ 둔각삼각형 ④ 이등변삼각형
⑤ 정삼각형

02 사각형 ㄱㄴㄷㄹ은 정사각형입니다. 삼각형 ㄱㄴㅁ의 이름이 될 수 있는 것을 모두 고르시오. ················ (   )

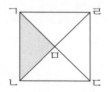

① 예각삼각형 ② 직각삼각형
③ 둔각삼각형 ④ 이등변삼각형
⑤ 정삼각형

유형 02 정다각형의 한 각의 크기 구하기

① 정■각형을 대각선을 이용하여 가장 적은 수(▲ 개)의 삼각형으로 나눕니다.
(정■각형의 모든 각의 크기의 합)
$= 180° × ▲$

② (정■각형의 한 각의 크기)
$=$ (정■각형의 모든 각의 크기의 합)$÷ ■$

(정오각형의 모든 각의 크기의 합)
$= 180° × 3 = \boxed{}°$

정오각형은 삼각형 3개로 나누어집니다.

(정오각형의 한 각의 크기)
$= \boxed{}° ÷ 5 = \boxed{}°$

03 정육각형을 가장 적은 수의 삼각형으로 나누는 방법을 이용하여 정육각형의 한 각의 크기를 구하시오.

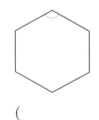

(   )

04 정팔각형을 가장 적은 수의 삼각형으로 나누는 방법을 이용하여 정팔각형의 한 각의 크기를 구하시오.

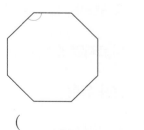

(   )

QR 코드를 찍어 **동영상 특강**을 보세요.

유형 **03** 대각선 수 구하기

① (한 꼭짓점에서 그을 수 있는 대각선 수)
　＝(꼭짓점 수)－3
② (각 꼭짓점에서 그을 수 있는 대각선 수의 합)
　＝①×(꼭짓점 수)
③ (대각선 수)＝②÷2

육각형에 그을 수 있는 대각선 수 구하기
(한 꼭짓점에서 그을 수 있는 대각선 수)

＝6－3＝ ☐ (개)

(각 꼭짓점에서 그을 수 있는 대각선 수의 합)

＝3×6＝ ☐ (개)

(육각형의 대각선 수)＝ ☐ ÷2＝ ☐ (개)

05 칠각형에 그을 수 있는 대각선은 모두 몇 개입니까?

(　　　　　　　)

06 팔각형에 그을 수 있는 대각선은 모두 몇 개입니까?

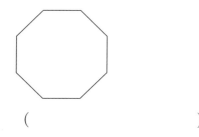

(　　　　　　　)

유형 **04** 새 교과서에 나온 활동 유형

07 다음과 같은 직사각형 모양의 축구장을 어떤 선수가 ㄱ 지점에서 ㄴ 지점까지 일직선으로 뛰어갔다면 몇 m를 뛰어간 것입니까?

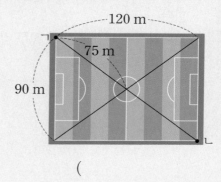

(　　　　　　　)

📝서술형

08 다음 그림은 2가지 정다각형 모양의 조각을 이어 붙여서 만든 축구공을 평평하게 펼친 모습입니다. 2가지 정다각형 모양의 변의 수는 모두 몇 개인지 풀이 과정을 쓰고 답을 구하시오.

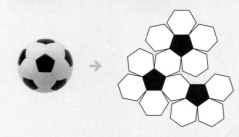

[풀이]

_____

_____

_____

[답]

6

다각형

유형 01 바르게(잘못) 설명한 것 찾기

01 바르게 설명한 것을 찾아 기호를 쓰시오.

> ㉠ 다각형은 변의 수와 꼭짓점의 수가 다릅니다.
> ㉡ 정다각형은 변의 길이가 모두 같고, 각의 크기도 모두 같습니다.

(   )

02 잘못 설명한 사람을 찾아 이름을 쓰시오.

마름모는 변의 길이가 모두 같으므로 정다각형이야.

진주

다각형은 오각형, 육각형처럼 선분으로만 둘러싸인 도형이야.

진호

(   )

서술형
03 다는 다각형이 아닙니다. 그 이유를 쓰시오.

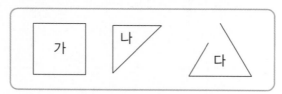

[이유]
_____

_____

유형 02 사각형에서 대각선의 성질 활용(1)

04 정사각형 ㄱㄴㄷㄹ에서 선분 ㄴㄹ의 길이는 몇 cm입니까?

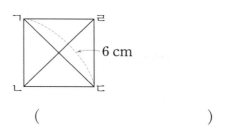

(   )

05 직사각형 ㄱㄴㄷㄹ에서 선분 ㄴㄹ의 길이는 몇 cm입니까?

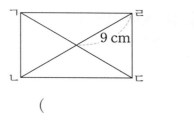

(   )

06 직사각형 ㄱㄴㄷㄹ에서 선분 ㄴㄹ과 선분 ㄹㄷ의 길이의 차는 몇 cm입니까?

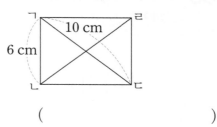

(   )

QR 코드를 찍어 **동영상 특강**을 보세요.

유형 **03** 정다각형의 한 변의 길이

07 다음 정육각형의 모든 변의 길이의 합은 42 cm 입니다. ☐ 안에 알맞은 수를 써넣으시오.

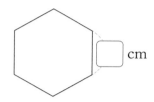

☐ cm

08 모든 변의 길이의 합이 72 cm인 정다각형입 니다. 이 정다각형의 한 변의 길이는 몇 cm입 니까?

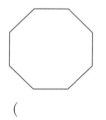

(   )

서술형
09 정사각형 가와 정오각형 나는 각각 모든 변의 길이의 합이 80 cm로 같습니다. 정사각형 가와 정오각형 나의 한 변의 길이의 합은 몇 cm인 지 풀이 과정을 쓰고 답을 구하시오.

[풀이]

[답]

유형 **04** 사각형에서 대각선의 성질 활용(2)

10 사각형 ㄱㄴㄷㄹ은 평행사변형입니다. 삼각형 ㅁㄴㄷ의 세 변의 길이의 합은 몇 cm입니까?

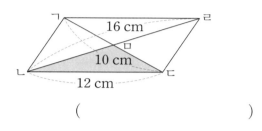

(   )

11 직사각형 ㄱㄴㄷㄹ에서 변 ㄹㄷ은 변 ㄱㄹ보 다 4 cm 짧습니다. 삼각형 ㄹㅁㄷ의 세 변의 길이의 합은 몇 cm입니까?

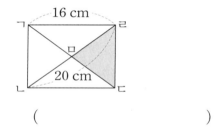

(   )

12 마름모 ㄱㄴㄷㄹ의 네 변의 길이의 합은 20 cm 입니다. 삼각형 ㄱㄴㅁ의 세 변의 길이의 합은 몇 cm입니까?

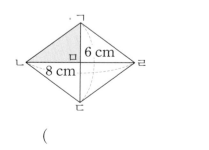

(   )

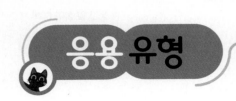

모든 변의 길이의 합이 같은 두 정다각형

01 ^①정사각형과 정칠각형의 모든 변의 길이의 합이 같습니다. / ^②정칠각형의 한 변의 길이는 몇 cm입니까?

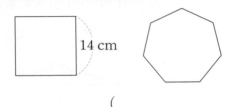

14 cm

(   )

① (정칠각형의 모든 변의 길이의 합)
= (정사각형의 모든 변의 길이의 합)
= (정사각형의 한 변의 길이) × 4
② 정칠각형의 변은 7개임을 이용하여 한 변의 길이를 구합니다.

정다각형의 수 구하기

02 ^①길이가 3 m인 색 테이프를 잘라 겹치지 않게 모두 사용하여 / ^②한 변의 길이가 6 cm인 정오각형을 만들려고 합니다. / ^③만들 수 있는 정오각형은 모두 몇 개입니까?
(단, 정오각형은 겹치거나 맞닿는 변이 없습니다.)

(   )

① 1 m = 100 cm임을 이용하여 전체 색 테이프는 몇 cm인지 구합니다.
② 정오각형 한 개를 만드는 데 필요한 색 테이프의 길이를 구합니다.
③ (정오각형의 수) = ① ÷ ②

정다각형에서 각의 크기 활용(1)

03 ^①정육각형입니다. / ^②㉠의 각도는 몇 도입니까?

(   )

① 정육각형을 가장 적은 수의 삼각형으로 나누는 방법을 이용하여 정육각형의 한 각의 크기를 구합니다.
② 일직선은 180°임을 이용하여 ㉠의 각도를 구합니다.

대각선의 성질로 길이 구하기

04 **❶**똑같은 마름모 2개와 직사각형 1개를 겹쳐서 만든 도형입니다. / **❷**굵은 선의 길이는 몇 cm입니까?

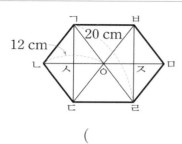

(   )

❶ 마름모의 대각선의 성질을 이용하여 변 ㄱㅂ, 변 ㄷㄹ의 길이를 구하고, 직사각형의 대각선의 성질을 이용하여 변 ㄱㄴ, 변 ㄴㄷ, 변 ㄹㅁ, 변 ㅁㅂ의 길이를 구합니다.

❷ ❶에서 구한 6개 변의 길이를 더합니다.

대각선의 성질로 각도 구하기

05 **❶**사각형 ㄱㄴㄷㄹ은 직사각형입니다. / **❷**각 ㅁㄷㄹ의 크기는 몇 도입니까?

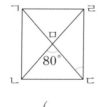

(   )

❶ 직사각형의 대각선의 성질을 이용하여 삼각형 ㅁㄴㄷ이 어떤 삼각형인지 알아본 후 각 ㅁㄷㄴ의 크기를 구합니다.

❷ 직사각형의 한 각의 크기는 90°이므로 (각 ㅁㄷㄹ)=90°−(각 ㅁㄷㄴ)입니다.

정다각형에서 각의 크기 활용(2)

06 **❶**오각형 ㄱㄴㄷㄹㅁ은 정오각형입니다. / **❷**각 ㄱㄴㅁ의 크기는 몇 도입니까?

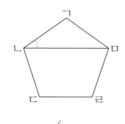

(   )

❶ 정오각형을 가장 적은 수의 삼각형으로 나누는 방법을 이용하여 정오각형의 한 각인 각 ㄴㄱㅁ의 크기를 구합니다.

❷ 삼각형 ㄱㄴㅁ이 어떤 삼각형인지 알아본 후 각 ㄱㄴㅁ의 크기를 구합니다.

07 규칙에 따라 다각형을 그리고 있습니다. ㉠에 들어갈 다각형의 이름을 쓰시오.

( )

08 정다각형을 겹치지 않게 이어 붙여 만든 도형입니다. 정육각형의 모든 변의 길이의 합이 150 cm일 때 굵은 선의 길이는 몇 cm입니까?

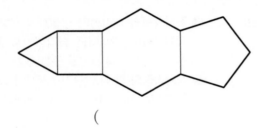

( )

모든 변의 길이의 합이 같은 두 정다각형

09 정오각형과 정팔각형의 모든 변의 길이의 합이 같습니다. 정팔각형의 한 변의 길이는 몇 cm입니까?

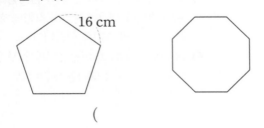

16 cm

( )

10 정오각형 모양의 종이에 대각선을 모두 그은 후 대각선을 따라 모두 잘랐습니다. 잘라서 나온 다각형은 모두 몇 개입니까?

( )

정다각형의 수 구하기

11 길이가 6 m인 색 테이프를 잘라 겹치지 않게 모두 사용하여 한 변의 길이가 5 cm인 정육각형을 만들려고 합니다. 만들 수 있는 정육각형은 모두 몇 개입니까? (단, 정육각형은 겹치거나 맞닿는 변이 없습니다.)

( )

정다각형에서 각의 크기 활용(1)

12 정오각형입니다. ㉠의 각도는 몇 도입니까?

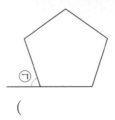

( )

13 다음이 설명하는 도형에 그을 수 있는 대각선은 모두 몇 개입니까?

동영상

> • 선분으로만 둘러싸인 도형입니다.
> • 변이 10개입니다.

( )

대각선의 성질로 길이 구하기

14 똑같은 마름모 2개와 직사각형 1개를 겹쳐서 만든 도형입니다. 굵은 선의 길이는 몇 cm입니까?

동영상

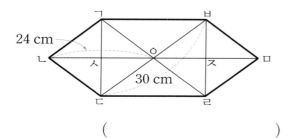

( )

대각선의 성질로 각도 구하기

15 사각형 ㄱㄴㄷㄹ은 직사각형입니다. 각 ㅁㄹㄷ의 크기는 몇 도입니까?

동영상

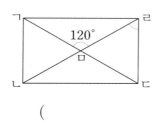

( )

16 마름모 ㄱㄴㄷㄹ의 한 변의 길이는 몇 cm입니까?

동영상

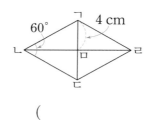

( )

17 정팔각형과 정사각형을 겹치지 않게 이어 붙여 만든 도형입니다. 각 ㅊㅈㅇ의 크기는 몇 도입니까?

동영상

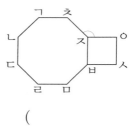

( )

정다각형에서 각의 크기 활용(2)

18 육각형 ㄱㄴㄷㄹㅁㅂ은 정육각형입니다. 각 ㄱㄴㅂ의 크기는 몇 도입니까?

동영상

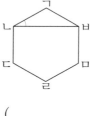

( )

6

다각형

문제 해결

1 주어진 정다각형 모양의 색종이를 모두 사용하여 한 점을 중심으로 겹치지 않게 이어 붙여서 평면을 채워 보시오. (단, 같은 색종이를 여러 번 사용할 수 있습니다.)

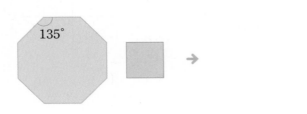

코딩

2 시작에 한 변의 길이가 3 cm인 정사각형을 넣어 실행했을 때 끝에 나오는 정다각형의 모든 변의 길이의 합은 몇 cm입니까?

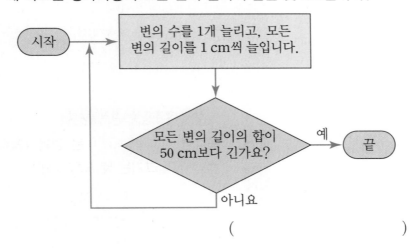

(   )

추론

3

원 위에 일정한 간격으로 점이 10개 찍혀 있고, 이 점을 차례로 모두 이어 정다각형을 만들려고 합니다. 정다각형을 완성하고, 한 각의 크기를 구하시오.

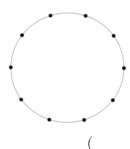

(　　　　　　　　　　)

정다각형의 모든 각의 크기의 합은 정다각형을 가장 적은 수의 삼각형으로 나누는 방법을 이용하여 구할 수 있습니다.

창의 · 융합

4

다음 그림은 정오각형 모양과 정육각형 모양의 조각을 이어 붙여서 만든 축구공을 평평하게 펼친 모습입니다. 이 그림에서 평면을 채우지 못한 부분인 ⬜ 안에 알맞은 각도를 구하시오.

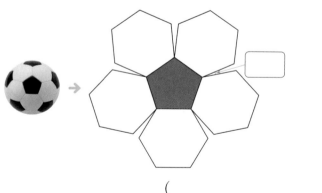

(　　　　　　　　　　)

6

다각형

1

| HME 20번 문제 수준 |

어떤 다각형에 대각선을 모두 그었더니 대각선이 44개였습니다. 이 다각형의 이름은 무엇입니까?

(   )

2

| HME 21번 문제 수준 |

다음과 같은 마름모 모양의 색종이를 대각선을 따라 모두 잘랐습니다. 이때 만들어진 4개의 조각을 이어 붙여서 네 변의 길이의 합이 가장 긴 직사각형을 만들었다면 이 직사각형의 네 변의 길이의 합은 몇 cm입니까?

16 cm

24 cm

(   )

◇ 4개의 조각을 이어 붙여서 직사각형을 만들 때 길이가 같은 변끼리 붙입니다.

3

| HME 22번 문제 수준 |

정오각형에 대각선을 그은 그림에서 찾을 수 있는 크고 작은 사각형은 모두 몇 개입니까? (단, 네 각의 크기가 180°를 넘지 않는 사각형만 찾습니다.)

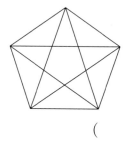

(   )

4

| HME 23번 문제 수준 |

팔각형 ㄱㄴㄷㄹㅁㅂㅅㅇ은 정팔각형이고, 사각형 ㄱㄴㅅㅇ과 사각형 ㄹㅁㅂㅅ은 사다리꼴입니다. 각 ㄱㄴㅅ과 각 ㄴㅅㄹ의 크기의 합은 몇 도입니까?

◇ 사다리꼴은 평행한 변이 있는 사각형임을 이용합니다.

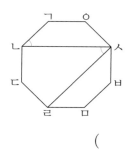

(   )

6
다
각
형

벌집에서 찾은 다각형

꿀벌이 알아낸 육각형의 비밀

벌이 나타나면 사람들은 피하기 바쁘지요. 혹시나 벌침에 쏘일까 두려워서 말이에요.
그런데 벌이 아주 지혜로운 곤충이라는 사실을 알고 있나요?
벌은 우리에게 육각형의 원리를 알려준 곤충이기도 하답니다.
대부분의 곤충이나 동물들은 자신의 집을 짓는 데 신경을 많이 써요. 튼튼하고 안전한 집을 짓기 위해서이지요. 그중에서도 으뜸은 벌이라고 할 수 있어요.
벌은 자신의 몸에서 나오는 분비물을 이용해 육각형 모양의 집을 짓는데 그 형태가 매우 견고하고 실용적이에요. 가장 적은 양의 분비물을 이용해서 가장 넓은 집을 짓는 거예요.
이렇게 지어진 벌집은 가벼워서 떨어지지 않고 나무 같은 데에 매달려 있을 수 있어요.
대단한 건축가 꿀벌이 여러 다각형 중에서 육각형을 이용하게 된 것이 우연일까요?
다각형 중에서 꿀벌이 선택한 육각형의 집은 여러 개의 집을 붙여 지을 때 닿는 변에 따라 얼마든지 넓혀갈 수 있을 뿐만 아니라 닿는 변이 많아 빠르고 효율적으로 집을 지을 수 있어요. 또 웬만한 강도와 무게에도 견딜 만큼 튼튼하지요. 뿐만 아니라 많은 양의 꿀을 저장할 수 있지요. 변의 개수가 많아질수록 넓이가 크다는 것을 꿀벌들은 알고 있었던 셈이에요.
가장 적은 재료로 가장 넓은 집을 짓기 위해 많은 다각형 중에서 육각형을 선택한 것이지요. 이제 벌이 얼마나 똑똑한 곤충인지 알겠지요?

가장 적은 재료로 가장 넓은 집을 지을 수 있는 건 육각형 모양이라고!

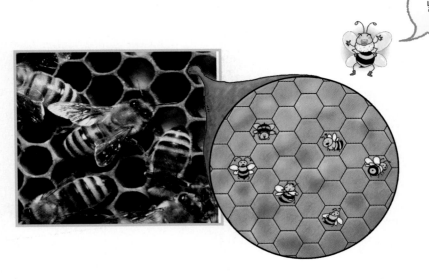

정답 및 풀이
4-2

1 분수의 덧셈과 뺄셈

1 단계 기초 문제 7쪽

1-1 (1) $\dfrac{4}{5}$ (2) $\dfrac{5}{7}$ (3) $\dfrac{7}{8}$ (4) $1\dfrac{1}{6}\left(=\dfrac{7}{6}\right)$

  (5) $1\dfrac{4}{9}\left(=\dfrac{13}{9}\right)$

1-2 (1) $\dfrac{1}{3}$ (2) $\dfrac{1}{5}$ (3) $\dfrac{5}{9}$ (4) $\dfrac{5}{6}$ (5) $\dfrac{3}{8}$

2-1 (1) $2\dfrac{5}{6}$ (2) $3\dfrac{6}{7}$ (3) $4\dfrac{8}{9}$ (4) $4\dfrac{2}{5}$ (5) $6\dfrac{4}{8}$

2-2 (1) $1\dfrac{1}{4}$ (2) $2\dfrac{1}{7}$ (3) $2\dfrac{5}{8}$ (4) $1\dfrac{4}{5}$ (5) $2\dfrac{5}{9}$

2 단계 기본 유형 8~13쪽

01 (1) $\dfrac{9}{10}$ (2) $\dfrac{11}{12}$ **02** $1\dfrac{4}{13}\left(=\dfrac{17}{13}\right)$

03 $1\dfrac{3}{14}\left(=\dfrac{17}{14}\right)$ **04** $<$

05 (1) $\dfrac{2}{11}$ (2) $\dfrac{3}{13}$ **06** $\dfrac{4}{15}$

07 $\dfrac{4}{12}$ **08** $\dfrac{11}{16}$

09 (1) $\dfrac{5}{9}$ (2) $\dfrac{6}{11}$ **10** $\dfrac{5}{12}$

11 (위부터) $\dfrac{7}{15}$, $\dfrac{5}{17}$ **12** $\dfrac{3}{8}$ L

13 (1) $5\dfrac{7}{10}$ (2) $9\dfrac{8}{11}$ **14** $3\dfrac{7}{12}$

15 $3\dfrac{5}{9}+2\dfrac{1}{9}$에 색칠   **16** [교차선 그림]

17 (1) $7\dfrac{2}{9}$ (2) $12\dfrac{4}{7}$ **18** $4\dfrac{3}{11}$

19 $2\dfrac{3}{8}+1\dfrac{4}{8}$에 색칠   **20** $5\dfrac{4}{15}$

21 (1) $4\dfrac{8}{17}$ (2) $3\dfrac{3}{11}$ **22** $3\dfrac{4}{12}$

23 $7\dfrac{9}{13}$, $2\dfrac{3}{13}$ **24** $>$

25 (1) $6\dfrac{11}{13}$ (2) $8\dfrac{5}{8}$ **26** $5\dfrac{7}{9}$

27 $3\dfrac{1}{7}$ **28** $1\dfrac{4}{9}$; $8\dfrac{5}{9}$

29 (1) $2\dfrac{8}{9}$ (2) $3\dfrac{8}{11}$ **30** $4\dfrac{2}{5}$

31 $4\dfrac{3}{8}$, $2\dfrac{7}{8}$ **32** $2\dfrac{7}{10}$

33 $\dfrac{1}{8}$ **34** $1\dfrac{6}{9}$

35 $1\dfrac{1}{5}\left(=\dfrac{6}{5}\right)$ **36** $8\dfrac{1}{6}$

37 $8\dfrac{3}{7}$ **38** $1\dfrac{6}{8}$

서술형 유형

1-1 $5\dfrac{3}{7}$, $5\dfrac{4}{7}$, $5\dfrac{4}{7}$, $5\dfrac{3}{7}$, ⓒ ; ⓒ

1-2 예 ㉠ $1\dfrac{3}{8}+3\dfrac{4}{8}=4\dfrac{7}{8}$, ㉡ $9\dfrac{7}{8}-5\dfrac{1}{8}=4\dfrac{6}{8}$

  따라서 $4\dfrac{7}{8}>4\dfrac{6}{8}$이므로 ㉠과 ㉡ 중 더 큰 것은 ㉠

  입니다. ; ㉠

2-1 $\dfrac{5}{10}$, $\dfrac{2}{10}$, $\dfrac{2}{10}$, $\dfrac{9}{10}$; $\dfrac{9}{10}$

2-2 예 (현민이가 마신 주스)$=\dfrac{8}{12}-\dfrac{6}{12}=\dfrac{2}{12}$ (L)

  따라서 미라와 현민이가 마신 주스는 모두

  $\dfrac{8}{12}+\dfrac{2}{12}=\dfrac{10}{12}$ (L)입니다. ; $\dfrac{10}{12}$ L

8쪽

01 (1) $\dfrac{2}{10}+\dfrac{7}{10}=\dfrac{2+7}{10}=\dfrac{9}{10}$

  (2) $\dfrac{3}{12}+\dfrac{8}{12}=\dfrac{3+8}{12}=\dfrac{11}{12}$

02 $\dfrac{10}{13}+\dfrac{7}{13}=\dfrac{10+7}{13}=\dfrac{17}{13}=1\dfrac{4}{13}$

03 $\dfrac{6}{14}+\dfrac{11}{14}=\dfrac{6+11}{14}=\dfrac{17}{14}=1\dfrac{3}{14}$

04 $\dfrac{4}{17}+\dfrac{9}{17}=\dfrac{4+9}{17}=\dfrac{13}{17}$, $\dfrac{8}{17}+\dfrac{6}{17}=\dfrac{8+6}{17}=\dfrac{14}{17}$

  ➡ $\dfrac{13}{17}<\dfrac{14}{17}$

05 (1) $\dfrac{5}{11}-\dfrac{3}{11}=\dfrac{5-3}{11}=\dfrac{2}{11}$

  (2) $\dfrac{12}{13}-\dfrac{9}{13}=\dfrac{12-9}{13}=\dfrac{3}{13}$

06 $\dfrac{12}{15} - \dfrac{8}{15} = \dfrac{12-8}{15} = \dfrac{4}{15}$

07 $\dfrac{11}{12} - \dfrac{7}{12} = \dfrac{11-7}{12} = \dfrac{4}{12}$

08 $\dfrac{15}{16} - \dfrac{4}{16} = \dfrac{15-4}{16} = \dfrac{11}{16}$

9쪽

09 (1) $1 - \dfrac{4}{9} = \dfrac{9}{9} - \dfrac{4}{9} = \dfrac{9-4}{9} = \dfrac{5}{9}$

(2) $1 - \dfrac{5}{11} = \dfrac{11}{11} - \dfrac{5}{11} = \dfrac{11-5}{11} = \dfrac{6}{11}$

10 $1 - \dfrac{7}{12} = \dfrac{12}{12} - \dfrac{7}{12} = \dfrac{12-7}{12} = \dfrac{5}{12}$

11 $1 - \dfrac{8}{15} = \dfrac{15}{15} - \dfrac{8}{15} = \dfrac{15-8}{15} = \dfrac{7}{15}$,

$1 - \dfrac{12}{17} = \dfrac{17}{17} - \dfrac{12}{17} = \dfrac{17-12}{17} = \dfrac{5}{17}$

12 (어제 마시고 남은 우유)$= 1 - \dfrac{2}{8} = \dfrac{8}{8} - \dfrac{2}{8} = \dfrac{6}{8}$ (L),

(오늘 마시고 남은 우유)$= \dfrac{6}{8} - \dfrac{3}{8} = \dfrac{3}{8}$ (L)

13 (1) $3\dfrac{2}{10} + 2\dfrac{5}{10} = (3+2) + \left(\dfrac{2}{10} + \dfrac{5}{10}\right) = 5\dfrac{7}{10}$

(2) $4\dfrac{7}{11} + 5\dfrac{1}{11} = (4+5) + \left(\dfrac{7}{11} + \dfrac{1}{11}\right) = 9\dfrac{8}{11}$

14 $2\dfrac{1}{12} + 1\dfrac{6}{12} = (2+1) + \left(\dfrac{1}{12} + \dfrac{6}{12}\right) = 3\dfrac{7}{12}$

15 $3\dfrac{5}{9} + 2\dfrac{1}{9} = (3+2) + \left(\dfrac{5}{9} + \dfrac{1}{9}\right) = 5\dfrac{6}{9}$,

$4\dfrac{2}{9} + 1\dfrac{3}{9} = (4+1) + \left(\dfrac{2}{9} + \dfrac{3}{9}\right) = 5\dfrac{5}{9}$

➡ $5\dfrac{6}{9} > 5\dfrac{5}{9}$

16 $3\dfrac{5}{7} + 2\dfrac{1}{7} = (3+2) + \left(\dfrac{5}{7} + \dfrac{1}{7}\right) = 5\dfrac{6}{7}$,

$4\dfrac{5}{8} + 1\dfrac{2}{8} = (4+1) + \left(\dfrac{5}{8} + \dfrac{2}{8}\right) = 5\dfrac{7}{8}$

10쪽

17 (1) $4\dfrac{7}{9} + 2\dfrac{4}{9} = 6 + \dfrac{11}{9} = 6 + 1\dfrac{2}{9} = 7\dfrac{2}{9}$

(2) $8\dfrac{5}{7} + 3\dfrac{6}{7} = 11 + \dfrac{11}{7} = 11 + 1\dfrac{4}{7} = 12\dfrac{4}{7}$

18 $1\dfrac{8}{11} + 2\dfrac{6}{11} = 3 + \dfrac{14}{11} = 3 + 1\dfrac{3}{11} = 4\dfrac{3}{11}$

19 $1\dfrac{7}{8} + 2\dfrac{4}{8} = 3 + \dfrac{11}{8} = 3 + 1\dfrac{3}{8} = 4\dfrac{3}{8}$,

$2\dfrac{3}{8} + 1\dfrac{4}{8} = 3 + \dfrac{7}{8} = 3\dfrac{7}{8}$

20 $3\dfrac{11}{15} + 1\dfrac{8}{15} = 4 + \dfrac{19}{15} = 4 + 1\dfrac{4}{15} = 5\dfrac{4}{15}$

21 (1) $7\dfrac{14}{17} - 3\dfrac{6}{17} = (7-3) + \left(\dfrac{14}{17} - \dfrac{6}{17}\right) = 4\dfrac{8}{17}$

(2) $8\dfrac{6}{11} - 5\dfrac{3}{11} = (8-5) + \left(\dfrac{6}{11} - \dfrac{3}{11}\right) = 3\dfrac{3}{11}$

22 $5\dfrac{11}{12} - 2\dfrac{7}{12} = (5-2) + \left(\dfrac{11}{12} - \dfrac{7}{12}\right) = 3\dfrac{4}{12}$

23 $10\dfrac{11}{13} - 3\dfrac{2}{13} = (10-3) + \left(\dfrac{11}{13} - \dfrac{2}{13}\right) = 7\dfrac{9}{13}$,

$7\dfrac{12}{13} - 5\dfrac{9}{13} = (7-5) + \left(\dfrac{12}{13} - \dfrac{9}{13}\right) = 2\dfrac{3}{13}$

24 $4\dfrac{8}{10} - 3\dfrac{2}{10} = (4-3) + \left(\dfrac{8}{10} - \dfrac{2}{10}\right) = 1\dfrac{6}{10}$,

$6\dfrac{7}{10} - 5\dfrac{2}{10} = (6-5) + \left(\dfrac{7}{10} - \dfrac{2}{10}\right) = 1\dfrac{5}{10}$

➡ $1\dfrac{6}{10} > 1\dfrac{5}{10}$

11쪽

25 (1) $7 - \dfrac{2}{13} = 6\dfrac{13}{13} - \dfrac{2}{13} = 6\dfrac{11}{13}$

(2) $9 - \dfrac{3}{8} = 8\dfrac{8}{8} - \dfrac{3}{8} = 8\dfrac{5}{8}$

26 $6 - \dfrac{2}{9} = 5\dfrac{9}{9} - \dfrac{2}{9} = 5\dfrac{7}{9}$

27 $5 - 1\dfrac{6}{7} = 4\dfrac{7}{7} - 1\dfrac{6}{7} = 3\dfrac{1}{7}$

28 계산 결과가 가장 큰 뺄셈식을 만들려면 10에서 가장 작은 대분수를 빼야 합니다.

$1 < 4 < 7$이므로 $\square\dfrac{\square}{9}$의 자연수 부분에 가장 작은 수 인 1을 쓰고 분자에 둘째로 작은 수인 4를 씁니다.

➡ $10 - 1\dfrac{4}{9} = 9\dfrac{9}{9} - 1\dfrac{4}{9} = 8\dfrac{5}{9}$

29 (1) $4\dfrac{5}{9} - 1\dfrac{6}{9} = 3\dfrac{14}{9} - 1\dfrac{6}{9} = 2\dfrac{8}{9}$

(2) $6\dfrac{7}{11} - 2\dfrac{10}{11} = 5\dfrac{18}{11} - 2\dfrac{10}{11} = 3\dfrac{8}{11}$

30 $8\dfrac{1}{5} - 3\dfrac{4}{5} = 7\dfrac{6}{5} - 3\dfrac{4}{5} = 4\dfrac{2}{5}$

31 $7\frac{1}{8}-2\frac{6}{8}=6\frac{9}{8}-2\frac{6}{8}=4\frac{3}{8}$,

$4\frac{3}{8}-1\frac{4}{8}=3\frac{11}{8}-1\frac{4}{8}=2\frac{7}{8}$

32 $9\frac{2}{10}-6\frac{5}{10}=8\frac{12}{10}-6\frac{5}{10}=2\frac{7}{10}$

12쪽

33 가장 큰 진분수: $\frac{7}{8}$

➡ $1-\frac{7}{8}=\frac{8}{8}-\frac{7}{8}=\frac{8-7}{8}=\frac{1}{8}$

34 가장 작은 진분수: $\frac{3}{9}$

➡ $2-\frac{3}{9}=1\frac{9}{9}-\frac{3}{9}=1\frac{6}{9}$

35 가장 큰 가분수: $\frac{9}{5}$

➡ $3-\frac{9}{5}=\frac{15}{5}-\frac{9}{5}=\frac{6}{5}=1\frac{1}{5}$

왜 틀렸을까? 주어진 숫자 카드로 만들 수 있는 분모가 5인 가분수 $\frac{7}{5}$과 $\frac{9}{5}$ 중 더 큰 수는 $\frac{9}{5}$입니다.

36 가장 큰 대분수: $5\frac{4}{6}$, 가장 작은 대분수: $2\frac{3}{6}$

➡ $5\frac{4}{6}+2\frac{3}{6}=7+\frac{7}{6}=7+1\frac{1}{6}=8\frac{1}{6}$

37 가장 큰 대분수: $9\frac{5}{7}$, 가장 작은 대분수: $1\frac{2}{7}$

➡ $9\frac{5}{7}-1\frac{2}{7}=(9-1)+\left(\frac{5}{7}-\frac{2}{7}\right)=8\frac{3}{7}$

38 가장 큰 대분수: $64\frac{2}{8}$, 둘째로 큰 대분수: $62\frac{4}{8}$

➡ $64\frac{2}{8}-62\frac{4}{8}=63\frac{10}{8}-62\frac{4}{8}=1\frac{6}{8}$

왜 틀렸을까? 숫자 카드를 모두 사용해야 하므로 분모와 분자에 각각 한 장씩 사용하고 대분수의 자연수 부분에 두 자리 수를 만들어야 합니다.

13쪽

1-2 **서술형 가이드** ㉠과 ㉡을 각각 계산한 후 두 계산 결과를 비교하는 풀이 과정이 들어 있어야 합니다.

채점 기준

상	㉠과 ㉡을 각각 계산한 후 두 계산 결과를 바르게 비교함.
중	㉠과 ㉡을 각각 계산했지만 두 계산 결과를 잘못 비교함.
하	㉠과 ㉡을 계산하지 못함.

2-2 **서술형 가이드** 현민이가 마신 주스의 양을 구한 후 미라와 현민이가 마신 주스의 양의 합을 구하는 풀이 과정이 들어 있어야 합니다.

채점 기준

상	현민이가 마신 주스의 양을 구한 후 미라와 현민이가 마신 주스의 양의 합을 바르게 구함.
중	현민이가 마신 주스의 양을 구했지만 미라와 현민이가 마신 주스의 양의 합을 잘못 구함.
하	현민이가 마신 주스의 양을 구하지 못함.

3단계 유형 단원 평가   14~16쪽

01 $1\frac{2}{15}\left(=\frac{17}{15}\right)$ **02** $>$

03 $\frac{7}{14}$ **04** $\frac{5}{13}$

05 (위부터) $\frac{4}{11}$, $\frac{6}{16}$ **06** $7\frac{2}{10}+1\frac{5}{10}$에 색칠

07 ✕(선 연결)   **08** $1\frac{5}{7}+4\frac{1}{7}$에 색칠

09 $7\frac{4}{12}$ **10** $2\frac{7}{17}$

11 $4\frac{6}{8}$, $3\frac{4}{9}$ **12** $4\frac{7}{8}$

13 $8\frac{2}{5}$, $5\frac{4}{5}$ **14** $3\frac{9}{11}$

15 $1\frac{6}{8}$ **16** $14\frac{4}{9}$

17 $3\frac{2}{4}\left(=\frac{14}{4}\right)$ **18** $1\frac{5}{7}$

19 ㉮ ㉠ $5\frac{2}{9}+2\frac{3}{9}=7\frac{5}{9}$,

㉡ $8\frac{7}{9}-1\frac{3}{9}=7\frac{4}{9}$

따라서 $7\frac{5}{9}>7\frac{4}{9}$이므로 ㉠과 ㉡ 중 더 작은 것은 ㉡입니다. ; ㉡

20 ㉮ (민준이가 마신 물)$=\frac{4}{10}+\frac{1}{10}=\frac{5}{10}$ (L)

따라서 수빈이와 민준이가 마신 물은 모두

$\frac{4}{10}+\frac{5}{10}=\frac{9}{10}$ (L)입니다. ; $\frac{9}{10}$ L

14쪽

01 $\dfrac{8}{15}+\dfrac{9}{15}=\dfrac{8+9}{15}=\dfrac{17}{15}=1\dfrac{2}{15}$

02 $\dfrac{10}{19}+\dfrac{7}{19}=\dfrac{10+7}{19}=\dfrac{17}{19}$,

$\dfrac{5}{19}+\dfrac{11}{19}=\dfrac{5+11}{19}=\dfrac{16}{19}$

➡ $\dfrac{17}{19}>\dfrac{16}{19}$

03 $\dfrac{13}{14}-\dfrac{6}{14}=\dfrac{13-6}{14}=\dfrac{7}{14}$

04 $\dfrac{10}{13}-\dfrac{5}{13}=\dfrac{10-5}{13}=\dfrac{5}{13}$

05 $1-\dfrac{7}{11}=\dfrac{11}{11}-\dfrac{7}{11}=\dfrac{11-7}{11}=\dfrac{4}{11}$,

$1-\dfrac{10}{16}=\dfrac{16}{16}-\dfrac{10}{16}=\dfrac{16-10}{16}=\dfrac{6}{16}$

06 $7\dfrac{2}{10}+1\dfrac{5}{10}=(7+1)+\left(\dfrac{2}{10}+\dfrac{5}{10}\right)=8\dfrac{7}{10}$,

$2\dfrac{4}{10}+6\dfrac{1}{10}=(2+6)+\left(\dfrac{4}{10}+\dfrac{1}{10}\right)=8\dfrac{5}{10}$

➡ $8\dfrac{7}{10}>8\dfrac{5}{10}$

07 $2\dfrac{2}{6}+5\dfrac{3}{6}=(2+5)+\left(\dfrac{2}{6}+\dfrac{3}{6}\right)=7\dfrac{5}{6}$,

$4\dfrac{1}{5}+3\dfrac{2}{5}=(4+3)+\left(\dfrac{1}{5}+\dfrac{2}{5}\right)=7\dfrac{3}{5}$

15쪽

08 $1\dfrac{5}{7}+4\dfrac{1}{7}=5+\dfrac{6}{7}=5\dfrac{6}{7}$,

$3\dfrac{4}{7}+2\dfrac{5}{7}=5+\dfrac{9}{7}=5+1\dfrac{2}{7}=6\dfrac{2}{7}$

09 $4\dfrac{11}{12}+2\dfrac{5}{12}=6+\dfrac{16}{12}=6+1\dfrac{4}{12}=7\dfrac{4}{12}$

10 $6\dfrac{12}{17}-4\dfrac{5}{17}=(6-4)+\left(\dfrac{12}{17}-\dfrac{5}{17}\right)=2\dfrac{7}{17}$

11 $6\dfrac{7}{8}-2\dfrac{1}{8}=(6-2)+\left(\dfrac{7}{8}-\dfrac{1}{8}\right)=4\dfrac{6}{8}$,

$7\dfrac{6}{9}-4\dfrac{2}{9}=(7-4)+\left(\dfrac{6}{9}-\dfrac{2}{9}\right)=3\dfrac{4}{9}$

12 $7-2\dfrac{1}{8}=6\dfrac{8}{8}-2\dfrac{1}{8}=4\dfrac{7}{8}$

13 $10\dfrac{1}{5}-1\dfrac{4}{5}=9\dfrac{6}{5}-1\dfrac{4}{5}=8\dfrac{2}{5}$,

$8\dfrac{2}{5}-2\dfrac{3}{5}=7\dfrac{7}{5}-2\dfrac{3}{5}=5\dfrac{4}{5}$

14 $8\dfrac{1}{11}-4\dfrac{3}{11}=7\dfrac{12}{11}-4\dfrac{3}{11}=3\dfrac{9}{11}$

16쪽

15 가장 작은 진분수: $\dfrac{2}{8}$

➡ $2-\dfrac{2}{8}=1\dfrac{8}{8}-\dfrac{2}{8}=1\dfrac{6}{8}$

16 가장 큰 대분수: $8\dfrac{7}{9}$, 가장 작은 대분수: $5\dfrac{6}{9}$

➡ $8\dfrac{7}{9}+5\dfrac{6}{9}=13+\dfrac{13}{9}=13+1\dfrac{4}{9}=14\dfrac{4}{9}$

17 가장 큰 가분수: $\dfrac{6}{4}$

➡ $5-\dfrac{6}{4}=\dfrac{20}{4}-\dfrac{6}{4}=\dfrac{14}{4}=3\dfrac{2}{4}$

왜 틀렸을까? 주어진 숫자 카드로 만들 수 있는 분모가 4인 가분수 $\dfrac{5}{4}$와 $\dfrac{6}{4}$ 중 더 큰 수는 $\dfrac{6}{4}$입니다.

18 가장 큰 대분수: $53\dfrac{1}{7}$, 둘째로 큰 대분수: $51\dfrac{3}{7}$

➡ $53\dfrac{1}{7}-51\dfrac{3}{7}=52\dfrac{8}{7}-51\dfrac{3}{7}=1\dfrac{5}{7}$

왜 틀렸을까? 숫자 카드를 모두 사용해야 하므로 분모와 분자에 각각 한 장씩 사용하고 대분수의 자연수 부분에 두 자리 수를 만들어야 합니다.

19 **서술형 가이드** ㉠과 ㉡을 각각 계산한 후 두 계산 결과를 비교하는 풀이 과정이 들어 있어야 합니다.

채점 기준

상	㉠과 ㉡을 각각 계산한 후 두 계산 결과를 바르게 비교함.
중	㉠과 ㉡을 각각 계산했지만 두 계산 결과를 잘못 비교함.
하	㉠과 ㉡을 계산하지 못함.

20 **서술형 가이드** 민준이가 마신 물의 양을 구한 후 수빈이와 민준이가 마신 물의 양의 합을 구하는 풀이 과정이 들어 있어야 합니다.

채점 기준

상	민준이가 마신 물의 양을 구한 후 수빈이와 민준이가 마신 물의 양의 합을 바르게 구함.
중	민준이가 마신 물의 양을 구했지만 수빈이와 민준이가 마신 물의 양의 합을 잘못 구함.
하	민준이가 마신 물의 양을 구하지 못함.

2 삼각형

19쪽

1단계 기초 문제

1-1 (1) (◯) (　) (2) (　) (◯)
1-2 (1) 3 (2) 4
2-1 (1) (◯) (　) (2) (　) (◯)
2-2 (1) 둔각삼각형 (2) 예각삼각형

1-1 (1) 두 변의 길이가 같은 삼각형을 찾습니다.
　　(2) 세 변의 길이가 같은 삼각형을 찾습니다.

1-2 (1) 이등변삼각형은 두 변의 길이가 같습니다.
　　(2) 정삼각형은 세 변의 길이가 같습니다.

2-1 (1) 세 각이 모두 예각인 삼각형을 찾습니다.
　　(2) 한 각이 둔각인 삼각형을 찾습니다.

2-2 (1) 95°는 둔각이므로 둔각삼각형입니다.
　　(2) 세 각이 모두 예각이므로 예각삼각형입니다.

2단계 기본 유형

20~25쪽

01 (1) 4 cm (2) 8 cm　　**02** 가, 다, 라
03 라　　　　　　　　　　**04** 21 cm
05 9　　　　　　　　　　　**06** 24 cm
07 10 cm　　　　　　　　**08** 75
09 예
10
11 110°　　　　　　　　　**12** ②, ③
13
14 120°

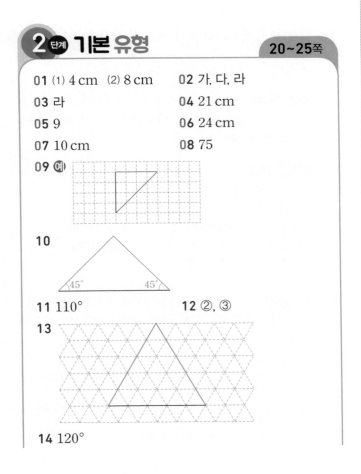

15 (1) 세에 ◯표 (2) 한에 ◯표
16 (1) 둔 (2) 예 (3) 직 (4) 둔
17 ⑤　　　　　　　　　　**18** 나, 바
19 가, 라　　　　　　　　**20** 현철
21 ①
22 (1) 예　　　　　　　(2) 예

23 예
24 예

25 1개　　　　　　　　**26**

27 다
28

	예각 삼각형	직각 삼각형	둔각 삼각형
이등변삼각형	마	바	가
세 변의 길이가 모두 다른 삼각형	나	라	다

29 (　) (◯)　　　**30** ⓛ
31 8　　　　　　　　　**32** (　) (◯)
33 ⓛ　　　　　　　　　**34** (◯) (　) (　)

서술형 유형

1-1 ㄱㄴ, 14, 14, 14, 22 ; 22
1-2 예 이등변삼각형은 두 변의 길이가 같으므로
　　(변 ㄴㄷ)=(변 ㄱㄷ)=18 cm입니다.
　　따라서 변 ㄱㄴ의 길이는
　　46−18−18=10 (cm)입니다. ; 10 cm
2-1 ㄱㄴㄷ, 45, 45, 45, 90 ; 90
2-2 예 이등변삼각형은 두 각의 크기가 같으므로
　　(각 ㄱㄴㄷ)=(각 ㄴㄱㄷ)=70입니다.
　　따라서 각 ㄱㄷㄴ의 크기는
　　180°−70°−70°=40°입니다. ; 40°

20쪽

01 ⑴ (변 ㄱㄴ)=(변 ㄱㄷ)=4 cm

⑵ (변 ㄱㄴ)=(변 ㄴㄷ)=(변 ㄱㄷ)=8 cm

02 두 변의 길이가 같은 삼각형을 찾습니다.

03 세 변의 길이가 같은 삼각형을 찾습니다.

04 정삼각형은 세 변의 길이가 같으므로
7×3=21 (cm)입니다.

05 정삼각형은 세 변의 길이가 같으므로
(한 변의 길이)
=(세 변의 길이의 합)÷3=27÷3=9 (cm)입니다.

06 이등변삼각형은 두 변의 길이가 같으므로
(변 ㄱㄴ)=(변 ㄱㄷ)=9 cm입니다.
따라서 삼각형 ㄱㄴㄷ의 세 변의 길이의 합은
9+6+9=24 (cm)입니다.

07 변 ㄱㄴ과 변 ㄱㄷ의 길이는 같으므로 두 변의 길이
를 각각 □ cm라 하면 □+□+8=28,
□+□=20, □=10입니다.

21쪽

08 이등변삼각형은 두 각의 크기가 같습니다.

09 다른 한 변이 모눈 4칸인 삼각형을 그릴 수도 있고,
다른 두 변의 길이가 같게 그릴 수도 있습니다.

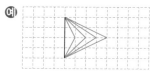

10

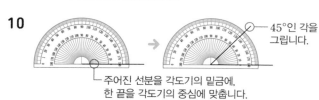
└ 주어진 선분을 각도기의 밑금에,
한 끝을 각도기의 중심에 맞춥니다.

11 (각 ㄱㄷㄴ)=(각 ㄱㄴㄷ)=35°
삼각형의 세 각의 크기의 합은 180°이므로
(각 ㄴㄱㄷ)=180°-35°-35°=110°입니다.

12 정삼각형은 세 각의 크기가 60°로 모두 같습니다.

13 주어진 선분과 길이가 같은 선분을 2개 더 그어 정삼
각형을 완성합니다.

14 정삼각형은 세 각의 크기가 모두 60°이므로
(각 ㄴㄱㄷ)=60°이고 (각 ㄷㄱㄹ)=60°입니다.
➡ (각 ㄴㄱㄹ)=(각 ㄴㄱㄷ)+(각 ㄷㄱㄹ)
=60°+60°=120°

22쪽

15 ⑴ 예각삼각형은 세 각이 모두 예각인 삼각형입니다.

⑵ 둔각삼각형은 한 각이 둔각인 삼각형입니다.

16 ⑴ 한 각이 둔각이므로 둔각삼각형입니다.

⑵ 세 각이 모두 예각이므로 예각삼각형입니다.

⑶ 한 각이 직각이므로 직각삼각형입니다.

⑷ 한 각이 둔각이므로 둔각삼각형입니다.

17 세 각이 모두 예각인 것을 찾습니다.

18 세 각이 모두 예각인 삼각형을 찾습니다.

19 한 각이 둔각인 삼각형을 찾습니다.

20 둔각삼각형은 한 각이 둔각인 삼각형입니다.

21
➡ 한 각이 둔각이 되는 점을
찾으면 ①입니다.

23쪽

22 ⑴ 세 각이 모두 예각인 예각삼각형을 그립니다.

⑵ 한 각이 둔각인 둔각삼각형을 그립니다.

23 그릴 수 있는 방법은 여러 가지입니다.

24 두 변의 길이가 같고 한 각이 둔각인 삼각형을 그립
니다.

25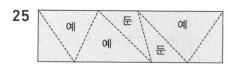

예각삼각형은 3개, 둔각삼각형은 2개 생깁니다.
➡ 3-2=1(개)

26 두 변의 길이가 같으므로 이등변삼각형이고, 한 각이
둔각이므로 둔각삼각형입니다.

27 예각삼각형인 다, 라 중 이등변삼각형은 다입니다.

28 • 이등변삼각형: 가, 마, 바

• 세 변의 길이가 모두 다른 삼각형: 나, 다, 라

• 예각삼각형: 나, 마

• 직각삼각형: 라, 바

• 둔각삼각형: 가, 다

24쪽

29 정삼각형은 세 변의 길이가 같습니다.

30 이등변삼각형은 두 변의 길이가 같습니다.

31 이등변삼각형이므로 ㉠은 4 또는 8입니다.

• 세 변의 길이가 4 cm, 8 cm, 4 cm일 때

$8\,cm = 4\,cm + 4\,cm$ ➡ ㉠은 4가 될 수 없습니다.

• 세 변의 길이가 4 cm, 8 cm, 8 cm일 때

$8\,cm < 4\,cm + 8\,cm$ ➡ ㉠은 8이 될 수 있습니다.

왜 틀렸을까? ㉠이 4인 경우와 8인 경우에서 각각 가장 긴 변의 길이가 나머지 두 변의 길이의 합보다 짧은지 확인해야 합니다.

32 나머지 한 각의 크기를 각각 구한 후 세 각이 모두 예각인 것을 찾습니다.

$180° - 30° - 55° = 95°$, $180° - 40° - 65° = 75°$

➡ 예각삼각형: 두 각의 크기가 40°, 65°인 삼각형

33 나머지 한 각의 크기를 각각 구한 후 두 각이 같은 것을 찾습니다.

㉠ $180° - 55° - 75° = 50°$,

㉡ $180° - 65° - 50° = 65°$

➡ 이등변삼각형: 두 각의 크기가 65°, 50°인 ㉡

34 나머지 한 각의 크기를 각각 구한 후 한 각이 둔각인 것을 찾습니다.

$180° - 30° - 50° = 100°$, $180° - 30° - 60° = 90°$,

$180° - 30° - 70° = 80°$

➡ 둔각삼각형: 두 각의 크기가 30°, 50°인 삼각형

왜 틀렸을까? 각각의 경우에서 나머지 한 각의 크기를 구했을 때 둔각이 있는 경우를 찾아야 합니다.

25쪽

1-2 서술형 가이드 이등변삼각형은 두 변의 길이가 같음을 이용하여 변 ㄴㄷ의 길이를 구한 후 변 ㄱㄴ의 길이를 구하는 풀이 과정이 들어 있어야 합니다.

채점 기준

상	변 ㄴㄷ의 길이를 구한 후 변 ㄱㄴ의 길이를 바르게 구함.
중	변 ㄴㄷ의 길이를 구했지만 변 ㄱㄴ의 길이를 잘못 구함.
하	변 ㄴㄷ의 길이를 구하지 못함.

2-2 서술형 가이드 이등변삼각형은 두 각의 크기가 같음을 이용하여 각 ㄱㄴㄷ의 크기를 구한 후 각 ㄱㄷㄴ의 크기를 구하는 풀이 과정이 들어 있어야 합니다.

채점 기준

상	각 ㄱㄴㄷ의 크기를 구한 후 각 ㄱㄷㄴ의 크기를 바르게 구함.
중	각 ㄱㄴㄷ의 크기를 구했지만 각 ㄱㄷㄴ의 크기를 잘못 구함.
하	각 ㄱㄴㄷ의 크기를 구하지 못함.

3 단계 유형 평가 _{단원}

26~28쪽

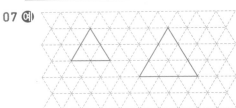

01 가, 나, 라 **02** 나

03 8 **04** 16 cm

05 (삼각형: 밑변 양 끝각 55°, 55°) **06** 80°

07 예

(삼각형 그림 2개)

08 (1) 예 (2) 둔 **09** ④

10 다, 라 **11** 가, 마

12 예

(삼각형 그림)

13 1개

14

	예각 삼각형	직각 삼각형	둔각 삼각형
이등변삼각형	가	마	나
세 변의 길이가 모두 다른 삼각형	라	다	바

15 ㉢ **16** ㉠

17 7 **18** (○)( )( )

19 예 이등변삼각형은 두 변의 길이가 같으므로

(변 ㄴㄱ)=(변 ㄴㄷ)=27 cm입니다.

따라서 변 ㄱㄷ의 길이는

$68 - 27 - 27 = 14\,(cm)$입니다. ; 14 cm

20 예 이등변삼각형은 두 각의 크기가 같으므로

(각 ㄴㄱㄷ)=(각 ㄴㄷㄱ)=65°입니다.

따라서 각 ㄱㄴㄷ의 크기는

$180° - 65° - 65° = 50°$입니다. ; 50°

26쪽

01 두 변의 길이가 같은 삼각형을 찾습니다.

02 세 변의 길이가 같은 삼각형을 찾습니다.

03 정삼각형은 세 변의 길이가 같으므로
(한 변의 길이)
=(세 변의 길이의 합)÷3=24÷3=8 (cm)입니다.

04 변 ㄱㄴ과 변 ㄱㄷ의 길이는 같으므로 두 변의 길이
를 각각 □ cm라고 하면 □+□+24=56,
□+□=32, □=16입니다.

05
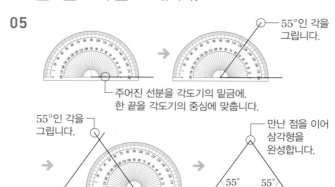
주어진 선분을 각도기의 밑금에,
한 끝을 각도기의 중심에 맞춥니다.

55°인 각을
그립니다.

55°인 각을
그립니다.

만난 점을 이어
삼각형을
완성합니다.

06 (각 ㄱㄷㄴ)=(각 ㄱㄴㄷ)=50°
삼각형의 세 각의 크기의 합은 180°이므로
(각 ㄴㄱㄷ)=180°-50°-50°=80°입니다.

07 세 변의 길이가 같은 삼각형을 2개 그립니다.

27쪽

08 ⑴ 세 각이 모두 예각이므로 예각삼각형입니다.
⑵ 한 각이 둔각이므로 둔각삼각형입니다.

09 한 각이 둔각인 것을 찾습니다.

10 세 각이 모두 예각인 삼각형을 찾습니다.

11 한 각이 둔각인 삼각형을 찾습니다.

12 두 변의 길이가 같고 세 각이 모두 예각인 삼각형을
그립니다.

13
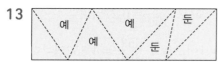

예각삼각형은 3개, 둔각삼각형은 2개 생깁니다.
➡ 3-2=1(개)

참고
• 예각삼각형: 세 각이 모두 예각인 삼각형
• 둔각삼각형: 한 각이 둔각인 삼각형

14 • 이등변삼각형: 가, 나, 마
• 세 변의 길이가 모두 다른 삼각형: 다, 라, 바
• 예각삼각형: 가, 라
• 직각삼각형: 다, 마
• 둔각삼각형: 나, 바

28쪽

15 이등변삼각형은 두 변의 길이가 같습니다.

16 나머지 한 각의 크기를 각각 구한 후 두 각이 같은 것
을 찾습니다.
㉠ 180°-45°-90°=45°
㉡ 180°-70°-35°=75°
➡ 이등변삼각형: 두 각의 크기가 45°, 90°인 ㉠

17 이등변삼각형이므로 ㉠은 3 또는 7입니다.
• 세 변의 길이가 3 cm, 7 cm, 3 cm일 때
7 cm > 3 cm+3 cm ➡ ㉠은 3이 될 수 없습니다.
• 세 변의 길이가 3 cm, 7 cm, 7 cm일 때
7 cm < 3 cm+7 cm ➡ ㉠은 7이 될 수 있습니다.

왜 틀렸을까? ㉠이 3인 경우와 7인 경우에서 각각 가장 긴
변의 길이가 나머지 두 변의 길이의 합보다 짧은지 확인해야
합니다.

18 나머지 한 각의 크기를 각각 구한 후 한 각이 둔각인
것을 찾습니다.
180°-40°-40°=100°, 180°-40°-50°=90°,
180°-40°-60°=80°
➡ 둔각삼각형: 두 각의 크기가 40°, 40°인 삼각형

왜 틀렸을까? 각각의 경우에서 나머지 한 각의 크기를 구했
을 때 둔각이 있는 경우를 찾아야 합니다.

19 **서술형 가이드** 이등변삼각형은 두 변의 길이가 같음을 이용
하여 변 ㄴㄱ의 길이를 구한 후 변 ㄱㄷ의 길이를 구하는 풀이
과정이 들어 있어야 합니다.

채점 기준

상	변 ㄴㄱ의 길이를 구한 후 변 ㄱㄷ의 길이를 바르게 구함.
중	변 ㄴㄱ의 길이를 구했지만 변 ㄱㄷ의 길이를 잘못 구함.
하	변 ㄴㄱ의 길이를 구하지 못함.

20 **서술형 가이드** 이등변삼각형은 두 각의 크기가 같음을 이용
하여 각 ㄴㄱㄷ의 크기를 구한 후 각 ㄱㄴㄷ의 크기를 구하는
풀이 과정이 들어 있어야 합니다.

채점 기준

상	각 ㄴㄱㄷ의 크기를 구한 후 각 ㄱㄴㄷ의 크기를 바르게 구함.
중	각 ㄴㄱㄷ의 크기를 구했지만 각 ㄱㄴㄷ의 크기를 잘못 구함.
하	각 ㄴㄱㄷ의 크기를 구하지 못함.

3 소수의 덧셈과 뺄셈

1단계 기초 문제

1-1 (1) > (2) >
(3) < (4) >
(5) >

1-2 (1) < (2) <
(3) > (4) <
(5) >

2-1 (1) 1.2 (2) 2.5
(3) 1.15 (4) 2.53
(5) 1.54 (6) 3.84

2-2 (1) 6.5 (2) 2.7
(3) 4.35 (4) 3.62
(5) 6.35 (6) 2.45

1-1 소수점 왼쪽의 수, 소수 첫째 자리 수, 소수 둘째 자리 수, 소수 셋째 자리 수의 순서로 비교합니다.

(1) 4.74 > 1.84
└4>1┘

(2) 0.692 > 0.375
└6>3┘

(3) 5.61 < 5.68
└1<8┘

(4) 2.39 > 2.354
└9>5┘

(5) 3.477 > 3.474
└7>4┘

2-1 (3)
```
   1 1
   0.6 7
 + 0.4 8
 ───────
   1.1 5
```
(4)
```
   4 10
   5.2 8
 - 2.7 5
 ───────
   2.5 3
```
(5)
```
   1
   0.6 0
 + 0.9 4
 ───────
   1.5 4
```
(6)
```
   5 10
   6.5 4
 - 2.7 0
 ───────
   3.8 4
```

참고
(5), (6)과 같이 소수 부분의 자릿수가 다를 때에는 소수의 오른쪽 끝자리에 0을 붙여서 자릿수를 같게 만든 다음 계산합니다.

2단계 기본 유형

01 (1) 0.27 (2) 4.653
02 (1) 5.28 (2) 3.67
03 (1) 0.005 (2) 0.05
04 2.47
05 25.073, 25.086
06 ㉠, ㉡, ㉣, ㉢
07 ④, ⑤
08

| 0.072 | 3.16~~0~~ | 0.094 |
| 10.53~~0~~ | 0.008 | 8.54~~0~~ |

09 (1) > (2) <
10 ( )
(○)
11 5개
12

| 0.005 | 0.05 | 0.5 | 5 | 50 |
| 0.348 | 3.48 | 34.8 | 348 | 3480 |

13 (1) 10 (2) 100
14 ②
15 ㉠
16 7.6
17 0.27
18 2.5
19 15.51
20 0.19
21 >
22 1.57
23 6.9
24
```
   2.5 8
 + 1.6
 ───────
   4.1 8
```
25 2.55
26 •─────•
•─────•
27 (위에서부터) 21.32, 26.59
28 1.82 m
29 7, 2 ;
```
   9.8 4
 - 7.2
 ───────
   2.6 4
```
30 14.37, 12.97
31 4.859
32 2
33 14
34 1.52 m
35 1.283 km
36 2.05 L

서술형 유형

1-1 5.67, 2.78, 5.67, 2.78, 2.89 ; 2.89

1-2 예 가장 큰 수는 9.1이고 가장 작은 수는 6.29이므로 가장 큰 수와 가장 작은 수의 차는 9.1−6.29=2.81입니다. ; 2.81

2-1 100, 24.78 ; 24.78

2-2 예 어떤 소수의 $\frac{1}{100}$이 3.956이므로 어떤 소수는 3.956의 100배입니다.
따라서 어떤 소수는 395.6입니다. ; 395.6

01 (1) $\frac{1}{100}=0.01$이므로 $\frac{27}{100}=0.27$입니다.

(2) $\frac{1}{1000}=0.001$이므로 $4\frac{653}{1000}=4.653$입니다.

02 (1)
1이 5개 ➡ 5
0.1이 2개 ➡ 0.2
0.01이 8개 ➡ 0.08
─────────
5.28

(2)
1이 3개 ➡ 3
0.1이 6개 ➡ 0.6
0.01이 7개 ➡ 0.07
─────────
3.67

03 (1) 4.585
　　　↳ 소수 셋째 자리 숫자, 나타내는 수: 0.005
　　(2) 5.257
　　　↳ 소수 둘째 자리 숫자, 나타내는 수: 0.05

04 2.47 ➡ 7, 4.16 ➡ 6, 11.04 ➡ 4
따라서 7>6>4이므로 소수 둘째 자리 숫자가 가장 큰 수는 2.47입니다.

05 25.07과 25.08은 0.01 차이가 나는데 0.01을 똑같이 10칸으로 나누었으므로 작은 눈금 한 칸의 크기는 0.001입니다.
따라서 25.07에서 오른쪽으로 3칸 떨어진 ㉠은 25.073이고, 25.08에서 오른쪽으로 6칸 떨어진 ㉡은 25.086입니다.

06 8이 나타내는 수는 ㉠ 8, ㉡ 0.8, ㉢ 0.008, ㉣ 0.08 입니다.
➡ 8>0.8>0.08>0.008
　　㉠　㉡　㉣　　㉢

07 ④ 6.504는 육 점 오영사라고 읽습니다.
　 ⑤ 6.504는 0.001이 6504개인 수입니다.

33쪽

08 소수에서 오른쪽 끝자리 숫자 0은 생략할 수 있습니다.

09 (1) 4.95 > 4.93　　　(2) 2.860 < 2.865
　　　 ↳5>3　　　　　　　　 ↳0<5

10 0.01이 549개인 수는 5.49, 0.001이 5482개인 수는 5.482입니다.
➡ 5.49>5.482
　　 ↳9>8

11 3.274보다 크고 3.28보다 작은 소수 세 자리 수는 3.275, 3.276, 3.277, 3.278, 3.279로 모두 5개입니다.

12 어떤 수의 $\frac{1}{10}$은 소수점을 기준으로 수가 오른쪽으로 한 자리 이동합니다.
어떤 수의 10배는 소수점을 기준으로 수가 왼쪽으로 한 자리 이동합니다.

13 (1) 소수점을 기준으로 수가 오른쪽으로 한 자리 이동 했으므로 $\frac{1}{10}$입니다.
　 (2) 소수점을 기준으로 수가 왼쪽으로 두 자리 이동했으므로 100배입니다.

14 ① 0.83　② 8.3　③ 0.083　④ 830　⑤ 8.03

15 ㉠ 0.07의 100배는 7입니다.
　 ㉡ 70의 $\frac{1}{100}$은 0.7입니다.
➡ 7>0.7이므로 더 큰 수는 ㉠입니다.

34쪽

16 　　4.2
　 + 3.4
　　─────
　　　7.6

17
　　　　　 5 10
　　0. 6̸ 4̸
　 − 0. 3 7
　 ─────────
　　　0. 2 7

18
　　　　　 5 10
　　6̸. 2̸
　 − 3. 7
　 ───────
　　 2. 5

19 □ 안에 알맞은 수는 8.53과 6.98의 합입니다.
　　　1 1
　　8. 5 3
　+ 6. 9 8
　──────────
　1 5. 5 1

20 2.88>2.79>2.69이므로 가장 큰 수는 2.88이고 가장 작은 수는 2.69입니다. ➡ 2.88−2.69=0.19

21 3.6+5.8=9.4, 2.9+6.3=9.2 ➡ 9.4>9.2

22 ㉠ 일의 자리 숫자가 6, 소수 첫째 자리 숫자가 3, 소수 둘째 자리 숫자가 5인 소수 두 자리 수는 6.35입니다.
　 ㉡ 일의 자리 숫자가 4, 소수 첫째 자리 숫자가 7, 소수 둘째 자리 숫자가 8인 소수 두 자리 수는 4.78입니다.
➡ 6.35−4.78=1.57

23 어떤 수를 □라고 하면 5.8+□=12.7입니다.
➡ □=12.7−5.8, □=6.9

35쪽

24 소수점의 자리를 맞춘 후 같은 자리 수끼리 더합니다. 이때 1.6은 1.60으로 생각하여 계산합니다.

25 4.25>1.7이므로 4.25−1.7=2.55입니다.

26 6.4−2.75=3.65, 5.9−2.62=3.28

27 17.6+3.72=21.32
　 17.6+8.99=26.59

28 3.5−1.68=1.82 (m)

29 소수점의 자리를 맞추어 쓰고 계산합니다.

30 ㉠+2.5=16.87이므로 ㉠=16.87−2.5, ㉠=14.37 입니다.
16.87−3.9=㉡이므로 ㉡=12.97입니다.

36쪽

31
```
   1이   4개 ➡ 4
 0.1이   7개 ➡ 0.7
0.01이  15개 ➡ 0.15
0.001이  9개 ➡ 0.009
                   4.859
```

32
```
    1이 6개 ➡ 6
  0.1이 3개 ➡ 0.3
0.001이 6개 ➡ 0.006
                 6.306
```
6.306이 6.326이 되려면 0.01이 2개 더 있어야 하므로 □=2입니다.

33
```
   1이 2개 ➡ 2
 0.1이 3개 ➡ 0.3
0.01이 5개 ➡ 0.05
                2.35
```
2.35가 2.364가 되려면 0.001이 14개 더 있어야 하므로 □=14입니다.

왜 틀렸을까? 0.001의 개수가 소수 셋째 자리 숫자와 같지 않을 수도 있음에 주의합니다.

34 1 m=100 cm이므로 1 cm=0.01 m이고 52 cm=0.52 m입니다.
➡ 1 m 52 cm=1.52 m

35 1 km=1000 m이므로 1 m=0.001 km이고 283 m=0.283 km입니다.
➡ 1 km 283 m=1.283 km

36 1 L=1000 mL이므로 1 mL=0.001 L이고 50 mL=0.050 L입니다.
➡ 2 L 50 mL=2.05 L

왜 틀렸을까? 50 mL를 0.5 L로 생각하면 안 됩니다.

37쪽

1-1 5.67>4.19>3.04>2.78

1-2 서술형 가이드 가장 큰 수와 가장 작은 수를 찾아 뺄셈을 바르게 계산했는지 확인합니다.

채점 기준

상	가장 큰 수와 가장 작은 수를 찾아 바르게 계산함.
중	가장 큰 수와 가장 작은 수를 찾았으나 계산 과정에서 실수를 함.
하	가장 큰 수와 가장 작은 수를 잘못 찾음.

2-1 ㉮의 100배가 ㉯이면 ㉮는 ㉯의 $\frac{1}{100}$입니다.

2-2 ㉮의 $\frac{1}{100}$이 ㉯이면 ㉮는 ㉯의 100배입니다.

서술형 가이드 소수 사이의 관계를 이용하여 어떤 소수를 바르게 구했는지 확인합니다.

채점 기준

상	어떤 소수는 3.956의 100배임을 알고 바르게 구함.
중	어떤 소수는 3.956의 100배임을 알고 있으나 실수가 있어서 답이 틀림.
하	소수 사이의 관계를 모름.

3단계 유형평가 (단원)

38~40쪽

01 (1) 0.42 (2) 2.358 **02** (1) 0.07 (2) 0.007

03 2.35, 2.47 **04** (1) < (2) <

05 6개

06

0.014	0.14	1.4	14	140
0.526	5.26	52.6	526	5260

07 (1) 1000 (2) 100 **08** 3.82

09 9.1 **10** 2.8

11 2.88

12
```
    3 . 4
 -  1 . 7 3
    1 . 6 7
```

13 (교차 연결선)

14 5.4 ;
```
    3 . 6
 + 5 . 4 8
   9 . 0 8
```

15 6 **16** 5.527 km

17 14 **18** 3.08 L

19 예 가장 큰 수는 8.4이고 가장 작은 수는 6.82이므로 가장 큰 수와 가장 작은 수의 차는
8.4-6.82=1.58입니다.
; 1.58

20 예 어떤 소수의 10배는 356이므로 어떤 소수는 356의 $\frac{1}{10}$입니다.
따라서 어떤 소수는 35.6입니다.
; 35.6

38쪽

01 (1) $\frac{1}{100}=0.01$이므로 $\frac{42}{100}=0.42$입니다.

(2) $\frac{1}{1000}=0.001$이므로 $2\frac{358}{1000}=2.358$입니다.

02 (1) 1.4**7**5
└→ 소수 둘째 자리 숫자, 나타내는 수: 0.07

(2) 3.6**2**7
└→ 소수 셋째 자리 숫자, 나타내는 수: 0.007

03 2.3과 2.4는 0.1 차이가 나는데 0.1을 똑같이 10칸으로 나누었으므로 작은 눈금 한 칸의 크기는 0.01입니다.
따라서 2.3에서 오른쪽으로 5칸 떨어진 ㉠은 2.35이고, 2.4에서 오른쪽으로 7칸 떨어진 ㉡은 2.47입니다.

04 (1) $3.69 < 3.96$
└6 < 9┘

(2) $1.485 < 1.487$
└5 < 7┘

05 2.73보다 크고 2.8보다 작은 소수 두 자리 수는 2.74, 2.75, 2.76, 2.77, 2.78, 2.79로 모두 6개입니다.

06 어떤 수의 $\frac{1}{10}$은 소수점을 기준으로 수가 오른쪽으로 한 자리 이동합니다.
어떤 수의 10배는 소수점을 기준으로 수가 왼쪽으로 한 자리 이동합니다.

07 (1) 소수점을 기준으로 수가 오른쪽으로 세 자리 이동했으므로 $\frac{1}{1000}$입니다.
(2) 소수점을 기준으로 수가 왼쪽으로 두 자리 이동했으므로 100배입니다.

39쪽

08
$$\begin{array}{r} 1 \\ 2.5\,7 \\ +\ 1.2\,5 \\ \hline 3.8\,2 \end{array}$$

09
$$\begin{array}{r} 1 \\ 5.8 \\ +\ 3.3 \\ \hline 9.1 \end{array}$$

10 6.6 > 3.9 > 3.8이므로 가장 큰 수는 6.6이고 가장 작은 수는 3.8입니다.
➡ $6.6-3.8=2.8$

11 어떤 수를 □라고 하면 □+2.74=5.62입니다.
➡ □=5.62-2.74, □=2.88

12 소수점의 자리를 맞춘 후 같은 자리 수끼리 뺍니다.
이때 3.4는 3.40으로 생각하여 계산합니다.

13 2.7+5.86=8.56, 4.56+3.9=8.46

14 소수점의 자리를 맞추어 쓰고 계산합니다.

40쪽

15
$$\begin{array}{r} 1\text{이 4개} \Rightarrow 4 \\ 0.1\text{이 2개} \Rightarrow 0.2 \\ 0.01\text{이 7개} \Rightarrow 0.07 \\ \hline 4.27 \end{array}$$

4.27이 4.276이 되려면 0.001이 6개 더 있어야 하므로 □=6입니다.

16 1 km=1000 m이므로 1 m=0.001 km이고 527 m=0.527 km입니다.
➡ 5 km 527 m=5.527 km

17
$$\begin{array}{r} 1\text{이 2개} \Rightarrow 2 \\ 0.1\text{이 7개} \Rightarrow 0.7 \\ 0.001\text{이 13개} \Rightarrow 0.013 \\ \hline 2.713 \end{array}$$

2.713이 2.853이 되려면 0.01이 14개 더 있어야 하므로 □=14입니다.

왜 틀렸을까? 0.01의 개수가 소수 둘째 자리 숫자와 같지 않을 수도 있음에 주의합니다.

18 1 L=1000 mL이므로 1 mL=0.001 L이고 80 mL=0.080 L입니다.
➡ 3 L 80 mL=3.08 L

왜 틀렸을까? 80 mL를 0.8 L로 생각하면 안 됩니다.

19 **서술형가이드** 가장 큰 수와 가장 작은 수를 찾아 뺄셈을 바르게 계산했는지 확인합니다.

채점 기준

상	가장 큰 수와 가장 작은 수를 찾아 바르게 계산함.
중	가장 큰 수와 가장 작은 수를 찾았으나 계산 과정에서 실수를 함.
하	가장 큰 수와 가장 작은 수를 잘못 찾음.

20 ㉮의 10배가 ㉯이면 ㉮는 ㉯의 $\frac{1}{10}$입니다.

서술형가이드 소수 사이의 관계를 이용하여 어떤 소수를 바르게 구했는지 확인합니다.

채점 기준

상	어떤 소수는 356의 $\frac{1}{10}$임을 알고 바르게 구함.
중	어떤 소수는 356의 $\frac{1}{10}$임을 알고 있으나 실수가 있어서 답이 틀림.
하	소수 사이의 관계를 모름.

4 사각형

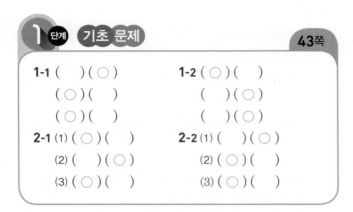

1단계 **기초 문제** 43쪽

1-1 ( )(○)
　　(○)( )
　　(○)( )

1-2 (○)( )
　　( )(○)
　　( )(○)

2-1 (1) (○)( )
　　(2) ( )(○)
　　(3) (○)( )

2-2 (1) ( )(○)
　　(2) (○)( )
　　(3) (○)( )

2-1 (1) 평행한 변이 한 쌍이라도 있는 사각형을 찾습니다.
　　(2) 마주 보는 두 쌍의 변이 서로 평행한 사각형을 찾습니다.
　　(3) 네 변의 길이가 모두 같은 사각형을 찾습니다.

2단계 **기본 유형** 44~49쪽

01 (1) 직선 다　(2) 직선 가

02 선분 ㄱㄷ과 선분 ㄴㄹ

03 경호

04 3쌍

05 예 삼각자 사용

예 각도기 사용

06

07 (1) 예 　(2) 예

08

09 효린

10 (1)　(2)

11 ㉢, ㉤

12 1.5 cm

13 3 cm

14 예

15 ㄴㄷ

16 (1) 사다리꼴입니다.　(2) 평행

17 예

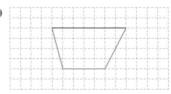

18

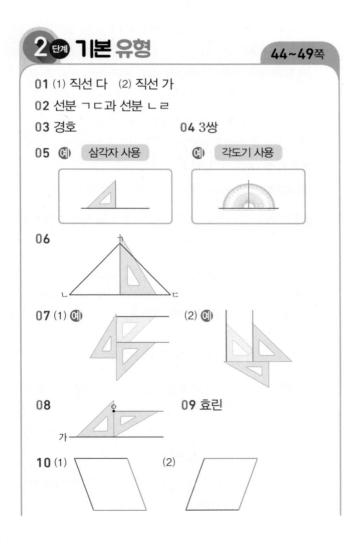

19 (왼쪽에서부터) 6, 13

20 (왼쪽에서부터) 65, 115

21 150°

22 나, 마, 아

23 (왼쪽에서부터) 105, 75

24 32 cm

25 (위에서부터) 90, 5, 9

26 (1) 가, 나, 다, 라, 마, 바, 사, 아
　　(2) 가, 나, 다, 마, 사, 아
　　(3) 가, 나, 사
　　(4) 나, 마, 사, 아
　　(5) 나, 사

27 ①, ②, ④

28 2쌍

29 4쌍

30 3쌍

31 28 cm

32 17 cm

33 7

서술형 유형

1-1 ㄴㄷ, ㄹㄷ, 8 ; 8

1-2 예 평행한 두 변은 변 ㄱㄴ과 변 ㄹㄷ입니다.
　　따라서 평행선 사이의 거리는 변 ㄴㄷ의 길이와 같으므로 12 cm입니다.
　　; 12 cm

2-1 있습니다에 ○표 ; 평행

2-2 마름모라고 할 수 있습니다.
　　; 예 네 변의 길이가 모두 같기 때문입니다.

44쪽

01 (1) 직선 가에 수직인 직선은 직선 다입니다.
(2) 직선 가와 직선 다가 서로 수직이므로 직선 다에 대한 수선은 직선 가입니다.

02 만나서 이루는 각이 직각인 두 선분은 선분 ㄱㄷ과 선분 ㄴㄹ입니다.

03

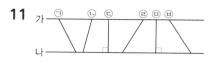

진주 ➡ 선분 ㅂㅇ과 선분 ㅁㅅ은 서로 수직입니다.
혜진 ➡ 선분 ㄴㄹ과 선분 ㄱㄷ이 서로 수직이므로 선분 ㄴㄹ에 대한 수선은 선분 ㄱㄷ입니다.
경호 ➡ 선분 ㅁㅅ에 대한 수선은 선분 ㄱㄹ, 선분 ㅂㅇ, 선분 ㄴㄷ이므로 3개입니다.
따라서 잘못 설명한 사람은 경호입니다.

04

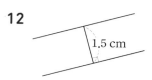

만나서 이루는 각이 직각인 두 직선은 직선 가와 직선 라, 직선 나와 직선 다, 직선 나와 직선 마이므로 모두 3쌍입니다.

05 • 삼각자의 직각을 낀 변 중 한 변을 주어진 직선에 맞추고 직각을 낀 다른 한 변을 따라 선을 긋습니다.
• 주어진 직선에 한 점을 찍은 후 각도기의 중심을 이 점에 맞추고 각도기의 밑금을 주어진 직선과 일치하도록 맞춘 다음 90°가 되는 눈금과 직선에 찍은 점을 잇습니다.

06 삼각자의 직각을 낀 변 중 한 변을 변 ㄴㄷ에 맞추고 직각을 낀 다른 한 변이 점 ㄱ을 지나게 놓은 후 선을 긋습니다.

45쪽

07 다음과 같이 삼각자 2개를 놓은 후 한 삼각자를 움직여 평행선을 긋습니다.

(1) 　(2)

다른 풀이
삼각자 1개를 사용하여 주어진 직선에 수직인 선분을 긋고, 그 선분에 다시 수직인 선분을 그어 평행선을 긋습니다.

08 삼각자에서 직각을 낀 변 중 한 변을 직선에 맞추고 다른 한 변이 점 ㅇ을 지나도록 놓은 후 다른 삼각자를 사용하여 점 ㅇ을 지나는 직선을 긋습니다.

참고
점 ㅇ을 지나고 직선 가와 평행한 직선은 1개뿐입니다.

09 한 직선이 다른 직선에 대한 수선인 경우는 두 직선이 서로 수직일 때이므로 잘못 설명한 사람은 효린입니다.

10 한 선분에 평행한 선분을 긋고 나머지 선분에 평행한 선분을 그은 후 두 선분이 만나는 점을 나머지 꼭짓점으로 합니다.

11

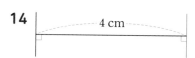

평행선 사이의 수선의 길이가 평행선 사이의 거리이므로 ㉢, ㉱입니다.

12

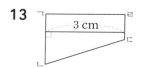

한 직선에서 다른 직선에 수선을 긋고, 그 수선의 길이를 잽니다. ➡ 1.5 cm

13

평행선은 변 ㄱㄴ과 변 ㄹㄷ이므로 두 변 사이에 수선을 긋고, 그 수선의 길이를 잽니다. ➡ 3 cm

14

주어진 직선에 길이가 4 cm인 수선을 그은 다음, 그은 수선에 수직인 직선을 긋습니다.

46쪽

15 변 ㄱㄹ과 변 ㄴㄷ이 서로 평행합니다.

16 (1)

➡ 사다리꼴입니다.

(2) 잘라 낸 도형들은 모두 위와 아래의 변이 평행한 사각형이므로 사다리꼴입니다.

17 주어진 선분을 사용하여 평행한 변이 한 쌍이라도 있는 사각형을 그립니다.

18 마주 보는 두 쌍의 변이 서로 평행한 사각형이 되도록 그립니다.

19 평행사변형은 마주 보는 두 변의 길이가 같습니다.

20 평행사변형은 마주 보는 두 각의 크기가 같습니다.

21 평행사변형에서 이웃하는 두 각의 크기의 합은 180° 이므로 ㉠+30°=180°입니다.
➡ ㉠=180°−30°=150°

47쪽

22 네 변의 길이가 모두 같은 사각형은 나, 마, 아입니다.

23 마름모는 마주 보는 두 각의 크기가 같습니다.

24 마름모는 네 변의 길이가 모두 같으므로 네 변의 길이의 합은 8+8+8+8=32 (cm)입니다.

25 마름모에서 마주 보는 꼭짓점끼리 이은 두 선분이 만나서 이루는 각도는 90°입니다.
마름모에서 마주 보는 꼭짓점끼리 이은 두 선분이 만나서 나누어진 길이는 같습니다.

26 (1) 평행한 변이 한 쌍이라도 있는 사각형을 찾습니다.
➡ 가, 나, 다, 라, 마, 바, 사, 아
(2) 마주 보는 두 쌍의 변이 서로 평행한 사각형을 찾습니다. ➡ 가, 나, 다, 마, 사, 아
(3) 네 변의 길이가 모두 같은 사각형을 찾습니다.
➡ 가, 나, 사
(4) 네 각이 모두 직각인 사각형을 찾습니다.
➡ 나, 마, 사, 아
(5) 네 각이 모두 직각이고 네 변의 길이가 모두 같은 사각형을 찾습니다. ➡ 나, 사

27 ① 평행한 변이 한 쌍이라도 있으므로 사다리꼴입니다.
② 마주 보는 두 쌍의 변이 서로 평행하므로 평행사변형입니다.
③ 네 변의 길이가 모두 같지 않으므로 마름모가 아닙니다.
④ 네 각이 모두 직각이므로 직사각형입니다.
⑤ 네 각이 모두 직각이지만 네 변의 길이가 모두 같지 않으므로 정사각형이 아닙니다.

48쪽

28 만나서 이루는 각이 직각인 두 변을 찾으면 모두 2쌍입니다.

29 만나서 이루는 각이 직각인 두 변을 찾으면 모두 4쌍입니다.

30 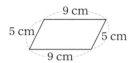 만나서 이루는 각이 직각인 두 변을 찾으면 모두 3쌍입니다.

왜 틀렸을까? 도형 안쪽 뿐만 아니라 도형 바깥쪽에 있는 각도 생각해야 합니다.

31 평행사변형은 마주 보는 두 변의 길이가 같습니다.

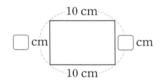

네 변의 길이의 합은 9+5+9+5=28 (cm)입니다.

32 마름모는 네 변의 길이가 모두 같으므로
㉠=68÷4=17 (cm)입니다.

33 직사각형은 마주 보는 두 변의 길이가 같습니다.

네 변의 길이의 합이 34 cm이므로
10+□+10+□=34입니다.
➡ 20+□+□=34, □+□=14이므로 □=7입니다.

왜 틀렸을까? 마주 보는 두 변의 길이가 같음을 이용하여 네 변의 길이의 합을 구하는 식을 바르게 세웠는지 확인합니다.

49쪽

1-2 **서술형 가이드** 평행한 두 변을 찾아 평행선 사이의 거리를 구하는 풀이 과정이 들어 있어야 합니다.

채점 기준

상	평행한 두 변을 찾아 평행선 사이의 거리를 바르게 구함.
중	평행한 두 변을 찾았으나 평행선 사이의 거리를 잘못 구함.
하	평행선 사이의 거리를 구하는 방법을 모름.

2-2 **서술형 가이드** 마름모가 되기 위한 조건을 알고 있는지 확인합니다.

채점 기준

상	마름모라고 답하고 마름모라고 할 수 있는 이유를 바르게 씀.
중	마름모라고 답했으나 이유가 미흡함.
하	마름모라고 할 수 없다고 답함.

3단계 유형 단원 평가

50~52쪽

01 (1) 직선 나　(2) 직선 가

02 3쌍

03

04 (1) 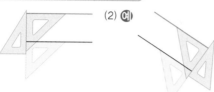　(2)

05 가

06 2 cm　　　　　　07 5 cm

08

09 (위에서부터) 10, 8　　10 130°

11 (왼쪽에서부터) 60, 120

12 40 cm　　　　　13 나, 다, 라, 마, 바, 아

14 라, 마, 바　　　　15 4쌍

16 8 cm　　　　　　17 2쌍

18 6

19 예 평행한 두 변은 변 ㄱㄹ과 변 ㄴㄷ입니다.
따라서 평행선 사이의 거리는 변 ㄱㄴ의 길이와 같
으므로 9 cm입니다.
; 9 cm

20 사다리꼴이라고 할 수 있습니다.
; 예 평행한 변이 한 쌍이라도 있기 때문입니다.

50쪽

01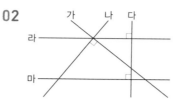

(1) 직선 가에 수직인 직선은 직선 나입니다.

(2) 직선 가와 직선 나가 서로 수직이므로 직선 나에 대
한 수선은 직선 가입니다.

02  만나서 이루는 각이 직각
인 두 직선을 찾으면 직
선 가와 직선 나, 직선 다
와 직선 라, 직선 다와 직
선 마로 모두 3쌍입니다.

03 삼각자의 직각을 낀 변 중 한 변을 주어진 직선에 맞
추고 직각을 낀 다른 한 변을 따라 선을 긋습니다.

04 다음과 같이 삼각자 2개를 놓은 후 한 삼각자를 움직
여 평행선을 긋습니다.

(1) 　　　(2)

05 삼각자에서 직각을 낀 변 중 한 변을 직선에 맞추고
다른 한 변이 점 ㅇ을 지나도록 놓은 후 다른 삼각자
를 사용하여 점 ㅇ을 지나는 직선을 긋습니다.

06  한 직선에서 다른 직선에 수
선을 긋고, 그 수선의 길이를
잽니다. ➡ 2 cm

07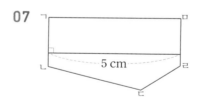

평행선은 변 ㄱㄴ과 변 ㅁㄹ이므로 두 변 사이에 수
선을 긋고, 그 수선의 길이를 잽니다. ➡ 5 cm

51쪽

08 주어진 선분을 사용하여 평행한 변이 한 쌍이라도 있
는 사각형을 그립니다.

09 평행사변형은 마주 보는 두 변의 길이가 같습니다.

10 평행사변형에서 이웃하는 두 각의 크기의 합은 180°
이므로 50°＋㉠＝180°입니다.
➡ ㉠＝180°－50°＝130°

11 마름모는 마주 보는 두 각의 크기가 같습니다.

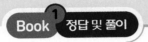

12 마름모는 네 변의 길이가 모두 같으므로 네 변의 길이의 합은 $10+10+10+10=40$ (cm)입니다.

13 마주 보는 두 쌍의 변이 서로 평행한 사각형은 나, 다, 라, 마, 바, 아입니다.

14 네 변의 길이가 모두 같은 사각형은 라, 마, 바입니다.

52쪽

15 만나서 이루는 각이 직각인 두 변을 찾으면 모두 4쌍입니다.

16 마름모는 네 변의 길이가 모두 같으므로
㉠$=32\div4=8$ (cm)입니다.

17 만나서 이루는 각이 직각인 두 변을 찾으면 모두 2쌍입니다.

왜 틀렸을까? 도형 안쪽 뿐만 아니라 도형 바깥쪽에 있는 각도 생각해야 합니다.

18 직사각형은 마주 보는 두 변의 길이가 같습니다.

네 변의 길이의 합이 28 cm이므로
$8+\square+8+\square=28$입니다.
➡ $16+\square+\square=28$, $\square+\square=12$이므로 $\square=6$입니다.

왜 틀렸을까? 마주 보는 두 변의 길이가 같음을 이용하여 네 변의 길이의 합을 구하는 식을 바르게 세웠는지 확인합니다.

19 **서술형 가이드** 평행한 두 변을 찾아 평행선 사이의 거리를 구하는 풀이 과정이 들어 있어야 합니다.

채점 기준

상	평행한 두 변을 찾아 평행선 사이의 거리를 바르게 구함.
중	평행한 두 변을 찾았으나 평행선 사이의 거리를 잘못 구함.
하	평행선 사이의 거리를 구하는 방법을 모름.

20 **서술형 가이드** 사다리꼴이 되기 위한 조건을 알고 있는지 확인합니다.

채점 기준

상	사다리꼴이라고 답하고 사다리꼴이라고 할 수 있는 이유를 바르게 씀.
중	사다리꼴이라고 답했으나 이유가 미흡함.
하	사다리꼴이라고 할 수 없다고 답함.

5 꺾은선그래프

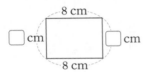 **1단계** **기초 문제**

55쪽

1-1 (1) 날짜, 길이 (2) 1 cm

1-2 (1) 날짜, 키 (2) 2 cm

2-1
윤호 동생의 몸무게

2-2
교실의 온도

1-1 (2) 세로 눈금 5칸이 5 cm를 나타내므로 한 칸은
$5\div5=1$ (cm)를 나타냅니다.

1-2 (2) 세로 눈금 5칸이 10 cm를 나타내므로 한 칸은
$10\div5=2$ (cm)를 나타냅니다.

2-1 가로 눈금과 세로 눈금이 만나는 자리에 점을 찍고 점들을 선분으로 연결합니다.

2-2 가로 눈금과 세로 눈금이 만나는 자리에 점을 찍고 점들을 선분으로 연결합니다.

2단계 기본 유형

56~61쪽

01 나 그래프
02 진호
03 월, 불량품 수
04 1개
05 8개
06 3월
07 6개
08 시각, 체온 ; 2, 0.1
09 나 그래프
10 36.4, 36.6, 37.2, 36.5

11 0, 2000　　　　　　　　　**12** 6월

13 2440명, 2020명　　　　**14** cm, 키, 날짜

15

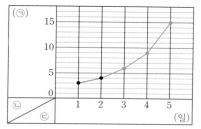

옥수수 싹의 키

16 4일과 5일 사이

17 📵

강수량

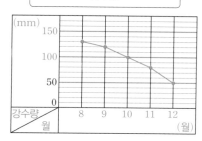

18 📵

지진 발생 횟수

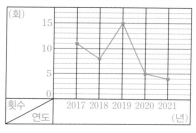

19 진주　　　　　　　　　**20** 📵 0.1 ℃

21

온실의 온도

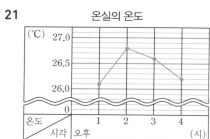

22 6.0, 📵 6.0　　　　　　**23** 📵 0.2 kg

24 📵

강아지의 무게

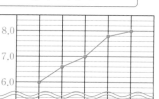

25 수요일과 목요일 사이　　**26** 금요일과 토요일 사이

27 151, 155 ;

A 도시의 인구

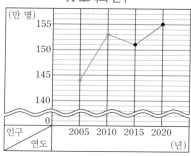

28 124, 116, 134 ;

자전거 판매량

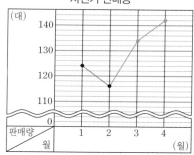

서술형유형

1-1 2016, 2, 146 ; 146

1-2 📵 고추 수확량이 가장 적은 때는 2014년입니다.
세로 눈금 한 칸이 2 kg을 나타내므로 이때의 수확
량은 132 kg입니다.
; 132 kg

2-1 8, 5, 8, 5, 3 ; 3

2-2 📵 오후 2시의 기온은 15 ℃이고 낮 12시의 기온은
11 ℃입니다. 따라서 오후 2시는 낮 12시보다 기온
이 15－11＝4 (℃) 올랐습니다.
; 4 ℃

56쪽

01 시간이 지남에 따라 변화하는 정도를 알아보기 쉬운
그래프는 나입니다.

02 그래프의 선분이 오른쪽으로 내려가고 있으므로 온도
가 내려가고 있습니다.

주의
시각은 2시, 3시, 4시, 5시, 6시로 오른쪽으로 지나고 있으므
로 오른쪽으로 갈수록 선분의 변화가 어떤지 알아봐야 합니다.

03 가로는 월을 나타내고 세로는 불량품 수를 나타냅니다.

04 세로 눈금 5칸이 5개를 나타내므로 한 칸은 1개를 나타냅니다.

05 4월 점의 세로 눈금을 읽으면 8개입니다.

06 세로 눈금 10과 만나는 점의 가로 눈금을 읽으면 3월입니다.

07 가장 많은 때: 1월(14개)
가장 적은 때: 4월(8개)
➡ 14−8=6(개)

57쪽

08 가 그래프는 세로 눈금 5칸이 10 ℃를 나타내므로 한 칸은 2 ℃를 나타내고, 나 그래프는 세로 눈금 5칸이 0.5 ℃를 나타내므로 한 칸은 0.1 ℃를 나타냅니다.

09 나 그래프는 필요 없는 부분을 생략해서 세로 눈금 한 칸의 크기를 작게 해서 나타냈으므로 가 그래프보다 변화를 더 뚜렷하게 알 수 있습니다.

10 나 그래프에서 가로 눈금 8, 9, 10, 11과 만나는 점의 세로 눈금을 각각 읽습니다.

11 필요 없는 부분을 물결선으로 줄여서 나타냈습니다.

12 세로 눈금 2300과 만나는 점의 가로 눈금을 읽으면 6월입니다.

13 세로 눈금 5칸이 100명을 나타내므로 한 칸은
100÷5=20(명)을 나타냅니다.
관광객 수가 가장 많은 때: 8월(2440명)
관광객 수가 가장 적은 때: 3월(2020명)

> **참고**
> 관광객 수가 가장 많은 때는 꺾은선이 가장 높이 있을 때이므로 8월입니다. 또, 관광객 수가 가장 적은 때는 꺾은선이 가장 낮게 있을 때이므로 3월입니다.

58쪽

14 가로는 조사한 때인 날짜를 나타내고, 세로는 변화하는 양인 키를 나타냅니다. 이때 키의 단위는 cm입니다.

15 가로 눈금과 세로 눈금이 만나는 자리에 점을 찍고 점들을 선분으로 잇습니다.

16 옥수수 싹이 가장 많이 자란 때는 꺾은선그래프에서 선분이 가장 많이 기울어진 때이므로 4일과 5일 사이입니다.

17 월별 강수량에 맞게 가로 눈금과 세로 눈금이 만나는 자리에 점을 찍고 점들을 선분으로 이은 후 제목을 씁니다.

18 연도별 횟수에 맞게 가로 눈금과 세로 눈금이 만나는 자리에 점을 찍고 점들을 선분으로 이은 후 제목을 씁니다.

59쪽

19 필요 없는 부분인 0 ℃와 26.0 ℃ 사이에 물결선을 넣는 것이 좋습니다.
26.0 ℃와 26.5 ℃ 사이에는 온도가 있으므로 꼭 필요한 부분입니다.

20 소수 첫째 자리까지 나타내야 하므로 0.1 ℃로 하는 것이 좋습니다.

21 시각별 온도에 맞게 점을 찍고 선분으로 잇습니다.

22 꺾은선그래프의 세로 눈금은 물결선 위로 6.0 kg부터 시작하면 됩니다.

23 6.0 kg부터 8.0 kg까지 나타내야 하므로 세로 눈금 한 칸은 0.2 kg으로 하는 것이 좋습니다.

24 세로 눈금에 6.0 kg부터 8.0 kg까지 나타내도록 합니다.
가로 눈금과 세로 눈금이 만나는 자리에 점을 찍고 점들을 선분으로 잇습니다.

60쪽

25 토마토 싹의 키의 변화가 가장 큰 때는 선분이 가장 많이 기울어진 때이므로 수요일과 목요일 사이입니다.

26 체온의 변화가 가장 큰 때는 선분이 가장 많이 기울어진 때이므로 금요일과 토요일 사이입니다.

> **왜 틀렸을까?** 꺾은선그래프에서 변화가 가장 큰 때를 오른쪽으로 올라가는 경우만 생각해서는 안 됩니다. 변화가 가장 큰 때는 오른쪽으로 올라가거나 내려가는 것에 관계없이 선분이 가장 많이 기울어진 때입니다.

27 세로 눈금 5칸이 5만 명을 나타내므로 한 칸은
5÷5=1(만 명)을 나타냅니다.
꺾은선그래프에서 점의 세로 눈금을 읽으면 2015년은 151만 명, 2020년은 155만 명입니다.
표를 보면 2005년 인구는 144만 명, 2010년 인구는 153만 명이므로 연도별 인구에 맞게 점을 찍고 선분으로 잇습니다.

28 세로 눈금 5칸이 10대를 나타내므로 한 칸은
10÷5＝2(대)를 나타냅니다.
꺾은선그래프에서 점의 세로 눈금을 읽으면 1월의 판매량은 124대, 2월의 판매량은 116대입니다. 표를 보면 4월의 판매량은 142대이므로 3월의 판매량은
516－124－116－142＝134(대)입니다.

➡ 월별 자전거 판매량에 맞게 점을 찍고 선분으로 잇습니다.

왜 틀렸을까? 3월의 판매량은 표와 꺾은선그래프 모두 표시되어 있지 않습니다. 1월과 2월의 판매량은 꺾은선그래프를 보고 알 수 있으므로 3월의 판매량은 합계에서 1월, 2월, 4월의 판매량을 빼어 구해야 합니다.

61쪽

1-1 세로 눈금 5칸이 10 kg을 나타내므로 한 칸은
2 kg을 나타냅니다.

1-2 서술형 가이드 고추 수확량이 가장 적은 때를 알아보고 그때의 수확량을 구하는 풀이 과정이 들어 있어야 합니다.

채점 기준

상	고추 수확량이 가장 적은 때를 찾아 그때의 수확량을 바르게 구함.
중	고추 수확량이 가장 적은 때는 알고 있으나 수확량을 잘못 구함.
하	꺾은선그래프의 이해가 부족하여 고추 수확량이 가장 적은 때를 알지 못함.

2-2 세로 눈금 5칸이 5 ℃를 나타내므로 한 칸은 1 ℃를 나타냅니다.

2-2 서술형 가이드 오후 2시와 낮 12시의 기온을 각각 알아보고 기온이 몇 ℃ 올랐는지 구하는 풀이 과정이 들어 있어야 합니다.

채점 기준

상	오후 2시와 낮 12시의 기온을 각각 알아보고 기온이 몇 ℃ 올랐는지 바르게 구함.
중	오후 2시와 낮 12시의 기온 중 하나를 잘못 구해 답이 틀림.
하	오후 2시와 낮 12시의 기온을 알아보는 방법을 모름.

3 단계 유형 단원 평가

62~64쪽

01 진주	**02** 10 mm
03 120 mm	**04** 7월
05 100 mm	**06** 1, 0.2
07 나 그래프	**08** 13.4, 14.0, 14.2, 15.2
09 0, 13.0	**10** 15.2 cm
11 진주	**12** 예 0.1 cm

13 예
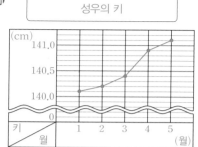
성우의 키

14 3월과 4월 사이　　　**15** 2일과 3일 사이

16 20.5, 20.9 ;
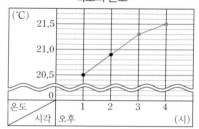
복도의 온도

17 오후 7시와 오후 9시 사이

18 8200, 8800, 10600 ;
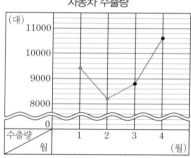
자동차 수출량

19 예 마스크 판매량이 가장 많은 때는 11월입니다.
세로 눈금 한 칸이 20상자를 나타내므로 이때의 판매량은 480상자입니다. ; 480상자

20 예 10월의 마스크 판매량은 400상자이고 8월의 마스크 판매량은 320상자입니다. 따라서 10월의 마스크 판매량은 8월보다 400－320＝80(상자) 더 많습니다. ; 80상자

62쪽

01 그래프의 선분이 오른쪽으로 올라가고 있으므로 강수량이 많아지고 있습니다.

02 세로 눈금 5칸이 50 mm를 나타내므로 한 칸은 10 mm를 나타냅니다.

03 8월 점의 세로 눈금을 읽으면 120 mm입니다.

04 세로 눈금 100과 만나는 점의 가로 눈금을 읽으면 7월입니다.

05 강수량이 가장 많은 때: 10월(160 mm)
강수량이 가장 적은 때: 6월(60 mm)
➡ 강수량의 차는 160−60=100 (mm)입니다.

06 가 그래프는 세로 눈금 5칸이 5 cm를 나타내므로 한 칸은 1 cm를 나타내고, 나 그래프는 세로 눈금 5칸이 1 cm를 나타내므로 한 칸은 0.2 cm를 나타냅니다.

07 나 그래프는 필요 없는 부분을 생략해서 세로 눈금 한 칸의 크기를 작게 해서 나타냈으므로 가 그래프보다 변화를 더 뚜렷하게 알 수 있습니다.

08 나 그래프에서 가로 눈금 2, 3, 4, 5와 만나는 점의 세로 눈금을 각각 읽습니다.

09 필요 없는 부분을 물결선으로 줄여서 나타냈습니다.

10 키가 가장 큰 때: 5월(15.2 cm)

63쪽

11 필요 없는 부분인 0 cm와 140.0 cm 사이에 물결선을 넣는 것이 좋습니다.
140.0 cm와 141.0 cm 사이에는 키가 있으므로 꼭 필요한 부분입니다.

12 소수 첫째 자리까지 나타내야 하므로 0.1 cm로 하는 것이 좋습니다.

13 가로 눈금과 세로 눈금이 만나는 자리에 점을 찍고 점들을 선분으로 잇습니다.

14 성우의 키가 가장 많이 자란 때는 꺾은선그래프에서 선분이 가장 많이 기울어진 때이므로 3월과 4월 사이입니다.

15 식물의 키의 변화가 가장 큰 때는 선분이 가장 많이 기울어진 때이므로 2일과 3일 사이입니다.

16 세로 눈금 5칸이 0.5 ℃를 나타내므로 한 칸은 0.1 ℃를 나타냅니다.
꺾은선그래프에서 점의 세로 눈금을 읽으면 오후 1시는 20.5 ℃, 오후 2시는 20.9 ℃입니다.
표를 보면 오후 3시의 온도는 21.3 ℃, 오후 4시의 온도는 21.5 ℃이므로 온도에 맞게 점을 찍고 선분으로 잇습니다.

64쪽

17 기온의 변화가 가장 큰 때는 선분이 가장 많이 기울어진 때입니다.
➡ 선분이 가장 많이 기울어진 때는 오후 7시와 오후 9시 사이입니다.

왜 틀렸을까? 꺾은선그래프에서 변화가 가장 큰 때를 오른쪽으로 올라가는 경우만 생각해서는 안 됩니다. 변화가 가장 큰 때는 오른쪽으로 올라가거나 내려가는 것에 관계없이 선분이 가장 많이 기울어진 때입니다.

18 세로 눈금 5칸이 1000대를 나타내므로 한 칸은 1000÷5=200(대)를 나타냅니다.
꺾은선그래프에서 점의 세로 눈금을 읽으면 3월의 수출량은 8800대, 4월의 수출량은 10600대입니다.
표를 보면 1월의 수출량은 9400대이므로 2월의 수출량은 37000−9400−8800−10600=8200(대)입니다.
월별 자동차 수출량에 맞게 점을 찍고 선분으로 잇습니다.

왜 틀렸을까? 2월의 수출량은 표와 꺾은선그래프 모두 표시되어 있지 않습니다. 3월과 4월의 수출량은 꺾은선그래프를 보고 알 수 있으므로 2월의 수출량은 합계에서 1월, 3월, 4월의 수출량을 빼어 구해야 합니다.

19 마스크 판매량이 가장 많은 때는 꺾은선이 가장 높이 있을 때이므로 11월입니다.
세로 눈금 5칸이 100상자를 나타내므로 한 칸은 100÷5=20(상자)를 나타냅니다.

서술형 가이드 마스크 판매량이 가장 많은 때를 알아보고 그 때의 판매량을 구하는 풀이 과정이 들어 있어야 합니다.

채점 기준

상	마스크 판매량이 가장 많은 때를 찾아 그때의 판매량을 바르게 구함.
중	마스크 판매량이 가장 많은 때는 알고 있으나 판매량을 잘못 구함.
하	꺾은선그래프의 이해가 부족하여 마스크 판매량이 가장 많은 때를 알지 못함.

20 **서술형 가이드** 10월과 8월의 마스크 판매량을 각각 알아보고 10월의 판매량이 8월의 판매량보다 몇 상자 더 많은지 구하는 풀이 과정이 들어 있어야 합니다.

채점 기준

상	10월과 8월의 마스크 판매량을 각각 알아보고 10월의 판매량이 8월의 판매량보다 몇 상자 더 많은지 바르게 구함.
중	10월과 8월의 마스크 판매량 중 하나를 잘못 구해 답이 틀림.
하	10월과 8월의 마스크 판매량을 알아보는 방법을 모름.

6 다각형

1단계 기초 문제

67쪽

1-1 (　)(○)
(○)(　)
(　)(○)

1-2 (○)(　)
(　)(○)
(○)(　)

2-1 (1) ㄷ　(2) ㄹ

2-2 (1) ㄴ ㄹ　(2) ㅁ ㅅ

1-1 선분으로만 둘러싸인 도형을 찾습니다.

1-2 변의 길이가 모두 같고, 각의 크기가 모두 같은 다각형을 찾습니다.

2-1 (1) 이웃하지 않는 두 꼭짓점을 이어야 하므로 꼭짓점 ㄱ은 꼭짓점 ㄷ과 이어야 합니다.

(2) 이웃하지 않는 두 꼭짓점을 이어야 하므로 꼭짓점 ㄴ은 꼭짓점 ㄹ과 이어야 합니다.

2단계 기본 유형

68~73쪽

01 가, 라

02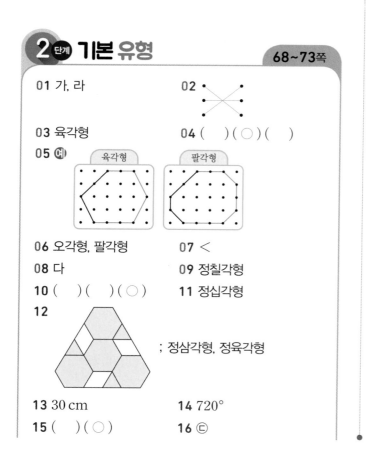

03 육각형

04 (　)(○)(　)

05 예
육각형 / 팔각형

06 오각형, 팔각형

07 <

08 다

09 정칠각형

10 (　)(　)(○)

11 정십각형

12
; 정삼각형, 정육각형

13 30 cm

14 720°

15 (　)(○)

16 ㉢

17 나

18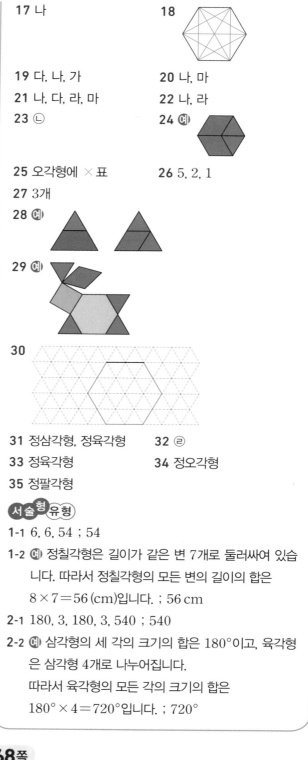

19 다, 나, 가

20 나, 마

21 나, 다, 라, 마

22 나, 라

23 ㉡

24 예

25 오각형에 ×표

26 5, 2, 1

27 3개

28 예

29 예

30

31 정삼각형, 정육각형

32 ㉣

33 정육각형

34 정오각형

35 정팔각형

서술형 유형

1-1 6, 6, 54 ; 54

1-2 예 정칠각형은 길이가 같은 변 7개로 둘러싸여 있습니다. 따라서 정칠각형의 모든 변의 길이의 합은 8×7=56 (cm)입니다. ; 56 cm

2-1 180, 3, 180, 3, 540 ; 540

2-2 예 삼각형의 세 각의 크기의 합은 180°이고, 육각형은 삼각형 4개로 나누어집니다.
따라서 육각형의 모든 각의 크기의 합은 180°×4=720°입니다. ; 720°

68쪽

01 선분으로만 둘러싸인 도형을 찾습니다.

02 : 변이 5개인 다각형이므로 오각형입니다.

: 변이 6개인 다각형이므로 육각형입니다.

: 변이 8개인 다각형이므로 팔각형입니다.

03 변이 6개인 다각형이므로 육각형입니다.

04 변이 7개인 다각형을 찾아봅니다.

└오각형   └칠각형   └팔각형

05 육각형: 선분이 2개 그어져 있으므로 4개를 더 그어
　　　 육각형을 완성합니다.
　　　 팔각형: 선분이 3개 그어져 있으므로 5개를 더 그어
　　　 팔각형을 완성합니다.

06 ㉠ 변이 5개인 다각형이므로 오각형입니다.
　　　 ㉡ 변이 8개인 다각형이므로 팔각형입니다.

07 오각형의 변의 수: 5개, 칠각형의 각의 수: 7개
　　　 ➡ 5 < 7

　　　 참고
　　　 • ■각형의 변의 수 ➡ ■개
　　　 • ■각형의 각의 수 ➡ ■개

69쪽

08 변의 길이가 모두 같고, 각의 크기가 모두 같은 다각
　　　 형을 찾습니다.

　　　 주의
　　　 라는 네 각의 크기가 모두 같지 않습니다.

09 변이 7개인 정다각형이므로 정칠각형입니다.

10 변의 길이가 모두 같고, 각의 크기가 모두 같은 육각
　　　 형을 찾습니다.

11 10개의 선분으로만 둘러싸여 있으므로 십각형이고,
　　　 변의 길이가 모두 같고 각의 크기가 모두 같으므로 정
　　　 십각형입니다.

12 정삼각형과 정육각형을 찾을 수 있습니다.

13 정오각형의 5개 변의 길이는 6 cm로 모두 같습니다.
　　　 ➡ 6 × 5 = 30 (cm)

　　　 참고
　　　 (한 변의 길이가 ■ cm인 정다각형의 모든 변의 길이의 합)
　　　 = ■ × (변의 수)

14 정육각형의 6개 각의 크기는 120°로 모두 같습니다.
　　　 ➡ 120° × 6 = 720°

　　　 참고
　　　 (한 각의 크기가 ▲°인 정다각형의 모든 각의 크기의 합)
　　　 = ▲ × (각의 수)

70쪽

15 서로 이웃하지 않는 두 꼭짓점을 이은 것은 오른쪽입
　　　 니다.

16 ㉢은 이웃하지 않는 꼭짓점을 이은 선분이 아닙니다.

17 삼각형의 모든 꼭짓점은 서로 이웃하므로 대각선을
　　　 그을 수 없습니다.

18 서로 이웃하지 않는 두 꼭짓점을 모두 잇습니다.

19
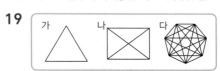
가　　　 나　　　 다

　　　 대각선의 수를 각각 구해 보면
　　　 삼각형: 0개, 사각형: 2개, 칠각형: 14개입니다.
　　　 ➡ 14 > 2 > 0이므로 다, 나, 가입니다.

　　　 참고
　　　 꼭짓점의 수가 많은 다각형일수록 대각선의 수가 많으므로 차
　　　 례로 쓰면 다, 나, 가입니다.

20
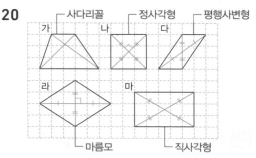
└사다리꼴 └정사각형 └평행사변형
가　　　　 나　　　　 다
라　　　　 마
└마름모　　　　 └직사각형

　　　 두 대각선의 길이가 같은 사각형: 직사각형, 정사각형

21 한 대각선이 다른 대각선을 반으로 나누는 사각형:
　　　 평행사변형, 마름모, 직사각형, 정사각형

22 두 대각선이 서로 수직으로 만나는 사각형:
　　　 마름모, 정사각형

71쪽

23 ㉡ 서로 겹치지 않게 이어 붙였습니다.

24 정삼각형 모양 조각과 평행사변형 모양 조각을 빈틈
　　　 없이 서로 겹치지 않게 채웁니다.

25 삼각형과 사각형으로 모양을 만들었습니다.

26 모양별로 빠뜨리지 않고 세어 봅니다.

27 변의 길이가 모두 같고, 각의 크기가 모두 같은 모양
　　　 조각을 찾습니다.

 ➡ 3개

28 모양 조각을 빈틈없이 서로 겹치지 않게 채웁니다.

29 모양 조각이 서로 겹치지 않게 만듭니다.

72쪽

30 주어진 선분과 길이가 같은 선분을 5개 더 그어 정육각형을 완성합니다.

31

찾을 수 있는 정다각형은 변이 3개인 정삼각형과 변이 6개인 정육각형입니다.

32

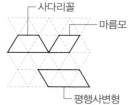

네 각이 모두 직각인 직사각형은 그릴 수 없습니다.

왜 틀렸을까? 직각이 없는 사각형은 그릴 수 있지만 직사각형은 그릴 수 없다는 것을 몰랐습니다.

33 (변의 수)=30÷5=6(개)

➡ 변이 6개인 정다각형이므로 정육각형입니다.

참고

변이 ■개인 정다각형 ➡ 정■각형

34 (변의 수)=20÷4=5(개)

➡ 변이 5개인 정다각형이므로 정오각형입니다.

35 (정삼각형을 만드는 데 사용한 철사의 길이)

=24×3=72 (cm)

(새로 만든 정다각형의 변의 수)=72÷9=8(개)

➡ 변이 8개인 정다각형이므로 정팔각형입니다.

왜 틀렸을까? 주어진 정삼각형의 세 변의 길이의 합을 잘못 구하거나 세 변의 길이의 합을 9 cm로 나누어야 한다는 것을 몰랐습니다.

73쪽

1-2 **서술형 가이드** 정칠각형은 길이가 같은 변 몇 개로 둘러싸여 있는지 알아본 후 모든 변의 길이의 합을 구하는 풀이 과정이 들어 있어야 합니다.

채점 기준

상	정칠각형은 길이가 같은 변 몇 개로 둘러싸여 있는지 알아본 후 모든 변의 길이의 합을 바르게 구함.
중	정칠각형은 길이가 같은 변 몇 개로 둘러싸여 있는지 알아보았지만 모든 변의 길이의 합을 잘못 구함.
하	정칠각형은 길이가 같은 변 몇 개로 둘러싸여 있는지 알아보지 못함.

2-2 **서술형 가이드** 삼각형의 세 각의 크기의 합과 육각형이 삼각형 4개로 나누어지는 것을 이용하여 모든 각의 크기의 합을 구하는 풀이 과정이 들어 있어야 합니다.

채점 기준

상	삼각형의 세 각의 크기의 합과 육각형이 삼각형 4개로 나누어지는 것을 이용하여 모든 각의 크기의 합을 바르게 구함.
중	삼각형의 세 각의 크기의 합과 육각형이 삼각형 4개로 나누어지는 것을 이용했지만 모든 각의 크기의 합을 잘못 구함.
하	삼각형의 세 각의 크기의 합과 육각형이 삼각형 4개로 나누어지는 것을 이용하지 못함.

3단계 유형평가 74~76쪽

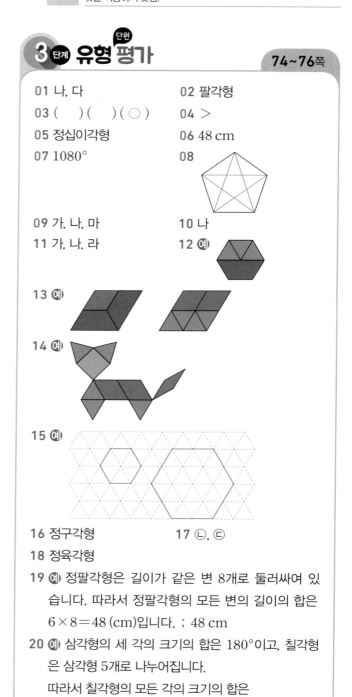

01 나, 다

02 팔각형

03 ( )( )(○)

04 >

05 정십이각형

06 48 cm

07 1080°

08

09 가, 나, 마

10 나

11 가, 나, 라

12 예

13 예

14 예

15 예

16 정구각형

17 ㉡, ㉢

18 정육각형

19 예 정팔각형은 길이가 같은 변 8개로 둘러싸여 있습니다. 따라서 정팔각형의 모든 변의 길이의 합은 6×8=48 (cm)입니다. ; 48 cm

20 예 삼각형의 세 각의 크기의 합은 180°이고, 칠각형은 삼각형 5개로 나누어집니다.

따라서 칠각형의 모든 각의 크기의 합은 180°×5=900°입니다. ; 900°

74쪽

01 선분으로만 둘러싸인 도형을 찾습니다.

02 변이 8개인 다각형이므로 팔각형입니다.

03 변이 5개인 다각형을 찾습니다.

04 구각형의 변의 수: 9개, 팔각형의 각의 수: 8개
➡ 9>8

05 12개의 선분으로만 둘러싸여 있으므로 십이각형이고, 변의 길이가 모두 같고 각의 크기가 모두 같으므로 정십이각형입니다.

06 정육각형의 6개 변의 길이는 8 cm로 모두 같습니다.
➡ 8×6=48 (cm)

> **참고**
> (한 변의 길이가 ■ cm인 정다각형의 모든 변의 길이의 합)
> =■×(변의 수)

07 정팔각형의 8개 각의 크기는 135°로 모두 같습니다.
➡ 135°×8=1080°

> **참고**
> (한 각의 크기가 ▲°인 정다각형의 모든 각의 크기의 합)
> =▲×(각의 수)

75쪽

08 서로 이웃하지 않는 두 꼭짓점을 모두 잇습니다.

09

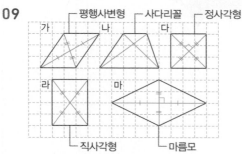

두 대각선의 길이가 다른 사각형:
사다리꼴, 평행사변형, 마름모

10 한 대각선이 다른 대각선을 반으로 나누지 않는 사각형:
사다리꼴

11 두 대각선이 서로 수직으로 만나지 않는 사각형:
사다리꼴, 평행사변형, 직사각형

12 정삼각형 모양 조각과 평행사변형 모양 조각을 빈틈없이 서로 겹치지 않게 채웁니다.

13 모양 조각을 빈틈없이 서로 겹치지 않게 채웁니다.

14 모양 조각이 서로 겹치지 않게 만듭니다.

76쪽

15 여섯 변의 길이가 모두 같고, 여섯 각의 크기가 모두 같은 다각형을 2개 그립니다.

16 (변의 수)=54÷6=9(개)
➡ 변이 9개인 정다각형이므로 정구각형입니다.

17

네 변의 길이가 모두 같고 네 각의 크기가 모두 같은 정사각형과 다섯 변의 길이가 모두 같고 다섯 각의 크기가 모두 같은 정오각형은 그릴 수 없습니다.

> **왜 틀렸을까?** 정삼각형과 정육각형은 그릴 수 있지만 정사각형과 정오각형은 그릴 수 없다는 것을 몰랐습니다.

18 (정사각형을 만드는 데 사용한 철사의 길이)
=15×4=60 (cm)
(새로 만든 정다각형의 변의 수)=60÷10=6(개)
➡ 변이 6개인 정다각형이므로 정육각형입니다.

> **왜 틀렸을까?** 주어진 정사각형의 네 변의 길이의 합을 잘못 구하거나 네 변의 길이의 합을 10 cm로 나누어야 한다는 것을 몰랐습니다.

19 **서술형** 가이드 정팔각형은 길이가 같은 변 몇 개로 둘러싸여 있는지 알아본 후 모든 변의 길이의 합을 구하는 풀이 과정이 들어 있어야 합니다.

채점 기준

상	정팔각형은 길이가 같은 변 몇 개로 둘러싸여 있는지 알아본 후 모든 변의 길이의 합을 바르게 구함.
중	정팔각형은 길이가 같은 변 몇 개로 둘러싸여 있는지 알아보았지만 모든 변의 길이의 합을 잘못 구함.
하	정팔각형은 길이가 같은 변 몇 개로 둘러싸여 있는지 알아보지 못함.

20 **서술형** 가이드 삼각형의 세 각의 크기의 합과 칠각형이 삼각형 5개로 나누어지는 것을 이용하여 모든 각의 크기의 합을 구하는 풀이 과정이 들어 있어야 합니다.

채점 기준

상	삼각형의 세 각의 크기의 합과 칠각형이 삼각형 5개로 나누어지는 것을 이용하여 모든 각의 크기의 합을 바르게 구함.
중	삼각형의 세 각의 크기의 합과 칠각형이 삼각형 5개로 나누어지는 것을 이용했지만 모든 각의 크기의 합을 잘못 구함.
하	삼각형의 세 각의 크기의 합과 칠각형이 삼각형 5개로 나누어지는 것을 이용하지 못함.

1 분수의 덧셈과 뺄셈

잘 틀리는 **실력 유형** 6~7쪽

유형 **01** 2, 3

01 1, 2, 3, 4　　　　02 1, 2, 3

유형 **02** $+$, $-$

03 $2\dfrac{5}{6}$ cm　　　　04 $2\dfrac{5}{8}$ cm

유형 **03** 1

05 $5\dfrac{1}{7}$ cm　　　　06 $9\dfrac{5}{9}$ cm

07 $\dfrac{3}{36}$ m　　　　08 오른쪽, $3\dfrac{6}{8}$ g

6쪽

01 $\dfrac{\square}{13}+\dfrac{5}{13}=\dfrac{\square+5}{13}$이므로 $\dfrac{\square+5}{13}<\dfrac{10}{13}$에서

$\square+5<10$입니다.

따라서 $\square$ 안에 들어갈 수 있는 수는 1, 2, 3, 4입니다.

왜 틀렸을까? $\square+5<10$에서

$\square=6$이면 $\square+5=11$이므로 $\square+5>10$입니다.

$\square=5$이면 $\square+5=10$입니다.

$\square=4$이면 $\square+5=9$이므로 $\square+5<10$입니다.

…… ➡ $\square=$ 1, 2, 3, 4

02 $\dfrac{11}{15}-\dfrac{\square}{15}=\dfrac{11-\square}{15}$이므로 $\dfrac{11-\square}{15}>\dfrac{7}{15}$에서

$11-\square>7$입니다.

따라서 $\square$ 안에 들어갈 수 있는 수는 1, 2, 3입니다.

왜 틀렸을까? $11-\square>7$에서

$\square=5$이면 $11-\square=6$이므로 $11-\square<7$입니다.

$\square=4$이면 $11-\square=7$입니다.

$\square=3$이면 $11-\square=8$이므로 $11-\square>7$입니다.

…… ➡ $\square=$ 1, 2, 3

03 (가로)=(세로)$+1\dfrac{1}{6}$ cm

➡ $1\dfrac{4}{6}+1\dfrac{1}{6}=(1+1)+\left(\dfrac{4}{6}+\dfrac{1}{6}\right)=2\dfrac{5}{6}$ (cm)

왜 틀렸을까? 가로는 세로보다 $1\dfrac{1}{6}$ cm 더 길다고 했으므로 세로에 $1\dfrac{1}{6}$ cm를 더해야 합니다.

04 $\bigcirc=\bigcirc-1\dfrac{2}{8}$ cm

➡ $\bigcirc=3\dfrac{7}{8}-1\dfrac{2}{8}=(3-1)+\left(\dfrac{7}{8}-\dfrac{2}{8}\right)=2\dfrac{5}{8}$ (cm)

왜 틀렸을까? $\bigcirc$은 $\bigcirc$보다 $1\dfrac{2}{8}$ cm 더 짧다고 했으므로 $\bigcirc$에서 $1\dfrac{2}{8}$ cm를 빼야 합니다.

7쪽

05 (색 테이프 2장의 길이의 합)

$=3\dfrac{2}{7}+3\dfrac{2}{7}=6\dfrac{4}{7}$ (cm)

(이어 붙여 만든 색 테이프의 전체 길이)

$=6\dfrac{4}{7}-1\dfrac{3}{7}=5\dfrac{1}{7}$ (cm)

왜 틀렸을까? 색 테이프 2장을 겹치게 이어 붙이면 겹치는 부분은 $2-1=1$(군데)이므로 색 테이프 2장의 길이의 합에서 겹친 길이를 한 번 빼야 합니다.

06 (색 테이프 3장의 길이의 합)

$=4\dfrac{2}{9}+4\dfrac{2}{9}+4\dfrac{2}{9}=8\dfrac{4}{9}+4\dfrac{2}{9}=12\dfrac{6}{9}$ (cm)

(이어 붙여 만든 색 테이프의 전체 길이)

$=12\dfrac{6}{9}-1\dfrac{5}{9}-1\dfrac{5}{9}=11\dfrac{1}{9}-1\dfrac{5}{9}$

$=10\dfrac{10}{9}-1\dfrac{5}{9}=9\dfrac{5}{9}$ (cm)

왜 틀렸을까? 색 테이프 3장을 겹치게 이어 붙이면 겹치는 부분은 $3-1=2$(군데)이므로 색 테이프 3장의 길이의 합에서 겹친 길이를 두 번 빼야 합니다.

07 영수: $10\dfrac{27}{36}-8\dfrac{35}{36}=9\dfrac{63}{36}-8\dfrac{35}{36}=1\dfrac{28}{36}$ (m)

➡ $1\dfrac{28}{36}-1\dfrac{25}{36}=(1-1)+\left(\dfrac{28}{36}-\dfrac{25}{36}\right)=\dfrac{3}{36}$ (m)

08 오른쪽에 두 추의 무게의 차와 같은 무게의 추를 더 놓으면 양쪽에 놓여 있는 추의 무게가 같아지므로 저울이 수평이 됩니다.

➡ $14\dfrac{1}{8}-10\dfrac{3}{8}=13\dfrac{9}{8}-10\dfrac{3}{8}=3\dfrac{6}{8}$ (g)

참고

오른쪽에 $3\dfrac{6}{8}$ g짜리 추를 더 놓으면 오른쪽의 무게는 $10\dfrac{3}{8}+3\dfrac{6}{8}=13\dfrac{9}{8}=14\dfrac{1}{8}$ (g)이 되므로 양쪽의 무게가 같아집니다.

다르지만 같은 유형

8~9쪽

01 (1) 예 1, 6 ; 2, 5   (2) 예 1, 8 ; 2, 7

02 4가지

03 $3\frac{13}{21}$, $6\frac{8}{21}$

04 $2\frac{3}{8}$

05 $5\frac{4}{7}$

06 예 어떤 수를 □라 하면 □$+3\frac{2}{5}=10$입니다.

➡ □$=10-3\frac{2}{5}=9\frac{5}{5}-3\frac{2}{5}=6\frac{3}{5}$; $6\frac{3}{5}$

07 $2\frac{4}{7}\left(=\frac{18}{7}\right)$

08 $1\frac{7}{8}\left(=\frac{15}{8}\right)$

09 예 2보다 크고 3보다 작은 분모가 5인 대분수:

$2\frac{1}{5}$, $2\frac{2}{5}$, $2\frac{3}{5}$, $2\frac{4}{5}$

➡ $2\frac{1}{5}+2\frac{2}{5}+2\frac{3}{5}+2\frac{4}{5}$

$=8+\frac{10}{5}=8+2=10$; 10

10 $8\frac{4}{9}$

11 $2\frac{7}{10}$

12 $7\frac{6}{8}$, $4\frac{5}{8}$, $3\frac{1}{8}$

8쪽

01~03 핵심

분자의 합이 분모가 되도록 만들 수 있어야 합니다.

01 (1) 분모가 7이므로 분자의 합이 7이 되도록 수를 써 넣습니다.

$1=\frac{3}{7}+\frac{4}{7}$로 쓸 수도 있습니다.

(2) 분모가 9이므로 분자의 합이 9가 되도록 수를 써 넣습니다.

$1=\frac{3}{9}+\frac{6}{9}$, $1=\frac{4}{9}+\frac{5}{9}$로 쓸 수도 있습니다.

02 $4=1\frac{1}{5}+2\frac{4}{5}$, $4=1\frac{2}{5}+2\frac{3}{5}$, $4=2\frac{1}{5}+1\frac{4}{5}$,

$4=2\frac{2}{5}+1\frac{3}{5}$이므로 모두 4가지입니다.

03 분자의 합이 21이 되는 두 분수끼리 더해 봅니다.

➡ $5\frac{7}{21}+5\frac{14}{21}=10+\frac{21}{21}=10+1=11(\times)$,

$3\frac{13}{21}+6\frac{8}{21}=9+\frac{21}{21}=9+1=10(○)$

04~06 핵심

덧셈식을 뺄셈식으로, 뺄셈식을 덧셈식으로 바꿀 수 있어야 합니다.

$$■+▲=● ➡ \begin{bmatrix}■=●-▲\\▲=●-■\end{bmatrix} \quad ■-▲=● ➡ \begin{bmatrix}■=▲+●\\▲=●+▲\end{bmatrix}$$

04 $2\frac{4}{8}+□=4\frac{7}{8}$ ➡ □$=4\frac{7}{8}-2\frac{4}{8}=2\frac{3}{8}$

05 빈 곳에 알맞은 수를 □라 하면 □$-3\frac{1}{7}=2\frac{3}{7}$입니다.

➡ □$=2\frac{3}{7}+3\frac{1}{7}=5\frac{4}{7}$

06 서술형 가이드   어떤 수를 □라 하여 덧셈식 □$+3\frac{2}{5}=10$을 세운 뒤 뺄셈식으로 바꾸어 □의 값을 구하는 풀이 과정이 들어 있어야 합니다.

채점 기준

상	어떤 수를 □라 하여 덧셈식 □$+3\frac{2}{5}=10$을 세운 뒤 뺄셈식으로 바꾸어 □의 값을 바르게 구함.
중	어떤 수를 □라 하여 덧셈식 □$+3\frac{2}{5}=10$을 세운 뒤 뺄셈식으로 바꾸었지만 □의 값을 잘못 구함.
하	어떤 수를 □라 하여 덧셈식 □$+3\frac{2}{5}=10$을 세웠지만 뺄셈식으로 바꾸지 못하여 □의 값을 구하지 못함.

9쪽

07~09 핵심

진분수를 만들 때에는 분자가 분모보다 작도록 만들고, 대분수를 만들 때에는 분수 부분이 진분수가 되도록 만들어야 합니다.

07 $\frac{2}{7}$보다 큰 진분수: $\frac{3}{7}$, $\frac{4}{7}$, $\frac{5}{7}$, $\frac{6}{7}$

➡ $\frac{3}{7}+\frac{4}{7}+\frac{5}{7}+\frac{6}{7}=\frac{3+4+5+6}{7}=\frac{18}{7}=2\frac{4}{7}$

08 $\frac{6}{8}$보다 작은 진분수: $\frac{1}{8}$, $\frac{2}{8}$, $\frac{3}{8}$, $\frac{4}{8}$, $\frac{5}{8}$

➡ $\frac{1}{8}+\frac{2}{8}+\frac{3}{8}+\frac{4}{8}+\frac{5}{8}$

$=\frac{1+2+3+4+5}{8}=\frac{15}{8}=1\frac{7}{8}$

09 서술형 가이드   조건을 만족하는 대분수를 모두 구한 후 이 대분수들의 합을 구하는 풀이 과정이 들어 있어야 합니다.

채점 기준

상	조건을 만족하는 대분수를 모두 구한 후 이 대분수들의 합을 바르게 구함.
중	조건을 만족하는 대분수를 모두 구했지만 이 대분수들의 합을 잘못 구함.
하	조건을 만족하는 대분수를 구하지 못함.

10~12 핵심

합이 가장 크게 되려면 가장 큰 수와 둘째로 큰 수를 더하고, 차가 가장 크게 되려면 가장 큰 수에서 가장 작은 수를 빼야 합니다.

10 가장 큰 수와 둘째로 큰 수를 더해야 합니다.

➡ $4\frac{5}{9}+3\frac{8}{9}=7+\frac{13}{9}=7+1\frac{4}{9}=8\frac{4}{9}$

11 가장 큰 수에서 가장 작은 수를 빼야 합니다.

➡ $9\frac{2}{10}-6\frac{5}{10}=8\frac{12}{10}-6\frac{5}{10}=2\frac{7}{10}$

12 가장 큰 수에서 가장 작은 수를 빼야 합니다.

가장 큰 대분수: $7\frac{6}{8}$, 가장 작은 대분수: $4\frac{5}{8}$

➡ $7\frac{6}{8}-4\frac{5}{8}=3\frac{1}{8}$

응용 유형 10~13쪽

01 $2\frac{4}{7}$ | 02 $2\frac{1}{8}$

03 $\frac{2}{5}$ m | 04 $3\frac{2}{5}$

05 $\frac{7}{15}$ | 06 12시 26분 40초

07 $4\frac{2}{9}$ | 08 $\frac{2}{9}$, $\frac{5}{9}$

09 $2\frac{3}{10}$ | 10 $1\frac{3}{8}$시간

11 $\frac{5}{7}$ m | 12 2개, $\frac{1}{4}$ kg

13 $2\frac{6}{7}$ | 14 11

15 $\frac{8}{17}$ | 16 $\frac{1}{9}$

17 12시 19분 30초 | 18 $156\frac{4}{5}$ L

10쪽

01 $4\,\blacksquare\,\frac{5}{7}=4-\frac{5}{7}-\frac{5}{7}=3\frac{7}{7}-\frac{5}{7}-\frac{5}{7}$

$=3\frac{2}{7}-\frac{5}{7}=2\frac{9}{7}-\frac{5}{7}=2\frac{4}{7}$

02 ㉠ $\frac{6}{8}+\frac{5}{8}=\frac{11}{8}=1\frac{3}{8}$, ㉡ $\frac{7}{8}-\frac{1}{8}=\frac{6}{8}$

➡ ㉠+㉡ $=1\frac{3}{8}+\frac{6}{8}=1+\frac{9}{8}=1+1\frac{1}{8}=2\frac{1}{8}$

03 (색 테이프 2장의 길이의 합)

$=3\frac{3}{5}+4\frac{3}{5}=7+\frac{6}{5}=7+1\frac{1}{5}=8\frac{1}{5}$ (m)

(겹친 길이) $=8\frac{1}{5}-7\frac{4}{5}=7\frac{6}{5}-7\frac{4}{5}=\frac{2}{5}$ (m)

11쪽

04 어떤 수를 □라 하면 $\square+\frac{4}{5}=5$이므로

$\square=5-\frac{4}{5}=4\frac{5}{5}-\frac{4}{5}=4\frac{1}{5}$입니다.

➡ $4\frac{1}{5}-\frac{4}{5}=3\frac{6}{5}-\frac{4}{5}=3\frac{2}{5}$

05 $3\frac{2}{15}-1\frac{13}{15}=2\frac{17}{15}-1\frac{13}{15}=1\frac{4}{15}$,

$1\frac{6}{15}+\frac{7}{15}=1\frac{13}{15}$

➡ $1\frac{4}{15}<\square<1\frac{13}{15}$에서 □ 안에 들어갈 수 있는 분

모가 15인 분수는 $1\frac{5}{15}$부터 $1\frac{12}{15}$까지입니다.

따라서 가장 큰 수와 가장 작은 수의 차는

$1\frac{12}{15}-1\frac{5}{15}=\frac{7}{15}$입니다.

주의

●<□<▲에서 □ 안에 ●와 ▲는 들어가지 않습니다.

06 (5일 동안 빨라지는 시간)

$=5\frac{1}{3}+5\frac{1}{3}+5\frac{1}{3}+5\frac{1}{3}+5\frac{1}{3}$

$=25+\frac{5}{3}=25+1\frac{2}{3}=26\frac{2}{3}$(분)

$20+20+20=60$이므로 60초의 $\frac{1}{3}$은 20초,

$\frac{2}{3}$는 40초입니다.

➡ $26\frac{2}{3}$분$=26$분$+\frac{2}{3}$분$=26$분 40초

따라서 5일 후 낮 12시에 이 시계는 12시 26분 40초를 가리킵니다.

참고

12시보다 26분 40초 빨라지는 시각은 12시에 26분 40초를 더한 시각입니다.

12쪽

07 $\frac{8}{9}\,\odot\,6=6-\frac{8}{9}-\frac{8}{9}=5\frac{9}{9}-\frac{8}{9}-\frac{8}{9}$

$=5\frac{1}{9}-\frac{8}{9}=4\frac{10}{9}-\frac{8}{9}=4\frac{2}{9}$

08 ❶분모가 9인 진분수가 2개 있습니다. / ❷합이 $\frac{7}{9}$, 차가 $\frac{3}{9}$인 / ❸두 진분수를 구하시오.

> ❶ 분모가 9인 진분수의 분자를 알아봅니다.
> ❷ ❶의 분자 중에서 합이 7이고 차가 3인 두 수를 구합니다.
> ❸ ❷에서 구한 분자를 이용하여 두 진분수를 구합니다.

❶분모가 9인 진분수의 분자: 1, 2, 3, 4, 5, 6, 7, 8

❷합이 7이 되는 두 수: (1, 6), (2, 5), (3, 4)

　이 중 차가 3인 두 수: (2, 5)

❸➡ 두 진분수는 $\frac{2}{9}$, $\frac{5}{9}$입니다.

09 ㉠ $\frac{7}{10}+\frac{9}{10}=\frac{16}{10}=1\frac{6}{10}$, ㉡ $\frac{8}{10}-\frac{1}{10}=\frac{7}{10}$

➡ ㉠+㉡$=1\frac{6}{10}+\frac{7}{10}=1+\frac{13}{10}=1+1\frac{3}{10}=2\frac{3}{10}$

10 ❶원영이는 운동을 어제는 $\frac{7}{8}$시간 했고, 오늘은 $\frac{6}{8}$시간 했습니다. / ❷원영이가 내일까지 모두 3시간 운동하려고 한다면 내일은 운동을 몇 시간 해야 합니까?

> ❶ 어제와 오늘 운동한 시간의 합을 구합니다.
> ❷ (내일 운동해야 하는 시간)=3시간−❶

❶(어제)+(오늘)$=\frac{7}{8}+\frac{6}{8}=\frac{13}{8}=1\frac{5}{8}$(시간)

❷(내일 운동을 해야 하는 시간)

$=3-1\frac{5}{8}=2\frac{8}{8}-1\frac{5}{8}=1\frac{3}{8}$(시간)

11 (색 테이프 2장의 길이의 합)

$=4\frac{6}{7}+6\frac{4}{7}=10+\frac{10}{7}=10+1\frac{3}{7}=11\frac{3}{7}$ (m)

(겹친 길이)

$=11\frac{3}{7}-10\frac{5}{7}=10\frac{10}{7}-10\frac{5}{7}=\frac{5}{7}$ (m)

12 ❶밀가루 $2\frac{3}{4}$ kg이 있습니다. 케이크 한 개를 만드는 데 밀가루 $1\frac{1}{4}$ kg이 필요합니다. / ❷케이크를 몇 개까지 만들 수 있고, 남는 밀가루는 몇 kg인지 차례로 쓰시오.

> ❶ 처음 밀가루의 양에서 케이크 한 개를 만드는 데 필요한 밀가루의 양을 빼면서 남는 밀가루의 양을 알아봅니다.
> ❷ 남는 밀가루의 양이 케이크 한 개를 만드는 데 필요한 밀가루의 양보다 적으면 더 이상 케이크를 만들 수 없습니다.

❶(케이크 1개를 만들고 남는 밀가루)

$=2\frac{3}{4}-1\frac{1}{4}=1\frac{2}{4}$ (kg),

(케이크 2개를 만들고 남는 밀가루)

$=1\frac{2}{4}-1\frac{1}{4}=\frac{1}{4}$ (kg)

❷➡ 케이크를 2개까지 만들 수 있고, 남는 밀가루는 $\frac{1}{4}$ kg입니다.

13쪽

13 어떤 수를 □라 하면 □$+1\frac{4}{7}=6$이므로

□$=6-1\frac{4}{7}=5\frac{7}{7}-1\frac{4}{7}=4\frac{3}{7}$입니다.

➡ $4\frac{3}{7}-1\frac{4}{7}=3\frac{10}{7}-1\frac{4}{7}=2\frac{6}{7}$

14 ❶대분수로만 만들어진 뺄셈식입니다. / ❷㉠+㉡의 값이 가장 클 때의 값을 구하시오.

$$3\frac{㉠}{7}-2\frac{㉡}{7}=1\frac{1}{7}$$

> ❶ 뺄셈식에서 ㉠과 ㉡ 사이의 관계를 알아봅니다.
> ❷ ❶에서 알아본 관계를 만족하는 ㉠과 ㉡ 중 합이 가장 큰 경우의 값을 구합니다.

❶자연수 부분의 차가 3−2=1이므로 분수 부분의 계산 $\frac{㉠}{7}-\frac{㉡}{7}=\frac{1}{7}$에서 ㉠−㉡=1임을 알 수 있습니다.

대분수에서 분수 부분은 진분수이어야 하므로 ㉠과 ㉡은 7보다 작은 수입니다.

❷따라서 ㉠−㉡=1이므로 ㉠=6, ㉡=5일 때 ㉠+㉡=6+5=11로 가장 큽니다.

15 $5\frac{2}{17}-1\frac{14}{17}=4\frac{19}{17}-1\frac{14}{17}=3\frac{5}{17}$,

$3\frac{6}{17}+\frac{9}{17}=3\frac{15}{17}$

➡ $3\frac{5}{17}<□<3\frac{15}{17}$에서 □ 안에 들어갈 수 있는 분모가 17인 분수는 $3\frac{6}{17}$부터 $3\frac{14}{17}$까지입니다.

따라서 가장 큰 수와 가장 작은 수의 차는 $3\frac{14}{17}-3\frac{6}{17}=\frac{8}{17}$입니다.

16 문제 분석

16 ^❶세 분수 가, 나, 다가 다음을 만족할 때 / ^❷가를 구하시오.

$$가+나=1\frac{6}{9}, \quad 나+다=2, \quad 다+가=\frac{5}{9}$$

❶ 두 분수씩 더한 덧셈식에서 가, 나, 다 사이의 관계를 알아봅니다.
❷ ❶에서 알아본 관계와 주어진 덧셈식을 이용하여 가를 구합니다.

❶ 가+나+나+다+다+가

$$=1\frac{6}{9}+2+\frac{5}{9}=3\frac{6}{9}+\frac{5}{9}=3\frac{11}{9}=4\frac{2}{9}$$이므로

가+나+다+가+나+다$=4\frac{2}{9}=2\frac{1}{9}+2\frac{1}{9}$입니다.

❷따라서 가+나+다$=2\frac{1}{9}$이고 나+다$=2$이므로

가$+2=2\frac{1}{9}$, 가$=2\frac{1}{9}-2=\frac{1}{9}$입니다.

17 (6일 동안 빨라지는 시간)

$$=3\frac{1}{4}+3\frac{1}{4}+3\frac{1}{4}+3\frac{1}{4}+3\frac{1}{4}+3\frac{1}{4}$$

$$=18+\frac{6}{4}=18+1\frac{2}{4}=19\frac{2}{4}(분)$$

$15+15+15+15=60$이므로 60초의 $\frac{1}{4}$은 15초,

$\frac{2}{4}$는 30초입니다.

➡ $19\frac{2}{4}$분$=19$분$+\frac{2}{4}$분$=19$분 30초

따라서 6일 후 낮 12시에 이 시계는 12시 19분 30초를 가리킵니다.

18 문제 분석

18 ^❶물이 ㉮ 수도는 $\frac{1}{3}$시간 동안 $25\frac{1}{3}$ L씩 나오고, / ^❷㉯ 수도는 $\frac{1}{4}$시간 동안 $20\frac{1}{5}$ L씩 나온다고 합니다. / ^❸두 수도를 동시에 틀어서 한 시간 동안 받을 수 있는 물의 양은 모두 몇 L입니까?

❶ ㉮ 수도에서 한 시간 동안 받을 수 있는 물의 양을 구합니다.
❷ ㉯ 수도에서 한 시간 동안 받을 수 있는 물의 양을 구합니다.
❸ ❶과 ❷에서 구한 물의 양의 합을 구합니다.

❶ $\frac{1}{3}$시간$+\frac{1}{3}$시간$+\frac{1}{3}$시간$=\frac{3}{3}$시간$=1$시간이므로

㉮ 수도로 한 시간 동안 받을 수 있는 물의 양은

$25\frac{1}{3}+25\frac{1}{3}+25\frac{1}{3}=75\frac{3}{3}=76$ (L)입니다.

❷ $\frac{1}{4}$시간$+\frac{1}{4}$시간$+\frac{1}{4}$시간$+\frac{1}{4}$시간$=\frac{4}{4}$시간$=1$시간이므로

㉯ 수도로 한 시간 동안 받을 수 있는 물의 양은

$20\frac{1}{5}+20\frac{1}{5}+20\frac{1}{5}+20\frac{1}{5}=80\frac{4}{5}$ (L)입니다.

❸ ➡ $76+80\frac{4}{5}=156\frac{4}{5}$ (L)

🐱 사고력 유형

1 $1\frac{1}{11}\left(=\frac{12}{11}\right)$ **2** $2\frac{4}{5}$; $\frac{1}{5}$

3 ㉢, $\frac{5}{7}$ **4** $7\frac{3}{5}$

14쪽

1 $1\frac{5}{11}-\frac{8}{11}=\frac{16}{11}-\frac{8}{11}=\frac{8}{11}$,

$2\frac{6}{11}-1\frac{3}{11}=1\frac{3}{11}$이므로 입력한 수에 입력한 수와 같은 수를 더한 결과가 나옵니다.

➡ $\frac{6}{11}+\frac{6}{11}=\frac{12}{11}=1\frac{1}{11}$

2 삼각형의 꼭짓점에 있는 세 수를 한 번씩만 사용하여 가장 작은 대분수를 만드는 규칙입니다.

2, 4, 5를 한 번씩만 사용하여 만들 수 있는 가장 작은 대분수는 $2\frac{4}{5}$입니다.

➡ $2\frac{4}{5}-2\frac{3}{5}=\frac{1}{5}$

15쪽

3

㉠	㉡	㉢
$-\frac{1}{7}$	$+\frac{2}{7}$	$-\frac{3}{7}$
$+\frac{4}{7}$	$-\frac{5}{7}$	$+\frac{6}{7}$

왼쪽으로 2칸을 가야 하므로 ㉠과 ㉡에서는 시작할 수 없습니다.

$\frac{4}{7}$를 더하기 전의 수 ➡ $1-\frac{4}{7}=\frac{7}{7}-\frac{4}{7}=\frac{3}{7}$

$\frac{1}{7}$을 빼기 전의 수 ➡ $\frac{3}{7}+\frac{1}{7}=\frac{4}{7}$

$\frac{2}{7}$를 더하기 전의 수 ➡ $\frac{4}{7}-\frac{2}{7}=\frac{2}{7}$

$\frac{3}{7}$을 빼기 전의 수 ➡ $\frac{2}{7}+\frac{3}{7}=\frac{5}{7}$

4 $\cdot\ 2\dfrac{4}{5}+1\dfrac{3}{5}=3+\dfrac{7}{5}=3+1\dfrac{2}{5}=4\dfrac{2}{5}$

➡ $4\dfrac{2}{5}<6$이므로 반복합니다.

$\cdot\ 4\dfrac{2}{5}+1\dfrac{3}{5}=5+\dfrac{5}{5}=5+1=6$

➡ 6이므로 반복합니다.

$\cdot\ 6+1\dfrac{3}{5}=7\dfrac{3}{5}$

➡ $7\dfrac{3}{5}>6$이므로 화면에 보이는 수는 $7\dfrac{3}{5}$입니다.

도전! 최상위 유형 16~17쪽

1 $1\dfrac{7}{8}$ m   **2** $3\dfrac{8}{13}$

3 $7\dfrac{2}{7}$ kg   **4** 9일

16쪽

1 (색 테이프 3장의 길이의 합)

$=1\dfrac{7}{8}+1\dfrac{7}{8}+1\dfrac{7}{8}=3+\dfrac{21}{8}=3+2\dfrac{5}{8}=5\dfrac{5}{8}$ (m)

3장을 이어 붙였으므로 겹치는 부분은 2군데이고 겹친 길이를 □ m라 하면 □+□=$5\dfrac{5}{8}-3\dfrac{7}{8}$입니다.

□+□

$=5\dfrac{5}{8}-3\dfrac{7}{8}=4\dfrac{13}{8}-3\dfrac{7}{8}=1\dfrac{6}{8}=\dfrac{14}{8}=\dfrac{7}{8}+\dfrac{7}{8}$

이므로 □=$\dfrac{7}{8}$입니다.

2 (현철이가 만든 직사각형의 네 변의 길이의 합)

$=1\dfrac{12}{13}+1\dfrac{12}{13}+□+□=2+\dfrac{24}{13}+□+□$

$=2+1\dfrac{11}{13}+□+□=3\dfrac{11}{13}+□+□\ \cdots\ ①$

(경옥이가 만든 정사각형의 네 변의 길이의 합)

$=2\dfrac{10}{13}+2\dfrac{10}{13}+2\dfrac{10}{13}+2\dfrac{10}{13}=8+\dfrac{40}{13}$

$=8+3\dfrac{1}{13}=11\dfrac{1}{13}$ (cm) $\cdots\ ②$

①과 ②가 같으므로 $3\dfrac{11}{13}+□+□=11\dfrac{1}{13}$,

□+□$=11\dfrac{1}{13}-3\dfrac{11}{13}=10\dfrac{14}{13}-3\dfrac{11}{13}=7\dfrac{3}{13}$이고,

---

$7\dfrac{3}{13}=6\dfrac{16}{13}=3\dfrac{8}{13}+3\dfrac{8}{13}$이므로 □ 안에 알맞은 수는 $3\dfrac{8}{13}$입니다.

17쪽

3 멜론 6통이 들어 있는 상자에서 멜론 5통을 꺼내면 상자에 멜론 1통을 담은 것이므로

(멜론 5통의 무게)

=(상자에 멜론 6통을 담았을 때의 무게)

$\quad$ −(상자에 멜론 1통을 담았을 때의 무게)

$=8\dfrac{4}{7}-2\dfrac{1}{7}=6\dfrac{3}{7}$ (kg)입니다.

$6\dfrac{3}{7}=5\dfrac{10}{7}=1\dfrac{2}{7}+1\dfrac{2}{7}+1\dfrac{2}{7}+1\dfrac{2}{7}+1\dfrac{2}{7}$

이므로 멜론 한 통의 무게는 $1\dfrac{2}{7}$ kg입니다.

➡ (상자에 멜론 5통을 담았을 때의 무게)

$\quad$ =(상자에 멜론 6통을 담았을 때의 무게)

$\quad\quad$ −(멜론 1통의 무게)

$\quad$ $=8\dfrac{4}{7}-1\dfrac{2}{7}=7\dfrac{2}{7}$ (kg)

4 전체 일의 양을 1이라고 할 때

(세 사람이 함께 하루 동안 한 일의 양)

$=\dfrac{4}{50}+\dfrac{3}{50}+\dfrac{2}{50}=\dfrac{9}{50}$

(세 사람이 함께 2일 동안 한 일의 양)

$=\dfrac{9}{50}+\dfrac{9}{50}=\dfrac{18}{50}$

(안나와 근우가 함께 하루 동안 한 일의 양)

$=\dfrac{4}{50}+\dfrac{3}{50}=\dfrac{7}{50}$

(근우와 정희가 함께 하루 동안 한 일의 양)

$=\dfrac{3}{50}+\dfrac{2}{50}=\dfrac{5}{50}$

(안나가 혼자 해야 하는 일의 양)

$=1-\dfrac{18}{50}-\dfrac{7}{50}-\dfrac{5}{50}=\dfrac{50}{50}-\dfrac{18}{50}-\dfrac{7}{50}-\dfrac{5}{50}$

$=\dfrac{20}{50}$

$\dfrac{20}{50}=\dfrac{4}{50}+\dfrac{4}{50}+\dfrac{4}{50}+\dfrac{4}{50}+\dfrac{4}{50}$이므로 나머지 일은 안나가 혼자 5일 동안 하면 끝낼 수 있습니다.

따라서 세 사람이 일을 시작한 지 $2+1+1+5=9$(일) 만에 끝낼 수 있습니다.

2 삼각형

20~21쪽

잘 틀리는 **실력 유형**

유형 01 50, 이등변

01 둔각삼각형, 이등변삼각형
02 직각삼각형, 이등변삼각형

유형 02 ④, 5

03 13개   04 17개

유형 03 ②, 4

05 8개   06 14개

07 ◯

08 예 왼쪽 또는 오른쪽으로 2칸 움직여야 합니다.

20쪽

01 (나머지 한 각의 크기)$=180°-35°-110°=35°$
➡ 삼각형의 세 각의 크기: $35°$, $110°$, $35°$
따라서 한 각이 둔각이므로 둔각삼각형이고, 두 각의
크기가 같으므로 이등변삼각형입니다.

왜 틀렸을까? 나머지 한 각의 크기인 $35°$를 구한 후 삼각형
의 세 각의 크기를 보고 삼각형의 이름이 될 수 있는 것을 모
두 써야 합니다.

주의
삼각형의 세 각 중 $110°$만 보고 둔각삼각형 한 개만 쓰지 않
도록 주의합니다.

02 (나머지 한 각의 크기)$=180°-90°-45°=45°$
➡ 삼각형의 세 각의 크기: $90°$, $45°$, $45°$
따라서 한 각이 직각이므로 직각삼각형이고, 두 각의
크기가 같으므로 이등변삼각형입니다.

왜 틀렸을까? 나머지 한 각의 크기인 $45°$를 구한 후 삼각형
의 세 각의 크기를 보고 삼각형의 이름이 될 수 있는 것을 모
두 써야 합니다.

주의
삼각형의 세 각 중 $90°$만 보고 직각삼각형 한 개만 쓰지 않
도록 주의합니다.

03

• 1개짜리: ①~⑨ ➡ 9개

• 4개짜리: ①②③④, ②⑤⑥⑦, ④⑦⑧⑨ ➡ 3개
• 9개짜리: ①②③④⑤⑥⑦⑧⑨ ➡ 1개
따라서 모두 $9+3+1=13$(개)입니다.

왜 틀렸을까? 삼각형 1개짜리, 4개짜리, 9개짜리로 나누어
찾은 후 모두 더해야 합니다.

04

• 1개짜리: ①~⑬ ➡ 13개
• 4개짜리: ③⑦⑧⑨, ②③④⑧, ⑥⑦⑧⑪,
⑧⑨⑩⑬ ➡ 4개
따라서 모두 $13+4=17$(개)입니다.

왜 틀렸을까? 삼각형 1개짜리, 4개짜리로 나누어 찾은 후 모
두 더해야 합니다.

21쪽

05

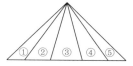

• 1개짜리: ③ ➡ 1개
• 2개짜리: ②③, ③④ ➡ 2개
• 3개짜리: ①②③, ②③④, ③④⑤ ➡ 3개
• 4개짜리: ①②③④, ②③④⑤ ➡ 2개
따라서 모두 $1+2+3+2=8$(개)입니다.

왜 틀렸을까? 삼각형 1개짜리, 2개짜리, 3개짜리, 4개짜리
로 나누어 찾은 후 모두 더해야 합니다.

06

• 1개짜리: ①, ②, ⑤, ⑥ ➡ 4개
• 2개짜리: ①②, ⑤⑥ ➡ 2개
• 3개짜리: ②③④, ③④⑤ ➡ 2개
• 4개짜리: ①②③④, ②③④⑤, ③④⑤⑥ ➡ 3개
• 5개짜리: ①②③④⑤, ②③④⑤⑥ ➡ 2개
• 6개짜리: ①②③④⑤⑥ ➡ 1개
따라서 모두 $4+2+2+3+2+1=14$(개)입니다.

왜 틀렸을까? 삼각형 1개짜리, 2개짜리, 3개짜리, 4개짜리,
5개짜리, 6개짜리로 나누어 찾은 후 모두 더해야 합니다.

07 색종이에 그린 두 변의 길이는 색종이의 한 변의 길이
와 같으므로 만든 삼각형은 세 변의 길이가 같은 정삼
각형입니다.

08 서술형 가이드 한 각이 둔각이 되도록 움직인 방법을 바르게 설명했는지 확인합니다.

채점 기준

상	방법을 바르게 설명함.
중	방법을 설명했지만 미흡함.
하	방법을 설명하지 못함.

참고

다음과 같이 ㉠에 있는 고무줄을 왼쪽 또는 오른쪽으로 2칸 움직이면 둔각삼각형이 됩니다.

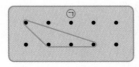 

다음과 같이 ㉠에 있는 고무줄을 왼쪽 또는 오른쪽으로 1칸 움직이면 직각삼각형이 됩니다.

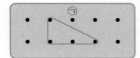 

다르지만 같은 유형

22~23쪽

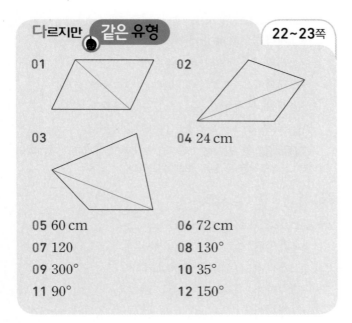

01

02

03

04 24 cm

05 60 cm   06 72 cm

07 120   08 130°

09 300°   10 35°

11 90°   12 150°

22쪽

01~03 핵심

예각삼각형과 둔각삼각형이 무엇인지 알고 있어야 합니다.

01 (×) ➡ 둔각삼각형이 2개 만들어집니다.

02 (×) ➡ 예각삼각형이 2개 만들어집니다.

03 (×) ➡ 예각삼각형이 2개 만들어집니다.

04~06 핵심

만든 도형의 둘레에 정삼각형의 한 변이 몇 개 있는지 알 수 있어야 합니다.

04 만든 도형의 둘레에는 정삼각형의 한 변이 8개 있습니다.

➡ $3 \times 8 = 24$ (cm)

05 도형을 만들면 다음과 같습니다.

만든 도형의 둘레에는 정삼각형의 한 변이 12개 있습니다.

➡ $5 \times 12 = 60$ (cm)

06 정삼각형을 만들면 오른쪽과 같습니다.
만든 정삼각형의 둘레에는 처음 정삼각형의 한 변이 9개 있습니다.

➡ $8 \times 9 = 72$ (cm)

23쪽

07~09 핵심

일직선은 180°임을 이용할 수 있어야 합니다.

07 정삼각형의 한 각의 크기는 60°이므로
(각 ㄱㄷㄴ)=60°입니다.
일직선은 180°이므로 $\square° = 180° - 60° = 120°$입니다.

08 이등변삼각형은 두 각의 크기가 같으므로
(각 ㄱㄷㄴ)=(각 ㄱㄴㄷ)=50°입니다.
일직선은 180°이므로 ㉠=180°－50°=130°입니다.

09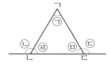

정삼각형의 한 각의 크기는 60°이므로
㉠=㉣=㉤=60°입니다.
일직선은 180°이므로
㉡=180°－60°=120°, ㉢=180°－60°=120°입니다.
따라서 ㉠＋㉡＋㉢=60°＋120°＋120°=300°입니다.

10~12 핵심
이등변삼각형은 두 각의 크기가 같음을 이용할 수 있어야 합니다.

10 (각 ㄱㄴㄷ)+(각 ㄱㄷㄴ)=180°−110°=70°이고
(각 ㄱㄴㄷ)=(각 ㄱㄷㄴ)이므로
(각 ㄱㄴㄷ)=70°÷2=35°입니다.

11 일직선은 180°이므로
(각 ㄱㄴㄷ)=180°−135°=45°입니다.
(각 ㄱㄷㄴ)=(각 ㄱㄴㄷ)=45°이므로
(각 ㄴㄱㄷ)=180°−45°−45°=90°입니다.

12 (각 ㄱㄴㄷ)=(각 ㄱㄷㄴ)=40°이므로
(각 ㄴㄱㄷ)=180°−40°−40°=100°입니다.
(각 ㄱㄷㄹ)=(각 ㄱㄹㄷ)=65°이므로
(각 ㄷㄱㄹ)=180°−65°−65°=50°입니다.
➡ (각 ㄴㄱㄹ)=(각 ㄴㄱㄷ)+(각 ㄷㄱㄹ)
=100°+50°=150°

응용유형 **24~27쪽**

01 13 cm	02 110°	03 100°
04 12개	05 75°	06 85°
07 18 cm	08 30 cm	09 10 cm
10 130°	11 40°	12 130°
13 24 cm	14 10개	15 85°
16 5가지	17 93°	18 32개

24쪽

01
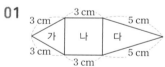

(정삼각형 가의 한 변의 길이)=9÷3=3 (cm),
(이등변삼각형 다의 짧은 변의 길이)
=(정사각형 나의 한 변의 길이)
=(정삼각형 가의 한 변의 길이)=3 cm
➡ (이등변삼각형 다의 세 변의 길이의 합)
=3+5+5=13 (cm)

02 (각 ㄱㄴㄷ)+(각 ㄱㄷㄴ)=180°−40°=140°,
(각 ㄱㄴㄷ)=(각 ㄱㄷㄴ)이므로
(각 ㄱㄷㄴ)=140°÷2=70°입니다.
➡ ㉠=180°−70°=110°

03 (각 ㅁㄷㄴ)=90°−50°=40°,
(각 ㅁㄴㄷ)=(각 ㅁㄷㄴ)=40°
➡ (각 ㄴㅁㄷ)=180°−40°−40°=100°

25쪽

04
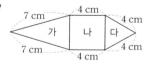

・1개짜리: ②, ③, ⑥, ⑦, ⑩, ⑪, ⑭, ⑮ ➡ 8개
・4개짜리: ③④⑤⑦, ⑪⑫⑬⑮, ②④⑤⑥, ⑩⑫⑬⑭
➡ 4개
따라서 모두 8+4=12(개)입니다.

05 삼각형 ㄱㄴㄷ은 세 변의 길이가 같은 정삼각형입니다.
➡ (각 ㄱㄷㄴ)=60°
삼각형 ㄹㄷㅁ은 두 변의 길이가 같은 이등변삼각형입니다.
➡ (각 ㄹㄷㅁ)+(각 ㄷㄹㅁ)=180°−90°=90°이고,
(각 ㄹㄷㅁ)=(각 ㄷㄹㅁ)이므로
(각 ㄹㄷㅁ)=90°÷2=45°입니다.
따라서 ㉠=180°−60°−45°=75°입니다.

06 삼각형 ㄱㄴㄷ은 정삼각형이므로 (각 ㄱㄷㄴ)=60°입니다.
(각 ㅁㄷㄹ)+(각 ㅁㄹㄷ)=180°−130°=50°이고,
(각 ㅁㄷㄹ)=(각 ㅁㄹㄷ)이므로
(각 ㅁㄷㄹ)=50°÷2=25°입니다.
삼각형 ㅂㄴㄷ에서
(각 ㄴㅂㄷ)=180°−25°−60°=95°입니다.
➡ (각 ㅁㅂㄷ)=180°−95°=85°

26쪽

07
7 cm, 4 cm, 4 cm, 7 cm, 4 cm, 4 cm
가 나 다

(정삼각형 다의 한 변의 길이)=12÷3=4 (cm),
(이등변삼각형 가의 짧은 변의 길이)
=(정사각형 나의 한 변의 길이)
=(정삼각형 다의 한 변의 길이)=4 cm
➡ (이등변삼각형 가의 세 변의 길이의 합)
=7+7+4=18 (cm)

08 문제 분석

08 ❶이등변삼각형 ㄴㄷㄹ의 세 변의 길이의 합은 24 cm입니다. / ❷정삼각형 ㄱㄴㄹ의 세 변의 길이의 합은 몇 cm입니까?

❶ (변 ㄴㄷ)=(변 ㄷㄹ)임을 이용하여 변 ㄴㄹ의 길이를 구합니다.
❷ (정삼각형의 세 변의 길이의 합)=❶×3

❶(변 ㄴㄷ)=(변 ㄷㄹ)=7 cm,
(변 ㄴㄹ)=24−7−7=10 (cm)
❷따라서 삼각형 ㄱㄴㄹ은 한 변의 길이가 10 cm인 정삼각형이므로 세 변의 길이의 합은 10×3=30 (cm)입니다.

09 문제 분석

09 ❶세 변의 길이의 합이 이등변삼각형 ㄱㄴㄷ과 같은 정삼각형을 그리려고 합니다. / ❷정삼각형의 한 변의 길이를 몇 cm로 하면 됩니까?

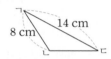

❶ 이등변삼각형은 두 변의 길이가 같음을 이용하여 이등변삼각형 ㄱㄴㄷ의 세 변의 길이의 합을 구합니다.
❷ (정삼각형의 한 변의 길이)=❶÷3

❶이등변삼각형은 두 변의 길이가 같으므로
(변 ㄴㄷ)=(변 ㄱㄴ)=8 cm입니다.
(이등변삼각형 ㄱㄴㄷ의 세 변의 길이의 합)
=8+8+14=30 (cm)
❷➡ (정삼각형의 한 변의 길이)=30÷3=10 (cm)

10 (각 ㄱㄴㄷ)+(각 ㄱㄷㄴ)=180°−80°=100°이고,
(각 ㄱㄴㄷ)=(각 ㄱㄷㄴ)이므로
(각 ㄱㄷㄴ)=100°÷2=50°입니다.
➡ ㉠=180°−50°=130°

11 사각형 ㄱㄴㄷㄹ은 직사각형이므로
(각 ㄴㄷㄹ)=90°이고,
(각 ㄴㄷㅁ)=90°−20°=70°입니다.
(각 ㄱㄴㅁ)=(각 ㄴㄷㅁ)=70°
➡ (각 ㄱㅁㄴ)=180°−70°−70°=40°

12 문제 분석

12 ❶삼각형 ㄱㄴㄷ은 이등변삼각형이고, / ❷삼각형 ㄱㄷㄹ은 정삼각형입니다. / ❸각 ㄴㄱㄹ의 크기는 몇 도입니까?

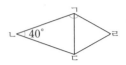

❶ 이등변삼각형은 두 각의 크기가 같음을 이용하여 각 ㄴㄱㄷ의 크기를 구합니다.
❷ 정삼각형의 한 각의 크기는 60°임을 이용하여 각 ㄷㄱㄹ의 크기를 구합니다.
❸ (각 ㄴㄱㄹ)=(각 ㄴㄱㄷ)+(각 ㄷㄱㄹ)을 계산합니다.

❶(각 ㄴㄱㄷ)+(각 ㄴㄷㄱ)=180°−40°=140°이고,
(각 ㄴㄱㄷ)=(각 ㄴㄷㄱ)이므로
(각 ㄴㄱㄷ)=140°÷2=70°입니다.
❷삼각형 ㄱㄷㄹ은 정삼각형이므로 (각 ㄷㄱㄹ)=60°입니다.
❸➡ (각 ㄴㄱㄹ)=(각 ㄴㄱㄷ)+(각 ㄷㄱㄹ)
=70°+60°=130°

27쪽

13 문제 분석

13 ❶다음과 같은 규칙으로 똑같은 정삼각형 12개를 변끼리 이어 붙여 도형을 만들었습니다. / ❷만든 도형의 둘레가 192 cm일 때 / ❸가장 작은 정삼각형의 세 변의 길이의 합은 몇 cm입니까?

❶ 정삼각형을 이어 붙인 규칙을 이용하여 도형을 만듭니다.
❷ ❶에서 만든 도형의 둘레는 정삼각형의 한 변이 몇 개 모인 것과 같음을 이용하여 정삼각형의 한 변의 길이를 구합니다.
❸ (정삼각형의 세 변의 길이의 합)=❷×3

❶규칙에 따라 도형을 만들면 다음과 같습니다.

❷도형의 둘레는 정삼각형의 한 변이 24개 모인 것과 같으므로
(도형의 둘레)=(한 변의 길이)×24=192 (cm)이고,
(한 변의 길이)=192÷24=8 (cm)입니다.
❸➡ (정삼각형의 세 변의 길이의 합)
=8×3=24 (cm)

14

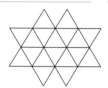

- 1개짜리: ⑤, ⑧, ⑮, ⑱ ➡ 4개
- 2개짜리: ②⑩, ③⑪, ⑫⑳, ⑬㉑ ➡ 4개
- 3개짜리: ⑧⑦⑭, ⑨⑯⑮ ➡ 2개

따라서 모두 4+4+2=10(개)입니다.

15 삼각형 ㄱㄴㄷ은 세 변의 길이가 같은 정삼각형입니다.

➡ (각 ㄱㄷㄴ)=60°

삼각형 ㄹㄷㅁ은 두 변의 길이가 같은 이등변삼각형
입니다.

➡ (각 ㄹㄷㅁ)+(각 ㄷㄹㅁ)=180°−110°=70°

이고, (각 ㄹㄷㅁ)=(각 ㄷㄹㅁ)이므로

(각 ㄹㄷㅁ)=70°÷2=35°입니다.

따라서 ㉠=180°−60°−35°=85°입니다.

16 문제 분석

16❶ 민준이는 길이가 1 cm인 수수깡 21개를 꿰어 팔찌 1개를
만들었습니다. 이 팔찌 1개를 가지고 만들 수 있는 이등변삼
각형은 / ❷모두 몇 가지입니까? (단, 수수깡을 구부리지 않
습니다.)

❶ 한 변의 길이가 1 cm, 2 cm, 3 cm……일 때 이등변삼각형
이 만들어지는 경우는 각각 몇 가지인지 구합니다.
❷ ❶에서 찾은 가짓수를 모두 더합니다.

❶ • 한 변의 길이가 1 cm일 때:

(1 cm, 10 cm, 10 cm) ➡ 1가지

- 한 변의 길이가 2 cm일 때: 없음.
- 한 변의 길이가 3 cm일 때:

(3 cm, 9 cm, 9 cm) ➡ 1가지

- 한 변의 길이가 4 cm일 때: 없음.
- 한 변의 길이가 5 cm일 때:

(5 cm, 8 cm, 8 cm) ➡ 1가지

- 한 변의 길이가 6 cm일 때:

(6 cm, 6 cm, 9 cm) ➡ 1가지

- 한 변의 길이가 7 cm일 때:

(7 cm, 7 cm, 7 cm) ➡ 1가지

❷따라서 모두 1+1+1+1+1=5(가지)입니다.

17 (각 ㄴㄱㄷ)+(각 ㄴㄷㄱ)=180°−90°=90°이고,

(각 ㄴㄱㄷ)=(각 ㄴㄷㄱ)이므로

(각 ㄴㄷㄱ)=90°÷2=45°입니다.

(각 ㅁㄴㄹ)+(각 ㅁㄹㄴ)=180°−84°=96°이고,

(각 ㅁㄴㄹ)=(각 ㅁㄹㄴ)이므로

(각 ㅁㄴㄹ)=96°÷2=48°입니다.

삼각형 ㅂㄴㄷ에서

(각 ㄴㅂㄷ)=180°−45°−48°=87°입니다.

➡ (각 ㅁㅂㄷ)=180°−87°=93°

18 문제 분석

18❶ 똑같은 정삼각형 18개를 변끼리 이어 붙여 만든 다음 도형에
서 찾을 수 있는 크고 작은 정삼각형은 / ❷모두 몇 개입니까?

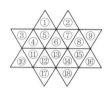

❶ 가장 작은 정삼각형 1개짜리, 4개짜리, 9개짜리로 나누어 찾습
니다.
❷ ❶에서 찾은 정삼각형의 수를 모두 더합니다.

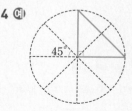

❶ • 1개짜리: ①~⑱ ➡ 18개

- 4개짜리: ①④⑤⑥, ②⑥⑦⑧, ④⑩⑪⑫,

⑥⑫⑬⑭, ⑧⑭⑮⑯, ③④⑤⑪,

⑤⑥⑦⑬, ⑦⑧⑨⑮, ⑪⑫⑬⑰,

⑬⑭⑮⑱ ➡ 10개

- 9개짜리: ①④⑤⑥⑩⑪⑫⑬⑭,

②⑥⑦⑧⑫⑬⑭⑮⑯,

③④⑤⑥⑦⑪⑫⑬⑰,

⑤⑥⑦⑧⑨⑬⑭⑮⑱ ➡ 4개

❷따라서 모두 18+10+4=32(개)입니다.

🐱 **사고력 유형** 28~29쪽

1 둔각삼각형, 직각삼각형, 예각삼각형

2 ①, ②, ③   **3** 30 cm

4 예

(45° 원 도형)

; 직각삼각형, 이등변삼각형

28쪽

1 • 90°보다 큰 각이 있는 삼각형
→ 한 각이 둔각인 삼각형 ➡ ㉠ 둔각삼각형
• 90°보다 큰 각이 없고, 90°인 각이 있는 삼각형
→ 한 각이 직각인 삼각형 ➡ ㉡ 직각삼각형
• 90°보다 큰 각이 없고, 90°인 각도 없는 삼각형
→ 세 각이 모두 예각인 삼각형 ➡ ㉢ 예각삼각형

2 두 원의 크기가 같고 삼각형의 세 변은 원의 반지름이
므로 (변 ㄱㄴ)=(변 ㄴㄷ)=(변 ㄷㄱ)입니다.
➡ 세 변의 길이가 모두 같으므로 삼각형 ㄱㄴㄷ은
정삼각형입니다.
정삼각형은 이등변삼각형이라고 할 수 있고, 세 각이
모두 60°로 예각이므로 예각삼각형입니다.

29쪽

3 펼친 삼각형의 두 각의 크기가 각각 60°이므로 나머
지 한 각의 크기는 180°−60°−60°=60°입니다.
따라서 한 변의 길이가 10 cm인 정삼각형이므로 세
변의 길이의 합은 10×3=30 (cm)입니다.

4 45°짜리 각도가 2개이면 90°입니다.
(남은 두 각의 크기의 합)=180°−90°=90°,
(남은 한 각의 크기)=90°÷2=45°
➡ 이 삼각형의 세 각의 크기는 90°, 45°, 45°입니다.
따라서 한 각이 직각이므로 직각삼각형이고, 두 각의
크기가 같으므로 이등변삼각형입니다.

도전! 최상위 유형 30~31쪽

1 20개   **2** 150°
3 80°   **4** 11개

30쪽

1

• 1개짜리: ②, ④, ⑥, ⑧, ⑩ ➡ 5개
• 2개짜리: ①②, ②③, ③⑥, ⑥⑪, ⑪⑩, ⑩⑨,
⑨⑧, ⑧⑦, ⑦④, ④① ➡ 10개

• 5개짜리: ①②④⑤⑩, ②③⑤⑥⑧, ④⑤⑥⑩⑪,
②⑤⑧⑨⑩, ④⑤⑥⑦⑧ ➡ 5개
따라서 모두 5+10+5=20(개)입니다.

2 • (각 ㄴㄱㅁ)=60°이므로
(각 ㄹㄱㅁ)=90°−60°=30°입니다.
(변 ㄱㄹ)=(변 ㄱㅁ)이므로 삼각형 ㄱㅁㄹ은 이등
변삼각형입니다.
(각 ㄱㄹㅁ)+(각 ㄱㅁㄹ)=180°−30°=150°이고
(각 ㄱㄹㅁ)=(각 ㄱㅁㄹ)이므로
(각 ㄱㄹㅁ)=150°÷2=75°입니다.
➡ (각 ㅁㄹㄷ)=90°−75°=15°
• (각 ㅁㄴㄱ)=60°이므로
(각 ㅁㄴㄷ)=90°−60°=30°입니다.
(변 ㄴㄷ)=(변 ㄴㅁ)이므로 삼각형 ㄴㅁㄷ은 이등
변삼각형입니다.
(각 ㄴㄷㅁ)+(각 ㄴㅁㄷ)=180°−30°=150°이고
(각 ㄴㄷㅁ)=(각 ㄴㅁㄷ)이므로
(각 ㄴㄷㅁ)=150°÷2=75°입니다.
➡ (각 ㅁㄷㄹ)=90°−75°=15°
따라서 (각 ㄹㅁㄷ)=180°−15°−15°=150°입니다.

31쪽

3 삼각형 ㅁㄷㄹ에서 (각 ㅁㄷㄹ)=(각 ㅁㄹㄷ)=20°
이므로 (각 ㄷㅁㄹ)=180°−20°−20°=140°입니다.
(각 ㄷㅁㅂ)=180°−140°=40°이고,
삼각형 ㅂㄷㅁ에서 (각 ㄷㅂㅁ)=(각 ㄷㅁㅂ)=40°
이므로 (각 ㅂㄷㅁ)=180°−40°−40°=100°입니다.
(각 ㅂㄷㄴ)=180°−100°−20°=60°이고,
삼각형 ㅂㄷㄴ에서 (각 ㅂㄷㄴ)=(각 ㅂㄴㄷ)=60°
이므로 (각 ㄴㅂㄷ)=180°−60°−60°=60°입니다.
따라서 (각 ㄱㅂㄴ)=180°−60°−40°=80°입니다.

4
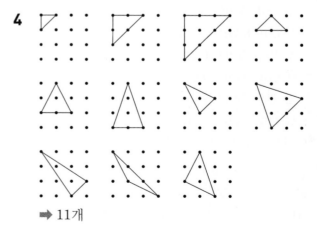

➡ 11개

3 소수의 덧셈과 뺄셈

잘 틀리는 **실력**유형   34~35쪽

유형 01 1, 2, 3 ; 6, 7, 8, 9

01 0, 1, 2, 3   **02** 6, 7, 8, 9

03 3, 4, 5, 6, 7

유형 02 1.24, 3.93

04 3.79 kg   **05** 0.26 m

06 컵 ㉮

유형 03 1, 1

07 (위에서부터) 9, 0, 3   **08** 5.48, 7.68

09 1, 4, 2   **10** 4.8 km

11 2.3 km

34쪽

01 28.9 3̅4̅ > 28.9 □1̅   (같음)

34 > □1이어야 하므로

□ 안에 들어갈 수 있는 수는 0, 1, 2, 3입니다.

왜 틀렸을까? 34 > □1임을 이용하여 □ 안에 들어갈 수 있는 수를 모두 구했는지 확인합니다.

주의

소수 둘째 자리 수만 비교하여 □ 안에 들어갈 수가 3보다 작은 수라고 생각하면 안 됩니다.

02 4.0 5̅6̅ < 4.0 □2̅   (같음)

56 < □2이어야 하므로

□ 안에 들어갈 수 있는 수는 6, 7, 8, 9입니다.

왜 틀렸을까? 56 < □2임을 이용하여 □ 안에 들어갈 수 있는 수를 모두 구했는지 확인합니다.

03 42.295 < 42.□87 ➡ 295 < □87이어야 하므로 □ 안에 들어갈 수 있는 수는 3, 4, 5, 6, 7, 8, 9입니다.

42.□87 < 42.788 ➡ □87 < 788이어야 하므로 □ 안에 들어갈 수 있는 수는 0, 1, 2, 3, 4, 5, 6, 7입니다.

두 가지 크기 비교를 모두 만족해야 하므로 □ 안에 들어갈 수 있는 수는 3, 4, 5, 6, 7입니다.

왜 틀렸을까? 42.295 < 42.□87과 42.□87 < 42.788로 나누어 두 조건의 □ 안에 공통으로 들어가는 수를 구해야 합니다.

04 170 g = 0.17 kg ➡ 3.62 + 0.17 = 3.79 (kg)

왜 틀렸을까? 1 g = 0.001 kg임을 이용하여 170 g을 kg으로 나타내어 계산해야 합니다.

05 미연이의 키는 149 cm = 1.49 m입니다.

따라서 현철이는 미연이보다 키가

1.75 − 1.49 = 0.26 (m) 더 큽니다.

왜 틀렸을까? 1 cm = 0.01 m임을 이용하여 149 cm를 m로 나타내어 계산해야 합니다.

06 470 mL = 0.47 L ➡ ㉮ 0.57 + 0.47 = 1.04 (L),

640 mL = 0.64 L ➡ ㉯ 0.38 + 0.64 = 1.02 (L)

따라서 1.04 > 1.02이므로 컵 ㉮에 물이 더 많이 들어 있습니다.

왜 틀렸을까? 1 mL = 0.001 L임을 이용하여 470 mL와 640 mL를 L로 나타내어 계산해야 합니다.

35쪽

07

```
  ㉠ . ㉡  8
−   3 . 2  ㉢
─────────
  5 . 8  5
```

8 − ㉢ = 5이므로 ㉢ = 3,

10 + ㉡ − 2 = 8이므로 ㉡ = 0,

㉠ − 1 − 3 = 5이므로 ㉠ = 9입니다.

왜 틀렸을까? 소수점의 자리를 맞추어 받아내림한 수를 생각하며 계산합니다.

08

```
    5 . ㉠  8
+   ㉡ . 6  ㉢
─────────
  1 3 . 1  6
```

8 + ㉢ = 16이므로 ㉢ = 8,

1 + ㉠ + 6 = 11이므로 ㉠ = 4,

1 + 5 + ㉡ = 13이므로 ㉡ = 7입니다.

➡ 두 소수는 5.48과 7.68입니다.

왜 틀렸을까? 소수점의 자리를 맞추어 받아올림한 수를 생각하며 계산합니다.

09

```
  5 . ㉠
− 2 . 7  ㉡
─────────
  ㉢ . 3  6
```

10 − ㉡ = 6이므로 ㉡ = 4,

10 + ㉠ − 1 − 7 = 3이므로 ㉠ = 1,

5 − 1 − 2 = ㉢이므로 ㉢ = 2입니다.

왜 틀렸을까? 소수점의 자리를 맞추어 받아내림한 수를 생각하며 계산합니다.

10 두 사람 사이의 거리는 군산오름 정상부에서 안덕계곡까지의 거리와 안덕계곡에서 창고천 다리까지의 거리를 더합니다.

➡ 2.4 + 2.4 = 4.8 (km)

11 (이동한 거리) = 4.7 + 2.4 + 2.4

= 7.1 + 2.4 = 9.5 (km)

➡ (이동해야 할 거리) = (전체 거리) − (이동한 거리)

= 11.8 − 9.5 = 2.3 (km)

다르지만 같은 유형

01 516

02 0.875

03 (예) 어떤 수의 $\frac{1}{10}$이 4.093이므로 어떤 수는 4.093의 10배인 40.93입니다. 따라서 어떤 수를 10배 한 수는 40.93의 10배인 409.3입니다.
; 409.3

04 10.09

05 4.95

06 (예) 만들 수 있는 소수 한 자리 수 중 가장 큰 수는 96.1이고 가장 작은 수는 16.9입니다.
따라서 두 수의 차는 96.1−16.9=79.2입니다.
; 79.2

07 13.7 cm

08 1.7 km

09 (예) 노란색 테이프의 길이를 ☐ m라고 하면
두 색 테이프를 더한 길이는 2.8+☐=6.38+0.75 입니다.
➡ 2.8+☐=7.13, ☐=7.13−2.8, ☐=4.33
; 4.33 m

10 2.7

11 2.35

12 5.23

36쪽

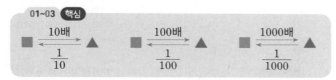

01 어떤 수의 $\frac{1}{10}$이 0.516이므로 어떤 수는 0.516의 10배인 5.16입니다.
따라서 5.16의 100배는 516입니다.

02 보라가 생각한 수는 875의 $\frac{1}{10}$이므로 87.5입니다.
➡ 87.5의 $\frac{1}{100}$은 0.875입니다.

03 서술형 가이드 잘못 구한 과정을 보고 어떤 수를 구한 다음 10배 하는 과정이 들어 있는지 확인합니다.

채점 기준

상	어떤 수를 구한 다음 10배 한 수를 바르게 구함.
중	어떤 수를 구했으나 10배 한 수가 틀림.
하	소수 사이의 관계를 몰라 어떤 수를 구하지 못함.

4장의 카드를 한 번씩 모두 사용하여 만들 수 있는 소수 두 자리 수는 ☐.☐☐이고 소수 한 자리 수는 ☐☐.☐입니다.

04 가장 큰 소수 두 자리 수: 7.52
가장 작은 소수 두 자리 수: 2.57
➡ 7.52+2.57=10.09

05 가장 큰 소수 두 자리 수: 8.43
가장 작은 소수 두 자리 수: 3.48
➡ 8.43−3.48=4.95

06 서술형 가이드 가장 큰 소수 한 자리 수와 가장 작은 소수 한 자리 수를 알아보고 차를 구하는 과정이 들어 있는지 확인합니다.

채점 기준

상	두 소수를 만들어 차를 바르게 구함.
중	두 소수를 만들었으나 계산 과정에서 실수를 함.
하	두 소수를 잘못 만듦.

주의
만들어야 하는 소수는 소수 한 자리 수이므로 ☐☐.☐ 형태로 만들어야 합니다. ☐.☐☐와 같이 소수 두 자리 수를 만들지 않도록 주의합니다.

37쪽

(겹치는 부분이 있는 전체 길이)
=(각각의 길이의 합)−(겹치는 부분의 길이)

07 두 색 테이프의 길이의 합에서 겹친 부분의 길이를 뺍니다.
➡ 8.4+7.8=16.2 (cm), 16.2−2.5=13.7 (cm)

08 (학교에서 병원까지의 거리)
=(도연이네 집에서 병원까지의 거리)
+(학교에서 기차역까지의 거리)
−(도연이네 집에서 기차역까지의 거리)
➡ 3.44+4.28=7.72 (km),
7.72−6.02=1.7 (km)

09 서술형 가이드 파란색 테이프와 노란색 테이프의 길이의 합을 구하는 식을 세워 풀었는지 확인합니다.

채점 기준

상	두 색 테이프의 길이의 합을 구하는 식을 세워 노란색 테이프의 길이를 바르게 구함.
중	두 색 테이프의 길이의 합을 구하는 식을 세웠으나 계산 과정에서 실수를 함.
하	두 색 테이프의 길이의 합을 구하는 식을 세우지 못함.

10~12 핵심

부등호(>, <)가 있는 식은 등호(=)로 바꾸어 생각해 본 다음
조건에 알맞은 수를 구합니다.

10 4.9+□=7.5라고 하면 □=7.5-4.9=2.6입니다.
4.9+□가 7.5보다 크려면 □ 안의 수는 2.6보다 커
야 합니다.

➡ □ 안에 들어갈 수 있는 가장 작은 소수 한 자리 수
는 2.7입니다.

11 □+1.48=3.84라고 하면 □=3.84-1.48=2.36입
니다.

□+1.48이 3.84보다 작으려면 □ 안의 수는 2.36보
다 작아야 합니다.

➡ □ 안에 들어갈 수 있는 가장 큰 소수 두 자리 수는
2.35입니다.

12 8.72-□=3.48이라고 하면 □=8.72-3.48=5.24
입니다.

8.72-□가 3.48보다 크려면 □ 안의 수는 5.24보다
작아야 합니다.

➡ □ 안에 들어갈 수 있는 가장 큰 소수 두 자리 수
는 5.23입니다.

응용 유형

38~41쪽

01 0.04	**02** 0, 6, 9
03 9.55	**04** 0.08
05 9.3	**06** 5
07 1000배	**08** 4.06, 사 점 영육
09 0.009	**10** 7.45
11 9, 4, 0	**12** ㉢, ㉠, ㉣, ㉡
13 7.43	
14 2.358, 2.538, 3.258, 3.528, 5.238, 5.328	
15 0.007	**16** 28.07
17 20.67	**18** 4

38쪽

01 8>5>4>2이므로 가장 큰 소수 세 자리 수는
8.542입니다.

➡ 8.542에서 4는 소수 둘째 자리 숫자이므로 0.04를
나타냅니다.

02 ㉡.184는 두 수 사이에 있는 수이므로 ㉡=6입니다.
6.㉠96<6.184이므로 ㉠=0이고,
6.184<6.1㉢2이므로 ㉢=9입니다.

03 ㉠ 1이 5개이면 5, 0.1이 9개이면 0.9, 0.01이 7개이
면 0.07이므로 5.97입니다.

㉡ 1이 3개이면 3, $\frac{1}{10}$(0.1)이 5개이면 0.5,
$\frac{1}{100}$(0.01)이 8개이면 0.08이므로 3.58입니다.

➡ 5.97+3.58=9.55

39쪽

04 어떤 수를 10배 한 수가 384이므로 어떤 수는 384의
$\frac{1}{10}$인 38.4이고, 38.4의 $\frac{1}{100}$은 0.384입니다.

➡ 0.384에서 8은 소수 둘째 자리 숫자이므로 0.08을
나타냅니다.

05 어떤 수를 □라고 하면 14.57+□=19.84이므로
□=19.84-14.57=5.27입니다.
따라서 바르게 계산하면 14.57-5.27=9.3입니다.

06 12.54-★=6.88이라고 하면
★=12.54-6.88=5.66입니다.
5.□8이 5.66보다 작아야 12.54-5.□8>6.88을
만족하므로 5.□8의 □ 안에 들어갈 수 있는 수는
0, 1, 2, 3, 4, 5입니다.
따라서 □ 안에 들어갈 수 있는 가장 큰 수는 5입니다.

40쪽

07 문제 분석

07 다음 소수에서 ❶㉠이 나타내는 수는 / ❷㉡이 나타내는 수의 /
❸몇 배입니까?

```
19.049
 ↑   ↑
 ㉠   ㉡
```

❶ 일의 자리 숫자가 나타내는 수를 구합니다.
❷ 소수 셋째 자리 숫자가 나타내는 수를 구합니다.
❸ ❶에서 구한 수는 ❷에서 구한 수의 몇 배인지 알아봅니다.

❶㉠은 일의 자리 숫자이므로 9를 나타내고, ❷㉡은 소수
셋째 자리 숫자이므로 0.009를 나타냅니다.
❸➡ 9는 0.009를 1000배 한 수입니다.

08 문제 분석

08 ④조건을 모두 만족하는 소수를 쓰고 읽어 보시오.

┌─조건─┐
- ❶소수 두 자리 수입니다.
- ❷4보다 크고 5보다 작습니다.
- ❸・소수 첫째 자리 숫자는 0입니다.
  ・소수 둘째 자리 숫자는 6입니다.

❶ 소수 두 자리 수를 □.△○라고 생각합니다.
❷ 소수의 자연수 부분을 구합니다.
❸ 소수 부분을 구하여 조건을 모두 만족하는 소수를 구합니다.
❹ ❸에서 구한 소수를 쓰고 읽습니다.

❶소수 두 자리 수를 □.△○라고 하면

❷ ・4보다 크고 5보다 작으므로 □=4입니다.

❸ ・소수 첫째 자리 숫자는 0이므로 △=0입니다.
   ・소수 둘째 자리 숫자는 6이므로 ○=6입니다.
따라서 조건을 모두 만족하는 소수는 4.06입니다.

❹➡ 4.06은 사 점 영육이라고 읽습니다.

09 3<6<7<9이므로 가장 작은 소수 세 자리 수는
3.679입니다.
➡ 3.679에서 9는 소수 셋째 자리 숫자이므로 0.009
를 나타냅니다.

참고
소수 세 자리 수 □.□□□에서 가장 작은 수를 만들려면 가
장 작은 수부터 차례로 일의 자리, 소수 첫째 자리, 소수 둘째
자리, 소수 셋째 자리에 놓습니다.

10 문제 분석

10 ❶㉮와 ㉯의 계산 결과가 같을 때 / ❷□ 안에 알맞은 수를 구
하시오.

㉮ 5.2+□   ㉯ 13.82−1.17

❶ ㉯의 계산 결과를 구합니다.
❷ ❶에서 구한 계산 결과와 덧셈과 뺄셈의 관계를 이용하여 □ 안
에 알맞은 수를 구합니다.

❶13.82−1.17=12.65이므로 5.2+□=12.65입니다.

❷➡ □=12.65−5.2, □=7.45

11 7.㉡18은 두 수 사이에 있는 수이므로 ㉡=4입니다.
7.41㉠>7.418이므로 ㉠=9이고,
7.418>7.4㉢9이므로 ㉢=0입니다.

12 문제 분석

12 ❶다음 소수 세 자리 수의 크기를 비교하여 / ❷큰 수부터 차례
로 기호를 쓰시오.

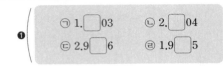
㉠ 1.□03   ㉡ 2.□04
㉢ 2.9□6   ㉣ 1.9□5

❶ 자연수 부분을 비교한 다음 □ 안에 0또는 9를 넣어 크기를 비
교합니다.
❷ 큰 수부터 차례로 기호를 씁니다.

❶자연수 부분을 비교하면 2>1이므로 ㉡과 ㉢이 더
큰 수이고 ㉠과 ㉣이 더 작은 수입니다.
㉡ 2.□04를 가장 크게 만들기 위해 □ 안에 9를 넣고,
㉢ 2.9□6을 가장 작게 만들기 위해 □ 안에 0을 넣
어도 2.904<2.906이므로 ㉡<㉢입니다.
또, ㉠ 1.□03을 가장 크게 만들기 위해 □ 안에 9를
넣고, ㉣ 1.9□5를 가장 작게 만들기 위해 □ 안에 0을
넣어도 1.903<1.905이므로 ㉠<㉣입니다.

❷➡ 큰 수부터 차례로 기호를 쓰면 ㉢, ㉡, ㉣, ㉠입니다.

41쪽

13 ㉠ 1이 2개이면 2, 0.1이 6개이면 0.6, 0.01이 4개이
면 0.04이므로 2.64입니다.

㉡ 1이 4개이면 4, $\frac{1}{10}$(0.1)이 7개이면 0.7,

$\frac{1}{100}$(0.01)이 9개이면 0.09이므로 4.79입니다.

➡ 2.64+4.79=7.43

14 문제 분석

14 ❶5장의 카드를 한 번씩 모두 사용하여 만들 수 있는 소수 세
자리 수 중에서 / ❷8이 0.008을 나타내는 수를 모두 구하
시오.

2 3 5 8 .

❶ 소수 세 자리 수를 □.□□□라고 생각합니다.
❷ 8이 0.008을 나타내므로 8은 소수 셋째 자리 숫자입니다.
➡ □.□□8

❶❷8이 0.008을 나타내므로 이 소수는 소수 셋째 자리
숫자가 8입니다.
따라서 일의 자리, 소수 첫째 자리, 소수 둘째 자리에
는 2, 3, 5를 놓고 소수 셋째 자리에는 8을 놓습니다.
➡ 2.358, 2.538, 3.258, 3.528, 5.238, 5.328

15 어떤 수를 100배 한 수가 5127이므로 어떤 수는 5127의 $\frac{1}{100}$인 51.27이고, 51.27의 $\frac{1}{10}$은 5.127입니다.

➡ 5.127에서 7은 소수 셋째 자리 숫자이므로 0.007을 나타냅니다.

참고

5.127
→ 일의 자리 숫자, 나타내는 수: 5
→ 소수 첫째 자리 숫자, 나타내는 수: 0.1
→ 소수 둘째 자리 숫자, 나타내는 수: 0.02
→ 소수 셋째 자리 숫자, 나타내는 수: 0.007

16 **문제 분석**

16 ❶5장의 카드 중에서 4장을 골라 한 번씩 모두 사용하여 소수를 만들려고 합니다. 만들 수 있는 둘째로 큰 소수 두 자리 수와 / ❷둘째로 작은 소수 한 자리 수의 / ❸차를 구하시오.

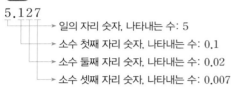

❶ 가장 큰 소수 두 자리 수를 만든 다음 이 수의 소수 둘째 자리 숫자를 바꾸어 둘째로 큰 소수 두 자리 수를 만듭니다.
❷ 가장 작은 소수 한 자리 수를 만든 다음 이 수의 소수 첫째 자리 숫자를 바꾸어 둘째로 작은 소수 한 자리 수를 만듭니다.
❸ ❶과 ❷에서 만든 수의 차를 구합니다.

❶ · 7>6>5>3이므로 가장 큰 소수 두 자리 수는 7.65이고 둘째로 큰 소수 두 자리 수는 소수 둘째 자리 숫자를 남은 수 3으로 바꾼 7.63입니다.

❷ · 3<5<6<7이므로 가장 작은 소수 한 자리 수는 35.6이고 둘째로 작은 소수 한 자리 수는 소수 첫째 자리 숫자를 남은 수 7로 바꾼 35.7입니다.

❸➡ 35.7−7.63=28.07

17 어떤 수를 □라고 하면 16.28−□=11.89이므로 □=16.28−11.89=4.39입니다.
따라서 바르게 계산하면 16.28+4.39=20.67입니다.

18 3.67+★=8.25라고 하면 ★=8.25−3.67=4.58입니다.
4.□9가 4.58보다 작아야 3.67+4.□9<8.25를 만족하므로 4.□9의 □ 안에 들어갈 수 있는 수는 0, 1, 2, 3, 4입니다.
따라서 □ 안에 들어갈 수 있는 가장 큰 수는 4입니다.

🐱 사고력 유형

42~43쪽

1 640.7   **2** 1.5
3 (위에서부터) 1.5, 2.6   **4** 3.04

42쪽

1 6◎4①0②7③

소수점 → 소수 첫째 자리 / 소수 둘째 자리 / 소수 셋째 자리

6◎4①0②7③을 현재의 소수로 쓰면 6.407입니다.
➡ 6.407을 100배 한 수는 640.7입니다.

2

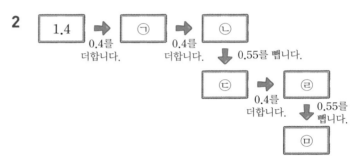

㉠ 1.4+0.4=1.8, ㉡ 1.8+0.4=2.2,
㉢ 2.2−0.55=1.65, ㉣ 1.65+0.4=2.05,
㉤ 2.05−0.55=1.5
따라서 ♥에 알맞은 값은 1.5입니다.

43쪽

3 위의 두 포도알에 쓰인 수의 합을 바로 아래에 쓰는 규칙입니다.

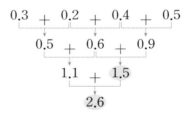

4 가=2.64, 나=3.7+2.64=6.34이므로 나는 6.72보다 크지 않습니다.
➡ 가+0.2=2.64+0.2=2.84,
나=3.7+2.84=6.54이므로 나는 6.72보다 크지 않습니다.
➡ 가+0.2=2.84+0.2=3.04,
나=3.7+3.04=6.74이므로 나는 6.72보다 큽니다.
따라서 가(3.04)를 출력합니다.

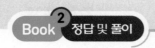

도전! 최상위 유형 44~45쪽

1 5.247 **2** 0.96
3 23가지 **4** 8.334

44쪽

1 5보다 작은 소수 세 자리 수 중에서 5에 가장 가까운 수는 4.752이므로 이 수와 5의 차는
5−4.752=0.248입니다.
5보다 큰 소수 세 자리 수 중에서 5에 가장 가까운 수는 5.247이므로 이 수와 5의 차는 5.247−5=0.247입니다.
0.248>0.247이므로 5에 가장 가까운 수는 5와의 차가 더 작은 수인 5.247입니다.

2 9.34−9.1=0.24, 9.1−8.86=0.24,
8.86−8.62=0.24이므로 0.24씩 작아지는 규칙으로 수를 늘어놓고 있습니다.
따라서 20번째 수는 16번째 수보다
0.24+0.24+0.24+0.24=0.96만큼 더 작으므로 두 수의 차는 0.96입니다.

45쪽

3 38.2ⓒ<3ⓒ.17이므로 ⓒ=9입니다.
• ㉠=0일 때 ⓒ은 1, 2, 3, 4, 5, 6, 7, 8, 9가 될 수 있습니다. ➡ 9가지
• ㉠=1일 때 ⓒ은 1, 2, 3, 4, 5, 6, 7, 8, 9가 될 수 있습니다. ➡ 9가지
• ㉠=2일 때 ⓒ은 5, 6, 7, 8, 9가 될 수 있습니다.
➡ 5가지
따라서 (㉠, ⓒ, ⓒ)은 모두 9+9+5=23(가지)입니다.

4 13.5의 $\frac{1}{100}$ 은 0.135이므로 소수 둘째 자리 숫자는 3입니다. ➡ □.□3□
소수 셋째 자리 숫자는 짝수이고, 이 수를 2배 한 수가 자연수 부분(한 자리 수)이어야 하므로 소수 셋째 자리 숫자는 2 또는 4입니다. ➡ 4.□32, 8.□34
소수 첫째 자리 숫자는 4보다 작으므로 0, 1, 2, 3이 될 수 있습니다.
따라서 조건을 모두 만족하는 수 중 가장 큰 수는 8.334입니다.

4 사각형

잘 틀리는 실력 유형 48~49쪽

유형 01 180, 50
01 65° **02** 140°
03 60°
유형 02 180, 50
04 70° **05** 45°
06 95°
유형 03 50, 40 ; 50, 40, 90
07 75° **08** 60°
09 평행사변형 ; 두 (또는 2), 평행
10 가

48쪽

01   평행선과 한 직선이 만날 때 생기는 같은 쪽의 각의 크기는 같습니다.
➡ □=65°

왜 틀렸을까? 평행선과 한 직선이 만날 때 생기는 같은 쪽의 각의 성질을 알고 있는지 확인합니다.

02 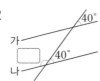 □=180°−40°=140°

왜 틀렸을까? 평행선과 한 직선이 만날 때 생기는 같은 쪽의 각의 성질과 일직선은 180°임을 알고 있는지 확인합니다.

03 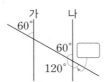 □=180°−120°=60°

왜 틀렸을까? 평행선과 한 직선이 만날 때 생기는 같은 쪽의 각의 성질과 일직선은 180°임을 알고 있는지 확인합니다.

04   평행선과 한 직선이 만날 때 생기는 반대쪽의 각의 크기는 같습니다.
➡ □=70°

왜 틀렸을까? 평행선과 한 직선이 만날 때 생기는 반대쪽의 각의 성질을 알고 있는지 확인합니다.

05

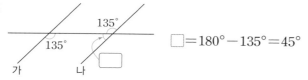

$\square = 180° - 135° = 45°$

왜 틀렸을까? 평행선과 한 직선이 만날 때 생기는 반대쪽의 각의 성질과 일직선은 180°임을 알고 있는지 확인합니다.

06

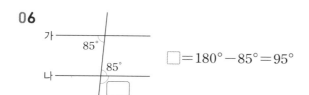

$\square = 180° - 85° = 95°$

왜 틀렸을까? 평행선과 한 직선이 만날 때 생기는 반대쪽의 각의 성질과 일직선은 180°임을 알고 있는지 확인합니다.

49쪽

07 다음과 같이 평행한 선을 긋습니다.

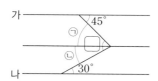

평행선과 한 직선이 만날 때 생기는 반대쪽의 각의 크기는 같으므로 ㉠=45°, ㉡=30°입니다.

➡ $\square = ㉠ + ㉡ = 45° + 30° = 75°$

왜 틀렸을까? 평행선을 긋고, 평행선과 한 직선이 만날 때 생기는 반대쪽의 각의 성질을 이용하였는지 확인합니다.

다른 풀이

오른쪽과 같이 평행선 사이에 수선을 그어서 만든 사각형의 네 각의 크기의 합은 360°입니다.

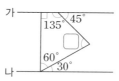

$90° + 135° + \square + 60° = 360°$, $\square + 285° = 360°$,
$\square = 360° - 285°$, $\square = 75°$

08 다음과 같이 평행한 선을 긋습니다.

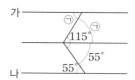

평행선과 한 직선이 만날 때 생기는 반대쪽의 각의 크기는 같으므로 ㉠+55°=115°입니다.

➡ $㉠ = 115° - 55° = 60°$

왜 틀렸을까? 평행선을 긋고, 평행선과 한 직선이 만날 때 생기는 반대쪽의 각의 성질을 이용하였는지 확인합니다.

다른 풀이

오른쪽과 같이 평행선 사이에 수선을 그어서 만든 사각형의 네 각의 크기의 합은 360°입니다.

$㉡ + 90° + 35° + 115° = 360°$, $㉡ + 240° = 360°$,
$㉡ = 360° - 240°$, $㉡ = 120°$
➡ $㉠ = 180° - 120° = 60°$

09 직사각형은 마주 보는 두 쌍의 변이 서로 평행하므로 겹쳐진 부분에 만들어지는 도형은 마주 보는 두 쌍의 변이 서로 평행합니다. ➡ 평행사변형

10

평행한 두 길 사이에 있는 것은 가, 다, 마입니다.
이 중에서 평행한 두 길과 수직으로 만나는 길의 위쪽에 있는 것은 가입니다.

다르지만 같은 유형 50~51쪽

01 90°, 60°   02 20°, 40°
03 98°   04 10 cm
05 7 cm   06 8 cm
07 48 cm   08 8 cm
09 7 cm   10 마름모
11 사다리꼴, 평행사변형   12 ㉡

50쪽

01~03 핵심
두 직선이 서로 수직일 때, 두 직선이 만나서 이루는 각이 90°임을 알고 있어야 합니다.

01 직선 가와 직선 나가 서로 수직이므로 ㉠=90°입니다.
㉡+30°=90°이므로 ㉡=90°-30°=60°입니다.

02 ㉠+70°=90°이므로 ㉠=90°-70°=20°입니다.
50°+㉡=90°이므로 ㉡=90°-50°=40°입니다.

03 17°+㉠=90°이므로 ㉠=90°-17°=73°입니다.
㉡+65°=90°이므로 ㉡=90°-65°=25°입니다.
따라서 ㉠+㉡=73°+25°=98°입니다.

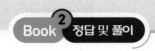

두 변의 길이가 같거나 두 각의 크기가 같은 삼각형은 이등변삼각형이고, 세 변의 길이가 같거나 세 각의 크기가 같은 삼각형은 정삼각형임을 알고 있어야 합니다.

04 도형에서 평행선은 변 ㄱㄴ과 변 ㄹㄷ이므로 평행선 사이의 거리는 변 ㄴㄷ의 길이와 같습니다.
삼각형 ㄹㄴㄷ은 이등변삼각형이므로
(변 ㄴㄷ)=(변 ㄹㄷ)=10 cm입니다.

05 도형에서 평행선은 변 ㄱㅁ과 변 ㄴㄷ이므로 평행선 사이의 거리는 변 ㄱㄴ의 길이와 같습니다.
삼각형 ㄱㄴㄹ에서
(각 ㄱㄴㄹ)=180°−60°−60°=60°이므로
삼각형 ㄱㄴㄹ은 정삼각형입니다.
따라서 (변 ㄱㄴ)=(변 ㄴㄹ)=7 cm입니다.

06 도형에서 평행선은 변 ㄱㄴ과 변 ㄹㄷ이므로 평행선 사이의 거리는 변 ㄴㄷ의 길이와 같습니다.
삼각형 ㅁㄴㄷ은 두 변이 각각 8 cm, 8 cm인 이등변삼각형이고
(각 ㅁㄴㄷ)+(각 ㅁㄷㄴ)=180°−60°=120°이므로
(각 ㅁㄴㄷ)=(각 ㅁㄷㄴ)=120°÷2=60°입니다.
따라서 삼각형 ㅁㄴㄷ은 정삼각형이므로
(변 ㄴㄷ)=(변 ㅁㄴ)=(변 ㅁㄷ)=8 cm입니다.

51쪽

평행사변형, 마름모, 직사각형은 마주 보는 두 변의 길이가 같음을 알고 있어야 합니다.

07 평행사변형은 마주 보는 두 변의 길이가 같으므로
(변 ㄴㄷ)=(변 ㄱㅂ)=10 cm,
(변 ㅂㄷ)=(변 ㄱㄴ)=7 cm입니다.
마름모는 네 변의 길이가 모두 같으므로
(변 ㄷㄹ)=(변 ㄹㅁ)=(변 ㅁㅂ)=(변 ㅂㄷ)=7 cm입니다.
따라서 빨간 선의 길이는
10+7+10+7+7+7=48 (cm)입니다.

08 변 ㄱㄴ의 길이를 □cm라고 하면
직사각형 ㄱㄴㄷㄹ의 네 변의 길이의 합은
□+□+14+□+□+14=60입니다.
➡ □+□+□+□=32, □=8

09 변 ㄱㄴ의 길이를 □cm라고 하면
평행사변형 ㄱㄴㄷㄹ의 네 변의 길이의 합은
□+□×2+□+□×2=42입니다.
➡ □×6=42, □=7

사각형의 포함 관계를 알고 있어야 합니다.

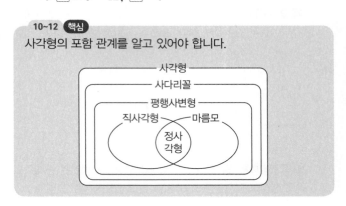

10 네 변의 길이가 같으면 마름모라고 할 수 있습니다.

11 • 마름모는 평행한 변이 한 쌍이라도 있으므로 사다리꼴입니다.
• 마름모는 마주 보는 두 쌍의 변이 서로 평행하므로 평행사변형입니다.
• 마름모는 네 각이 모두 직각이 아닐 수도 있으므로 직사각형과 정사각형이라고 할 수 없습니다.

12 ㉠ 정사각형은 네 각이 모두 직각이므로 직사각형입니다.
㉡ 평행사변형은 네 변의 길이가 모두 같지 않을 수도 있으므로 마름모라고 할 수 없습니다.
㉢ 직사각형은 마주 보는 두 쌍의 변이 서로 평행하므로 평행사변형입니다.
㉣ 마름모는 평행한 변이 한 쌍이라도 있으므로 사다리꼴입니다.

응용 유형 | 52~55쪽

01 12 cm	02 7개
03 105°	04 40°
05 24 cm	06 10 cm
07 15 cm	08 12 cm
09 6개	10 110°
11 9개	12 2.5 cm
13 48 cm	14 125°
15 70°	16 50°
17 40 cm	18 27 cm

52쪽

01 • 가로 방향에서 변 ㄷㄹ과 변 ㄱㄴ이 평행선이고 이 평행선 사이의 거리는 6 cm입니다.
• 세로 방향에서 변 ㄱㅂ과 변 ㄹㅁ이 가장 먼 평행선이고 이 평행선 사이의 거리는 5＋7＝12 (cm)입니다.
➡ 6＜12이므로 가장 먼 평행선 사이의 거리는 12 cm입니다.

02 • 수선이 있는 글자: ㄱ, ㄴ, ㄷ, ㄹ, ㅁ, ㅂ, ㅋ, ㅌ, ㅍ
• 평행선이 있는 글자: ㄷ, ㄹ, ㅁ, ㅂ, ㅋ, ㅌ, ㅍ, ㅎ
➡ 수선과 평행선이 모두 있는 글자는 ㄷ, ㄹ, ㅁ, ㅂ, ㅋ, ㅌ, ㅍ으로 7개입니다.

03

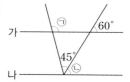

평행선과 한 직선이 만날 때 생기는 같은 쪽의 각의 크기는 같으므로 ⓛ＝60°이고 ㉠＝45°＋ⓛ입니다.
➡ ㉠＝45°＋60°＝105°

53쪽

04

평행사변형에서 이웃하는 두 각의 크기의 합은 180°이므로 (각 ㄱㄴㄷ)＋(각 ㄴㄷㄹ)＝180°입니다.
각 ㄱㄴㄷ의 크기를 □라고 하면 각 ㄴㄷㄹ의 크기는 □＋100°이므로 □＋□＋100°＝180°, □＋□＝80°, □＝40°입니다.

다른 풀이
평행사변형에서 마주 보는 두 각의 크기는 같고 네 각의 크기의 합은 360°임을 이용하여 구할 수도 있습니다.
각 ㄱㄴㄷ의 크기를 □라고 하면
(각 ㄱㄴㄷ)＝(각 ㄱㄹㄷ)＝□이고
(각 ㄴㄷㄹ)＝(각 ㄴㄱㄹ)＝□＋100°입니다.

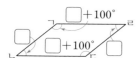

➡ □＋□＋100°＋□＋□＋100°＝360°,
□＋□＋□＋□＝160°, □＝40°

05

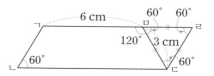

(각 ㄹㅁㄷ)＝180°－120°＝60°,
(각 ㄱㄹㄷ)＝(각 ㄱㄴㄷ)＝60°,
(각 ㅁㄷㄹ)＝180°－60°－60°＝60°
따라서 삼각형 ㅁㄷㄹ은 정삼각형입니다.
(변 ㅁㄹ)＝(변 ㄹㄷ)＝(변 ㄷㅁ)＝3 cm이므로
(변 ㄱㄹ)＝6＋3＝9 (cm)입니다.
➡ (사각형 ㄱㄴㄷㄹ의 네 변의 길이의 합)
＝9＋3＋9＋3＝24 (cm)

06

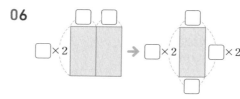

직사각형의 짧은 변의 길이를 □라고 하면 직사각형의 네 변의 길이의 합이 30 cm이므로
□＋□×2＋□＋□×2＝30 cm, □×6＝30 cm,
□＝5 cm입니다.
➡ (처음 정사각형의 한 변의 길이)
＝5×2＝10 (cm)

54쪽

07 문제 분석

07❶사다리꼴 ㄱㄴㄷㄹ에서 변 ㄹㄷ에 평행한 선분 ㄱㅁ을 그었습니다. / ❷변 ㄴㅁ의 길이는 몇 cm입니까?

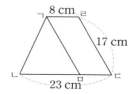

❶ 마주 보는 두 쌍의 변이 서로 평행한 사각형 ㄱㅁㄷㄹ에서 변 ㅁㄷ의 길이를 알아봅니다.
❷ (변 ㄴㅁ)＝(변 ㄴㄷ)－(변 ㅁㄷ)

❶사각형 ㄱㅁㄷㄹ은 평행사변형이므로 마주 보는 두 변의 길이가 같습니다.
(변 ㅁㄷ)＝(변 ㄱㄹ)＝8 cm
❷➡ (변 ㄴㅁ)＝(변 ㄴㄷ)－(변 ㅁㄷ)
＝23－8＝15 (cm)

08 ・가로 방향에서 변 ㄹㄷ과 변 ㅂㅁ이 평행선이고 이 평행선 사이의 거리는 10 cm입니다.

・세로 방향에서 변 ㄱㅂ과 변 ㄴㄷ이 가장 먼 평행선이고 이 평행선 사이의 거리는 $6+6=12$ (cm)입니다.

➡ $10<12$이므로 가장 먼 평행선 사이의 거리는 12 cm입니다.

09 ・수선이 있는 숫자: ㄹ, ㅋ, 5, 6, 8, 9

・평행선이 있는 숫자: ㄹ, ㅋ, 5, 6, 8, 9

➡ 수선과 평행선이 모두 있는 숫자는 ㄹ, ㅋ, 5, 6, 8, 9로 6개입니다.

10 문제 분석

10❶그림과 같이 직사각형 모양의 종이 2장을 겹쳐 놓았습니다. / ❷㉠의 각도를 구하시오.

❶ 종이가 겹쳐진 부분의 도형의 이름을 알아봅니다.
❷ 평행사변형의 성질을 이용하여 주어진 각과 마주 보는 각의 크기를 구한 다음 ㉠의 각도를 구합니다.

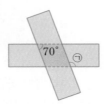

❶겹쳐진 부분은 마주 보는 두 쌍의 변이 서로 평행한 사각형이므로 평행사변형입니다.

❷평행사변형은 마주 보는 두 각의 크기가 같으므로 ㉡=70°입니다.

➡ 일직선은 180°이므로 ㉠=$180°-70°=110°$입니다.

11 문제 분석

11❶도형에서 선분 ㄱㄹ과 선분 ㄴㄷ은 서로 평행합니다. / ❷이 도형에서 찾을 수 있는 크고 작은 사다리꼴은 모두 몇 개입니까?

❶ 평행한 변이 있으므로 사각형 ㄱㄴㄷㄹ은 사다리꼴입니다.
❷ 선을 따라 나누어진 도형 4개가 가장 적게 모인 사다리꼴부터 차례로 모두 세어 봅니다.

❷・도형 1개짜리: ②, ③, ④ → 3개
・도형 2개짜리: ①②, ②③, ③④ → 3개
・도형 3개짜리: ①②③, ②③④ → 2개
・도형 4개짜리: ①②③④ → 1개

➡ $3+3+2+1=9$(개)

12 문제 분석

12❶직선 가, 나, 다는 서로 평행합니다. 직선 가와 나 사이의 거리는 4.5 cm이고 직선 나와 다 사이의 거리는 7 cm입니다. / ❷직선 가와 다가 가장 가까울 때의 거리는 몇 cm입니까?

❶ 직선 가와 다가 가장 가까울 때의 세 직선 가, 나, 다의 위치를 각각 알아봅니다.
❷ 평행선 가와 다 사이의 거리를 구합니다.

❶직선 가, 나, 다는 다음과 같습니다.

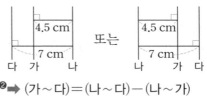

또는

❷➡ (가〜다)=(나〜다)-(나〜가)
$=7-4.5=2.5$ (cm)

55쪽

13 문제 분석

13❶다음과 같은 평행사변형 여러 개를 겹치지 않게 이어 붙여서 가장 작은 마름모를 만들었습니다. / ❷만든 마름모의 네 변의 길이의 합은 몇 cm입니까? (단, 길이가 같은 변끼리 이어 붙입니다.)

❶ 네 변의 길이가 모두 같은 가장 작은 사각형이 되도록 평행사변형을 이어 붙여 봅니다.
❷ 마름모의 한 변의 길이가 ▢이면 네 변의 길이의 합은 ▢+▢+▢+▢입니다.

❶평행사변형을 이어 붙여서 만든 가장 작은 마름모는 다음과 같습니다.

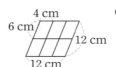

❷➡ (마름모의 네 변의 길이의 합)
$=12+12+12+12$
$=48$ (cm)

14 ❶도형에서 선분 ㄱㄴ과 선분 ㄱㄷ의 길이가 같고 / ❷선분 ㄹㅁ과 선분 ㄴㄷ은 서로 평행합니다. / ❸각 ㄴㄹㅁ의 크기를 구하시오.

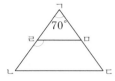

❶ 두 변의 길이가 같은 삼각형 ㄱㄴㄷ의 성질을 이용하여 각 ㄱㄴㄷ의 크기를 구합니다.
❷ 평행선과 한 직선이 만날 때 생기는 같은 쪽의 각의 크기는 같음을 이용하여 각 ㄱㄹㅁ의 크기를 구합니다.
❸ 일직선은 180°임을 이용하여 각 ㄴㄹㅁ의 크기를 구합니다.

❶선분 ㄱㄴ과 선분 ㄱㄷ의 길이가 같으므로 삼각형 ㄱㄴㄷ은 이등변삼각형입니다.
(각 ㄱㄴㄷ)+(각 ㄱㄷㄴ)=180°−70°=110°이고
(각 ㄱㄴㄷ)=(각 ㄱㄷㄴ)이므로
(각 ㄱㄴㄷ)=110°÷2=55°입니다.
❷평행선과 한 직선이 만날 때 생기는 같은 쪽의 각의 크기는 같으므로 (각 ㄱㄹㅁ)=(각 ㄱㄴㄷ)=55°입니다.
❸➡ (각 ㄴㄹㅁ)=180°−55°=125°

15

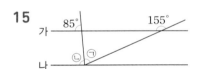

평행선과 한 직선이 만날 때 생기는 같은 쪽의 각의 크기는 같으므로 ㉡=85°이고 ㉠+㉡=155°입니다.
➡ ㉠+85°=155°, ㉠=155°−85°=70°

16 평행사변형에서 이웃하는 두 각의 크기의 합은 180°이므로 (각 ㄱㄴㄷ)+(각 ㄴㄷㄹ)=180°입니다.
각 ㄴㄷㄹ의 크기를 □라고 하면 각 ㄱㄴㄷ의 크기는 □+80°이므로 □+80°+□=180°,
□+□=100°, □=50°입니다.

다른 풀이
평행사변형에서 마주 보는 두 각의 크기는 같고 네 각의 크기의 합은 360°임을 이용하여 구할 수도 있습니다.
각 ㄴㄷㄹ의 크기를 □라고 하면
(각 ㄹㄱㄴ)=(각 ㄴㄷㄹ)=□이고
(각 ㄱㄴㄷ)=(각 ㄱㄹㄷ)=□+80°입니다.
➡ □+□+80°+□+□+80°=360°,
□+□+□+□=200°, □=50°

17

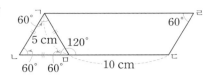

(각 ㄱㅁㄴ)=180°−120°=60°
(각 ㄱㄹㄷ)=(각 ㄱㄹㄷ)=60°
(각 ㄴㄱㅁ)=180°−60°−60°=60°
따라서 삼각형 ㄱㄴㅁ은 정삼각형입니다.
(변 ㄱㄴ)=(변 ㄴㅁ)=(변 ㅁㄱ)=5 cm이므로
(변 ㄴㄷ)=5+10=15 (cm)입니다.
➡ (사각형 ㄱㄴㄷㄹ의 네 변의 길이의 합)
=15+5+15+5
=40 (cm)

18

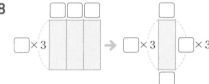

직사각형의 짧은 변의 길이를 □라고 하면 직사각형의 네 변의 길이의 합이 72 cm이므로
□+□×3+□+□×3=72 cm,
□×8=72 cm, □=9 cm입니다.
➡ (처음 정사각형의 한 변의 길이)=9×3=27 (cm)

🐱 **사고력 유형** 56~57쪽

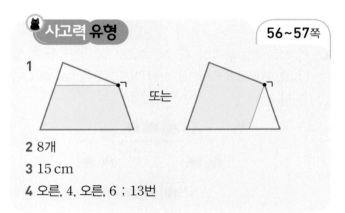
또는

2 8개
3 15 cm
4 오른, 4, 오른, 6 ; 13번

56쪽

1 평행한 변이 생기도록 점 ㄱ을 지나는 선분을 긋습니다.

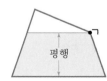
평행

평행

2 종이가 겹쳐진 부분은 평행사변형입니다.
평행사변형은 마주 보는 두 각의 크기가 같고 이웃하는 두 각의 크기의 합이 180°입니다.

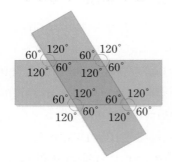

➡ 크기가 120°인 각은 모두 8개입니다.

57쪽

3 예

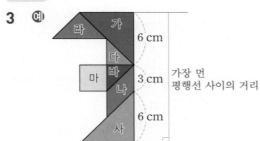

가장 먼 평행선 사이의 거리는 위 그림에서 가 조각과 사 조각의 평행한 두 변 사이의 거리이므로
6+3+6=15 (cm)입니다.

4 앞으로 4칸 움직인 후 오른쪽으로 90°만큼 돌고, 앞으로 6칸 움직였으므로 그린 직사각형은 다음과 같습니다.

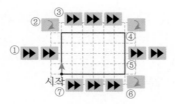

앞으로 4칸 움직이기 위해 버튼을 가장 적게 누르려면
▶▶ 버튼을 2번 누릅니다.
앞으로 6칸 움직이기 위해 버튼을 가장 적게 누르려면
▶▶ 버튼을 3번 누릅니다.
따라서 ▶▶ ▶▶ ➡ ↻ ➡ ▶▶ ▶▶ ▶▶ ➡ ↻
➡ ▶▶ ▶▶ ➡ ↻ ➡ ▶▶ ▶▶ ▶▶ 로 버튼을 적어도 13번 눌렀습니다.

도전! 최상위 유형　　58~59쪽

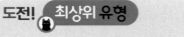

1 21개　　**2** 16개
3 9개　　**4** 70°

58쪽

1 ◯모양: 6개, ◯모양: 5개,
◯모양: 4개, ◯모양: 3개,
◯모양: 2개, ◯모양: 1개
따라서 찾을 수 있는 크고 작은 사다리꼴은 모두
6+5+4+3+2+1=21(개)입니다.

2 ★모양: 1개, ★모양: 4개,
★모양: 2개, ★모양: 4개,
★모양: 4개, ★모양: 1개
따라서 ★을 포함한 직사각형은 모두
1+4+2+4+4+1=16(개)입니다.

59쪽

3 평행한 변이 한 쌍이라도 있는 사각형을 만듭니다.

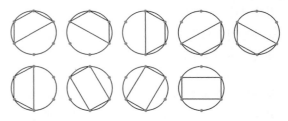

➡ 9개

4 다음과 같이 주어진 평행선과 평행한 선을 2개 그으면 평행선과 한 직선이 만날 때 생기는 반대쪽의 각의 크기를 알 수 있습니다.

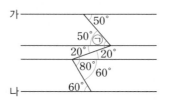

➡ ㉠=50°+20°=70°

5 꺾은선그래프

잘 틀리는 **실력 유형** 62~63쪽

유형 01 20, 23

01 64, 54

02 (1) 21일과 22일 사이입니다.

(2) 줄어들고에 ◯표, **에** 줄어들 것입니다.

유형 02 132, 280

03 줄어들고에 ◯표, 늘어나고에 ◯표

04 2016년

유형 03 막대, 꺾은선

05 에

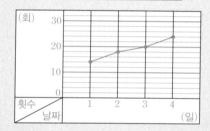

제기차기 횟수

06 에

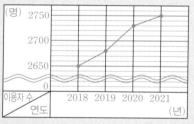

60대 이상 인터넷 이용자 수

07 16개

08 에 서울시 1인 가구 수는 계속 늘어나고 있습니다.

62쪽

01 세로 눈금 한 칸은 2대를 나타냅니다.

· 21일의 선풍기 판매량은 64대입니다.

➡ ㉠=64

· 23일의 선풍기 판매량은 54대입니다.

➡ ㉡=54

왜 틀렸을까? 선풍기 판매량을 구하려면 세로 눈금 한 칸의 크기를 알아야 합니다. 세로 눈금 5칸이 10대를 나타내므로 한 칸은 10÷5=2(대)를 나타냅니다.

02 (1) 선분이 가장 적게 기울어진 때는 21일과 22일 사이입니다.

(2) 선분이 오른쪽으로 내려가므로 선풍기 판매량은 줄어들고 있습니다.

왜 틀렸을까? 선풍기 판매량의 변화가 가장 작은 때는 선분이 가장 적게 기울어진 때입니다.

선분이 오른쪽으로 올라가면 선풍기 판매량이 늘어나고, 선분이 오른쪽으로 내려가면 선풍기 판매량이 줄어듭니다.

03 홈런 수를 나타낸 그래프의 선분은 오른쪽으로 내려가고 있으므로 홈런 수는 줄어들고 있습니다.

도루 수를 나타낸 그래프의 선분은 오른쪽으로 올라가고 있으므로 도루 수는 늘어나고 있습니다.

왜 틀렸을까? 오른쪽으로 갈수록 선분이 올라가고 있는지, 내려가고 있는지 살펴봐야 합니다. 선분이 오른쪽으로 올라가면 홈런 수나 도루 수가 늘어나는 것이고, 선분이 오른쪽으로 내려가면 홈런 수나 도루 수가 줄어드는 것입니다.

04 2015년: 홈런 38개, 도루 26개이므로 도루 수가 모자랍니다.

2016년: 홈런 32개, 도루 30개이므로 30−30 클럽에 가입할 수 있습니다.

2017년: 홈런 28개, 도루 36개이므로 홈런 수가 모자랍니다.

왜 틀렸을까? 홈런 수와 도루 수 둘 다 30개씩 또는 30개보다 많아야 합니다. 둘 중 하나만 해당되는 경우에는 30−30 클럽에 가입할 수 없습니다.

63쪽

05 제기차기 횟수의 변화를 알아보려면 꺾은선그래프로 나타내는 것이 알맞습니다.

가로 눈금과 세로 눈금이 만나는 자리에 점을 찍고 점들을 선분으로 이은 후 제목을 씁니다.

왜 틀렸을까? 제기차기 횟수의 변화를 알아보는 데 알맞은 그래프는 꺾은선그래프입니다. 꺾은선그래프로 나타내는 방법을 알고 있는지 확인합니다.

06 60대 이상 인터넷 이용자 수의 변화를 알아보려면 꺾은선그래프로 나타내는 것이 알맞습니다.

가장 작은 값이 2650이기 때문에 그래프는 세로 눈금이 물결선 위로 2650부터 시작하도록 물결선을 나타냅니다.

왜 틀렸을까? 60대 이상 인터넷 이용자 수의 변화를 나타내는 데 알맞은 그래프는 꺾은선그래프입니다. 또, 인터넷 이용자 수를 보고 필요 없는 부분은 물결선으로 줄여서 나타내야 합니다.

07 기온 변화가 가장 컸을 때는 오후 2시와 오후 3시 사이 입니다. 오후 2시의 아이스크림 판매량은 82개, 오후 3시의 아이스크림 판매량은 98개이므로 기온 변화가 가장 컸을 때 아이스크림 판매량은 98−82=16(개) 늘었습니다.

08 선분이 오른쪽으로 올라가고 있으므로 서울시 1인 가구 수는 계속 늘어나고 있습니다.

서술형 가이드 그래프를 보고 알 수 있는 내용을 바르게 썼는 지 확인합니다.

채점 기준

상	그래프에 나타난 내용을 바르게 씀.
중	그래프에 나타난 내용을 썼으나 미흡함.
하	그래프에 나타난 내용을 쓰지 못함.

다르지만 같은 유형 64~65쪽

01 2021년   **02** 2021년

03

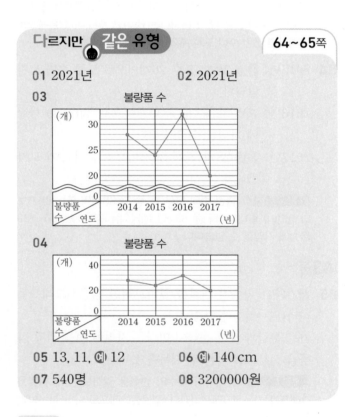

05 13, 11, 예 12   **06** 예 140 cm
07 540명   **08** 3200000원

64쪽

01~02 핵심
전년과 비교하여 수가 가장 많이 늘어난 해는 오른쪽으로 가장 많이 올라간 해이고, 전년과 비교하여 수가 가장 많이 줄어든 해는 오른쪽으로 가장 많이 내려간 해입니다.

01 선분이 오른쪽으로 가장 많이 올라간 때를 찾아보면 2020년과 2021년 사이입니다.
따라서 전년과 비교하여 노인 수가 가장 많이 늘어난 해는 2021년입니다.

02 선분이 오른쪽으로 가장 많이 내려간 때를 찾아보면 2020년과 2021년 사이입니다. 따라서 전년과 비교하여 출생아 수가 가장 많이 줄어든 해는 2021년입니다.

03~04 핵심
• 눈금 한 칸의 크기를 다르게 하여 나타내기
① 주어진 꺾은선그래프를 보고 조사한 항목별 수를 알아봅니다.
② 새로운 꺾은선그래프의 세로 눈금 한 칸의 크기를 알아봅니다.
③ 항목별로 위치에 맞게 점을 찍고 선분으로 잇습니다.

03 불량품 수는 2014년에 28개, 2015년에 24개, 2016년에 32개, 2017년에 20개입니다.
➡ 세로 눈금 한 칸이 1개를 나타내는 그래프로 나타냅니다.

04 세로 눈금 5칸이 20개를 나타내므로 한 칸은 20÷5=4(개)를 나타냅니다.
2014년: 28÷4=7(칸), 2015년: 24÷4=6(칸),
2016년: 32÷4=8(칸), 2017년: 20÷4=5(칸)

65쪽

05~06 핵심
그래프에 나타나 있지 않은 값을 알아볼 때는 그래프에 나타나 있는 두 값의 중간에 있는 값으로 구합니다.

05 25분은 20분과 30분의 중간입니다.

06 9살일 때 키인 130 cm와 11살일 때 키인 150 cm의 중간인 140 cm라고 할 수 있습니다.

07~08 핵심
전체 수는 각 점의 세로 눈금을 읽어서 해당하는 값을 구한 후 모두 더합니다. 이때 세로 눈금 한 칸의 크기는 그래프에 따라 다를 수 있으므로 주의합니다.

07 수요일: 70명, 목요일: 100명, 금요일: 80명,
토요일: 160명, 일요일: 130명
➡ 70+100+80+160+130=540(명)

08 월요일: 600명, 화요일: 540명, 수요일: 680명,
목요일: 620명, 금요일: 760명
(전체 입장객 수)
=600+540+680+620+760=3200(명)
따라서 5일 동안 받은 입장료는 모두
3200×1000=3200000(원)입니다.

응용 유형

66~69쪽

01 0.6 cm

02 2017년, 40명

03

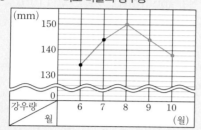

미소 마을의 강우량

04 32회

05

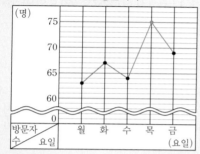

도서관 방문자 수

06 0.4 kg

07 140명

08 11월, 0.2 kg

09 20점

10

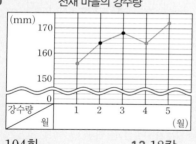

천재 마을의 강수량

11 104회

12 18칸

66쪽

01 변화가 가장 큰 때는 선분이 가장 많이 기울어진 때이므로 4월과 5월 사이입니다.

➡ 4월의 키는 140.2 cm이고 5월의 키는 140.8 cm 이므로 140.8−140.2=0.6 (cm) 자랐습니다.

02 두 점 사이의 간격이 가장 먼 해는 2017년이고 이때 남학생은 300명, 여학생은 260명입니다.

➡ 300−260=40(명)

다른 풀이

두 점 사이의 간격이 가장 먼 해는 2017년이고 이때 세로 눈금은 4칸 차이가 납니다. 세로 눈금 한 칸은 10명을 나타내므로 4칸은 40명을 나타냅니다.

67쪽

03 세로 눈금 5칸이 10 mm를 나타내므로 한 칸은 10÷5=2 (mm)를 나타냅니다.

7월의 강우량이 144 mm이고 0.6 cm=6 mm이므로 8월은 144+6=150 (mm), 9월은 144 mm, 10월은 144−6=138 (mm)입니다.

04 월요일의 윗몸 일으키기 횟수인 16회는 0부터 위로 8칸 올라간 곳입니다.

따라서 세로 눈금 8칸이 16회를 나타내므로 한 칸은 16÷8=2(회)를 나타냅니다.

➡ 금요일: 세로 눈금이 16칸이므로 2×16=32(회) 입니다.

참고

세로 눈금 0에서 위쪽으로 ■칸 떨어진 곳이 ★을 나타내면 한 칸은 ★÷■를 나타냅니다.

68쪽

05 문제 분석

05 ❶어느 도서관의 방문자 수를 조사하여 나타낸 꺾은선그래프 입니다. / ❷방문자 수가 목요일에는 금요일보다 6명 더 많았습니다. / ❸꺾은선그래프를 완성하시오.

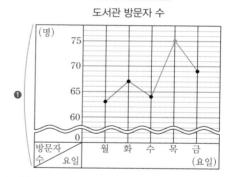

도서관 방문자 수

❶ 세로 눈금 한 칸의 크기를 알아보고 금요일의 방문자 수를 구합니다.

❷ 금요일의 방문자 수를 이용하여 목요일의 방문자 수를 구합니다.

❸ 꺾은선그래프를 완성합니다.

❶세로 눈금 한 칸은 1명을 나타내므로 금요일의 방문자 수는 69명입니다.

➡❷(목요일의 방문자 수)=69+6=75(명)이므로 ❸꺾은선그래프를 완성하면 위와 같습니다.

06 변화가 가장 큰 때는 선분이 가장 많이 기울어진 때이므로 10월과 11월 사이입니다.

➡ 10월의 몸무게는 34.3 kg이고 11월의 몸무게는 34.7 kg이므로 34.7−34.3=0.4 (kg) 늘었습니다.

07 문제 분석

07❶어느 수영장의 월별 회원 수를 조사하여 나타낸 꺾은선그래프입니다. / ❷조사하는 동안 회원 수는 몇 명 늘었습니까?

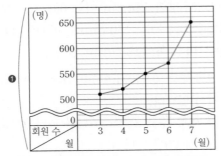

수영장의 회원 수

❶ 세로 눈금 한 칸의 크기를 알아보고 3월의 회원 수와 7월의 회원 수를 각각 구합니다.
❷ 7월의 회원 수에서 3월의 회원 수를 뺍니다.

❶세로 눈금 한 칸은 10명을 나타내므로 3월의 회원 수는 510명, 7월의 회원 수는 650명입니다.❷따라서 조사하는 동안 회원 수는 650−510=140(명) 늘었습니다.

08 두 사람의 몸무게의 차가 가장 작은 달은 두 점 사이의 간격이 가장 가까운 달이므로 11월입니다.
이때 은우의 몸무게는 31.1 kg, 효주의 몸무게는 30.9 kg입니다. ➡ 31.1−30.9=0.2 (kg)

69쪽

09 문제 분석

09❶예은이의 월별 영어 점수와 수학 점수를 조사하여 나타낸 꺾은선그래프입니다. / ❷10월의 영어 점수와 수학 점수의 / ❸차는 몇 점입니까?

영어 점수 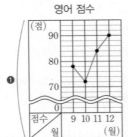 수학 점수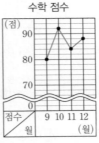

❶ 꺾은선그래프 각각의 세로 눈금 한 칸의 크기를 알아봅니다.
❷ 10월의 영어 점수와 수학 점수를 각각 구합니다.
❸ ❷에서 구한 두 점수의 차를 구합니다.

❶두 그래프 모두 세로 눈금 5칸이 10점을 나타내므로 한 칸은 10÷5=2(점)을 나타냅니다.
❷10월의 영어 점수는 72점이고 수학 점수는 92점이므로
❸두 점수의 차는 92−72=20(점)입니다.

10 세로 눈금 5칸이 10 mm를 나타내므로 한 칸은 10÷5=2 (mm)를 나타냅니다.
2월의 강수량이 164 mm이므로
1월은 164−8=156 (mm), 4월은 164 mm,
5월은 164+8=172 (mm)입니다.

11 목요일의 줄넘기 횟수인 76회는 60회부터 위로 4칸 올라간 곳입니다.
따라서 세로 눈금 4칸이 76−60=16(회)를 나타내므로 한 칸은 16÷4=4(회)를 나타냅니다.
➡ 일요일: 60회부터 위로 11칸 올라간 곳입니다.
　　4×11=44(회)이므로 일요일의 줄넘기 횟수는 60+44=104(회)입니다.

12 문제 분석

12❶A 학교 학생 수를 조사하여 나타낸 꺾은선그래프입니다. / ❷이 그래프를 세로 눈금 한 칸이 5명을 나타내도록 다시 그린다면 2015년과 2019년의 세로 눈금은 몇 칸 차이가 납니까?

A 학교 학생 수

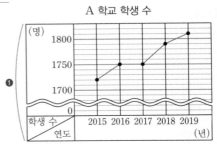

❶ 2015년과 2019년의 학생 수를 각각 구합니다.
❷ 2015년과 2019년의 학생 수의 차를 다시 그리려는 꺾은선그래프의 세로 눈금 한 칸의 크기로 나눕니다.

❶세로 눈금 5칸이 50명을 나타내므로 한 칸은 50÷5=10(명)을 나타냅니다.
2015년 학생 수: 1720명, 2019년 학생 수: 1810명
➡❷1810−1720=90(명)이므로 세로 눈금 한 칸이 5명을 나타내도록 다시 그린다면 세로 눈금은 90÷5=18(칸) 차이가 납니다.

다른 풀이
(처음 꺾은선그래프의 세로 눈금 한 칸의 크기)
=50÷5=10(명)
(다시 그리려는 꺾은선그래프의 세로 눈금 한 칸의 크기)=5명
→ 10÷5=2(배)
➡ 처음 꺾은선그래프에서 2015년과 2019년의 세로 눈금의 차는 9칸이므로 다시 그리려는 꺾은선그래프에서는 9×2=18(칸) 차이가 납니다.

사고력 유형 70~71쪽

1 늘어나고에 ○표, 예 늘어날에 ○표
2 예 지역별 인구 수, 생일에 받고 싶은 선물 ;
  예 연도별 맞벌이 가구 수, 연도별 지진 발생 횟수
3 ❶ 16 cm ❷ 15 cm ❸ 지율, 1 cm

70쪽

1 모두 오른쪽으로 올라가는 선분이므로 다문화 가구 수는 계속 늘어나고 있습니다.

2 막대그래프는 자료의 크기를 한눈에 쉽게 비교할 수 있고, 꺾은선그래프는 자료의 변화하는 정도를 알아보기 쉽습니다.

71쪽

3 ❶ 지율이의 1학년 때 키는 125 cm이고 4학년 때 키는 141 cm입니다. ➡ 141−125=16 (cm)
  ❷ 현빈이의 1학년 때 키는 123 cm이고 4학년 때 키는 138 cm입니다. ➡ 138−123=15 (cm)
  ❸ 16>15이므로 지율이가 16−15=1 (cm) 더 많이 자랐습니다.

도전! 최상위 유형 72~73쪽

1 160, 280 ;

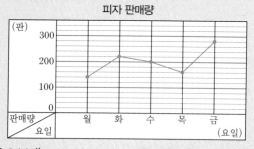

2 144대   3 12분 후

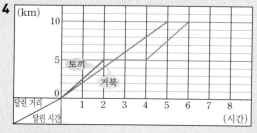

; 거북, 1시간

72쪽

1 목요일과 금요일의 판매량의 합은
  1000−140−220−200=440(판)입니다.
  목요일의 판매량을 □판이라고 하면 금요일의 판매량은 (□+120)판입니다.
  □+□+120=440이므로 □+□=320, □=160
  입니다.
  따라서 목요일의 판매량은 160판, 금요일의 판매량은 160+120=280(판)입니다.

2 세로 눈금 5칸이 20대를 나타내므로 한 칸은
  20÷5=4(대)를 나타냅니다.
  ➡ 10분 동안 자동차를 12대씩 만듭니다.
  2시간=120분이고 120분은 10분의 12배이므로 2시간 동안 만들 수 있는 자동차는 12대의 12배입니다.
  ➡ 12×12=144(대)

73쪽

3 2분 동안 받은 물의 양이 20 L이므로 수도꼭지에서 1분 동안 20÷2=10 (L)의 물이 나옵니다.
  물이 새는 것을 막은 4분 이후에 받아야 할 물의 양은 94−14=80 (L)이므로 80÷10=8(분)이 걸립니다.
  따라서 수조에 물이 가득 찰 때는 물을 받기 시작한 지 4+8=12(분) 후입니다.

4

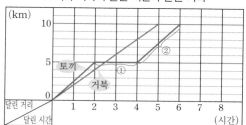

① 토끼는 2시간 후부터 낮잠을 2시간 잤으므로 이때의 달린 거리는 5 km에 멈춰 있습니다.
② 토끼는 4시간 후부터 다시 같은 빠르기로 달렸으므로 남은 5 km를 2시간 달려 결승점에 도착했습니다.
➡ 결승점에 도착하는 데 토끼는 6시간 걸리고 거북은 5시간 걸렸습니다.
따라서 거북이 6−5=1(시간) 먼저 결승점에 도착했습니다.

6 다각형

76~77쪽

잘 틀리는 **실력유형**

유형 **01** 정, 정

01 ③, ④　　　　　02 ②, ④

유형 **02** 540, 540, 108

03 120°　　　　　04 135°

유형 **03** 3, 18, 18, 9

05 14개　　　　　06 20개

07 150 m

08 **예** 2가지 정다각형 모양은 정오각형과 정육각형입니다. 정오각형의 변은 5개, 정육각형의 변은 6개이므로 모두 5+6＝11(개)입니다. ; 11개

76쪽

01

• 각 ㄱㅁㄹ은 둔각입니다.
　➡ 삼각형 ㄱㅁㄹ은 둔각삼각형입니다.
• 직사각형은 두 대각선의 길이가 같고 한 대각선이 다른 대각선을 반으로 나누므로
　(선분 ㄱㅁ)＝(선분 ㄹㅁ)입니다.
　➡ 삼각형 ㄱㅁㄹ은 이등변삼각형입니다.

왜 틀렸을까? 각 ㄱㅁㄹ이 둔각이고, 선분 ㄱㅁ과 선분 ㄹㅁ의 길이가 같다는 것을 몰랐습니다.

02

• 정사각형은 두 대각선이 서로 수직으로 만나므로
　(각 ㄱㅁㄴ)＝90°입니다.
　➡ 삼각형 ㄱㄴㅁ은 직각삼각형입니다.
• 정사각형은 두 대각선의 길이가 같고 한 대각선이 다른 대각선을 반으로 나누므로
　(선분 ㄱㅁ)＝(선분 ㄴㅁ)입니다.
　➡ 삼각형 ㄱㄴㅁ은 이등변삼각형입니다.

왜 틀렸을까? 각 ㄱㅁㄴ이 직각이고, 선분 ㄱㅁ과 선분 ㄴㅁ의 길이가 같다는 것을 몰랐습니다.

03 **예**

정육각형은 삼각형 4개로 나누어지므로
(정육각형의 모든 각의 크기의 합)
＝180°×4＝720°입니다.
➡ (정육각형의 한 각의 크기)＝720°÷6＝120°

왜 틀렸을까? 정육각형을 삼각형 4개로 나누지 않거나 720°÷6을 잘못 계산했습니다.

04 **예**

정팔각형은 삼각형 6개로 나누어지므로
(정팔각형의 모든 각의 크기의 합)
＝180°×6＝1080°입니다.
➡ (정팔각형의 한 각의 크기)＝1080°÷8＝135°

왜 틀렸을까? 정팔각형을 삼각형 6개로 나누지 않거나 1080°÷8을 잘못 계산했습니다.

77쪽

05

(한 꼭짓점에서 그을 수 있는 대각선 수)
＝7－3＝4(개)
(각 꼭짓점에서 그을 수 있는 대각선 수의 합)
＝4×7＝28(개)
(칠각형의 대각선 수)＝28÷2＝14(개)

왜 틀렸을까? 칠각형의 한 꼭짓점에서 그을 수 있는 대각선 수가 4개이고, 각 꼭짓점에서 그을 수 있는 대각선 수의 합을 2로 나누어야 한다는 것을 몰랐습니다.

06

(한 꼭짓점에서 그을 수 있는 대각선 수)
＝8－3＝5(개)
(각 꼭짓점에서 그을 수 있는 대각선 수의 합)
＝5×8＝40(개)
(팔각형의 대각선 수)＝40÷2＝20(개)

왜 틀렸을까? 팔각형의 한 꼭짓점에서 그을 수 있는 대각선 수가 5개이고, 각 꼭짓점에서 그을 수 있는 대각선 수의 합을 2로 나누어야 한다는 것을 몰랐습니다.

07 직사각형은 한 대각선이 다른 대각선을 반으로 나눕니다. 따라서 $75 \times 2 = 150$ (m)를 뛰어간 것입니다.

08 (서술형)**가이드** 2가지 정다각형 모양을 알아본 후 변의 수의 합을 구하는 풀이 과정이 들어 있어야 합니다.

채점 기준

상	2가지 정다각형 모양을 알아본 후 변의 수의 합을 바르게 구함.
중	2가지 정다각형 모양을 알아보았지만 변의 수의 합을 잘못 구함.
하	2가지 정다각형 모양을 알아보지 못함.

다르지만 같은 유형

78~79쪽

01 ㉡
02 진주
03 ㉒ 선분으로 둘러싸이지 않고 열려 있습니다.
04 6 cm
05 18 cm
06 4 cm
07 7
08 9 cm
09 ㉒ (정사각형 가의 한 변의 길이)=$80 \div 4 = 20$ (cm)
(정오각형 나의 한 변의 길이)=$80 \div 5 = 16$ (cm)
➡ $20 + 16 = 36$ (cm) ; 36 cm
10 25 cm
11 32 cm
12 12 cm

78쪽

01~03 **핵심**
다각형과 정다각형이 무엇인지 알고 있어야 합니다.

01 ㉠ 다각형은 변의 수와 꼭짓점의 수가 같습니다.

02 마름모는 각의 크기가 항상 모두 같은 것은 아니므로 정다각형이 아닙니다.

03 (서술형)**가이드** 다각형의 뜻을 알고 다각형이 아닌 이유를 바르게 썼는지 확인합니다.

채점 기준

상	다각형이 아닌 이유를 바르게 씀.
중	다각형이 아닌 이유를 썼지만 미흡함.
하	다각형이 아닌 이유를 쓰지 못함.

04~06 **핵심**
직사각형과 정사각형의 대각선의 성질을 이용할 수 있어야 합니다.

04 정사각형은 두 대각선의 길이가 같습니다.
➡ (선분 ㄴㄹ)=(선분 ㄱㄷ)=6 cm

05 직사각형은 한 대각선이 다른 대각선을 반으로 나누므로 (선분 ㄴㄹ)=$9 \times 2 = 18$ (cm)입니다.

06 직사각형은 두 대각선의 길이가 같으므로
(선분 ㄴㄹ)=(선분 ㄱㄷ)=10 cm입니다.
직사각형은 마주 보는 변의 길이가 같으므로
(선분 ㄹㄷ)=(선분 ㄱㄴ)=6 cm입니다.
➡ $10 - 6 = 4$ (cm)

79쪽

07~09 **핵심**
(정■각형의 한 변의 길이)
=(모든 변의 길이의 합)÷■임을 이용할 수 있어야 합니다.

07 정육각형의 변 6개의 길이는 모두 같습니다.
➡ $42 \div 6 = 7$ (cm)

08 변이 8개인 정다각형이므로 정팔각형입니다.
➡ (정팔각형의 한 변의 길이)=$72 \div 8 = 9$ (cm)

09 (서술형)**가이드** 정사각형 가와 정오각형 나의 한 변의 길이를 각각 구한 후 두 변의 길이의 합을 구하는 풀이 과정이 들어 있어야 합니다.

채점 기준

상	정사각형 가와 정오각형 나의 한 변의 길이를 각각 구한 후 두 변의 길이의 합을 바르게 구함.
중	정사각형 가와 정오각형 나의 한 변의 길이를 각각 구했지만 두 변의 길이의 합을 잘못 구함.
하	정사각형 가와 정오각형 나의 한 변의 길이를 구하지 못함.

10~12 **핵심**
평행사변형, 직사각형, 마름모의 대각선의 성질을 이용할 수 있어야 합니다.

10 평행사변형은 한 대각선이 다른 대각선을 반으로 나누므로 (선분 ㄴㅁ)=$16 \div 2 = 8$ (cm),
(선분 ㄷㅁ)=$10 \div 2 = 5$ (cm)입니다.
➡ (삼각형 ㅁㄴㄷ의 세 변의 길이의 합)
=$8 + 12 + 5 = 25$ (cm)

11 (변 ㄹㄷ)=(변 ㄱㄹ)$-4 = 16 - 4 = 12$ (cm)
직사각형은 한 대각선이 다른 대각선을 반으로 나누므로 (선분 ㄹㅁ)=$20 \div 2 = 10$ (cm)입니다.
직사각형은 두 대각선의 길이가 같고 한 대각선이 다른 대각선을 반으로 나누므로
(선분 ㄷㅁ)=(선분 ㄹㅁ)=10 cm입니다.
➡ (삼각형 ㄹㅁㄷ의 세 변의 길이의 합)
=$10 + 10 + 12 = 32$ (cm)

12 마름모는 네 변의 길이가 모두 같으므로
(선분 ㄱㄴ)=20÷4=5 (cm)입니다.
마름모는 한 대각선이 다른 대각선을 반으로 나누므로
(선분 ㄴㅁ)=8÷2=4 (cm),
(선분 ㄱㅁ)=6÷2=3 (cm)입니다.
➡ (삼각형 ㄱㄴㅁ의 세 변의 길이의 합)
=5+4+3=12 (cm)

 응용 **유형** 80~83쪽

01 8 cm	02 10개
03 60°	04 64 cm
05 40°	06 36°
07 칠각형	08 300 cm
09 10 cm	10 11개
11 20개	12 72°
13 35개	14 108 cm
15 60°	16 8 cm
17 135°	18 30°

80쪽

01 (정칠각형의 모든 변의 길이의 합)
=(정사각형의 모든 변의 길이의 합)
=14×4=56 (cm)
➡ (정칠각형의 한 변의 길이)=56÷7=8 (cm)

02 3 m=300 cm
(정오각형 한 개를 만드는 데 필요한 색 테이프의 길이)
=6×5=30 (cm)
➡ (만들 수 있는 정오각형 수)=300÷30=10 (개)

03

정육각형은 삼각형 4개로 나누어지므로
(정육각형의 모든 각의 크기의 합)=180°×4=720°
입니다.
➡ (정육각형의 한 각의 크기)=720°÷6=120°
따라서 ㉠=180°−120°=60°입니다.

81쪽

04 마름모는 한 대각선이 다른 대각선을 반으로 나누므로
(선분 ㅅㅇ)=(선분 ㅇㅈ)=12÷2=6 (cm)입니다.
➡ (변 ㄱㅂ)=(변 ㄷㄹ)=6+6=12 (cm)
직사각형은 한 대각선이 다른 대각선을 반으로 나누
고 마름모는 네 변의 길이가 모두 같으므로
(변 ㄱㄴ)=(변 ㄴㄷ)=(변 ㄹㅁ)=(변 ㅁㅂ)
=(선분 ㄱㅇ)=20÷2=10 (cm)입니다.
따라서 굵은 선의 길이는
10+10+12+10+10+12=64 (cm)입니다.

05 직사각형은 두 대각선의 길이가 같고 한 대각선이 다
른 대각선을 반으로 나누므로
(선분 ㅁㄴ)=(선분 ㅁㄷ)입니다.
➡ 삼각형 ㅁㄴㄷ은 이등변삼각형입니다.
(각 ㅁㄴㄷ)+(각 ㅁㄷㄴ)=180°−80°=100°이고
(각 ㅁㄴㄷ)=(각 ㅁㄷㄴ)이므로
(각 ㅁㄷㄴ)=100°÷2=50°입니다.
따라서 (각 ㅁㄷㄹ)=90°−50°=40°입니다.

06 정오각형은 삼각형 3개로 나누어지므로
(정오각형의 모든 각의 크기의 합)
=180°×3=540°입니다.
➡ (각 ㄴㄱㅁ)=(정오각형의 한 각의 크기)
=540°÷5=108°
정오각형은 모든 변의 길이가 같으므로
(변 ㄱㄴ)=(변 ㄱㅁ)입니다.
➡ 삼각형 ㄱㄴㅁ은 이등변삼각형입니다.
따라서
(각 ㄱㄴㅁ)+(각 ㄱㅁㄴ)=180°−108°=72°이고
(각 ㄱㄴㅁ)=(각 ㄱㅁㄴ)이므로
(각 ㄱㄴㅁ)=72°÷2=36°입니다.

82쪽

07 문제 분석

07 ❶규칙에 따라 다각형을 그리고 있습니다. / ❷㉠에 들어갈 다각
형의 이름을 쓰시오.

❶ 왼쪽부터 다각형의 이름을 알아본 후 변의 수를 비교하여 규칙
을 찾습니다.
❷ ㉠에 들어갈 다각형의 변의 수를 알고 다각형의 이름을 구합니다.

❶왼쪽부터 차례로 삼각형, 사각형, 오각형, 육각형이므로 변의 수가 1개씩 많아지는 규칙입니다.

❷따라서 ㉠에 들어갈 다각형은 육각형보다 변의 수가 1개 더 많은 칠각형입니다.

08 문제 분석

08 정다각형을 겹치지 않게 이어 붙여 만든 도형입니다. ❶정육각형의 모든 변의 길이의 합이 150 cm일 때 / ❷굵은 선의 길이는 몇 cm입니까?

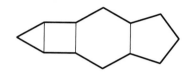

> ❶ (정육각형의 한 변의 길이)
>   =(정육각형의 모든 변의 길이의 합)÷6
> ❷ 굵은 선은 정육각형의 한 변이 몇 개인지 세어 길이를 구합니다.

❶(정육각형의 한 변의 길이)=150÷6=25 (cm)

❷따라서 굵은 선의 길이는 25 cm인 변 12개와 같으므로 25×12=300 (cm)입니다.

09 (정팔각형의 모든 변의 길이의 합)
    =(정오각형의 모든 변의 길이의 합)
    =16×5=80 (cm)
    ➡ (정팔각형의 한 변의 길이)=80÷8=10 (cm)

10 문제 분석

10 ❶정오각형 모양의 종이에 대각선을 모두 그은 후 대각선을 따라 모두 잘랐습니다. / ❷잘라서 나온 다각형은 모두 몇 개입니까?

> ❶ 정오각형을 그린 후 대각선을 모두 그어 봅니다.
> ❷ ❶에서 그린 그림에서 다각형의 수를 세어 봅니다.

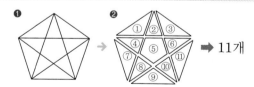

11 6 m=600 cm
(정육각형 한 개를 만드는 데 필요한 색 테이프의 길이)
    =5×6=30 (cm)
    ➡ (만들 수 있는 정육각형 수)=600÷30=20 (개)

참고

1 m=100 cm이므로 6 m=600 cm입니다.

12

정오각형은 삼각형 3개로 나누어지므로
(정오각형의 모든 각의 크기의 합)
    =180°×3=540°입니다.
    ➡ (정오각형의 한 각의 크기)=540°÷5=108°
따라서 ㉠=180°−108°=72°입니다.

83쪽

13 문제 분석

13 ❶다음이 설명하는 도형에 / ❷그을 수 있는 대각선은 모두 몇 개입니까?

> • 선분으로만 둘러싸인 도형입니다.
> • 변이 10개입니다.

> ❶ 설명하는 도형이 어떤 도형인지 구합니다.
> ❷ ❶에서 구한 도형에 그을 수 있는 대각선 수를 구합니다.

❶선분으로만 둘러싸인 도형이므로 다각형이고, 변이 10개이므로 십각형입니다.

❷(한 꼭짓점에서 그을 수 있는 대각선 수)
    =10−3=7(개)
(각 꼭짓점에서 그을 수 있는 대각선 수의 합)
    =7×10=70(개)
(십각형의 대각선 수)=70÷2=35(개)

14 마름모는 한 대각선이 다른 대각선을 반으로 나누므로
(선분 ㅅㅇ)=(선분 ㅇㅈ)=24÷2=12 (cm)입니다.
    ➡ (변 ㄱㅂ)=(변 ㄷㄹ)=12+12=24 (cm)
직사각형은 한 대각선이 다른 대각선을 반으로 나누고 마름모는 네 변의 길이가 모두 같으므로
(변 ㄱㄴ)=(변 ㄴㄷ)=(변 ㄹㅁ)=(변 ㅁㅂ)
        =(선분 ㄷㅇ)=30÷2=15 (cm)입니다.
따라서 굵은 선의 길이는
15+15+24+15+15+24=108 (cm)입니다.

15 직사각형은 두 대각선의 길이가 같고 한 대각선이 다른 대각선을 반으로 나누므로
(선분 ㄱㅁ)=(선분 ㄹㅁ)입니다.
    ➡ 삼각형 ㄱㅁㄹ은 이등변삼각형입니다.
(각 ㅁㄱㄹ)+(각 ㅁㄹㄱ)=180°−120°=60°이고
(각 ㅁㄱㄹ)=(각 ㅁㄹㄱ)이므로
(각 ㅁㄹㄱ)=60°÷2=30°입니다.
따라서 (각 ㅁㄹㄷ)=90°−30°=60°입니다.

16 문제 분석

16 ❸마름모 ㄱㄴㄷㄹ의 한 변의 길이는 몇 cm입니까?

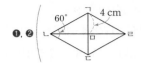

❶ 마름모는 네 변의 길이가 같음을 이용하여 삼각형 ㄱㄴㄷ이 어떤 삼각형인지 알아봅니다.
❷ 마름모는 한 대각선이 다른 대각선을 반으로 나누는 성질을 이용하여 선분 ㄱㄷ의 길이를 구합니다.
❸ ❶과 ❷를 이용하여 마름모의 한 변의 길이를 구합니다.

❶삼각형 ㄱㄴㄷ은 변 ㄱㄴ과 변 ㄴㄷ의 길이가 같으므로 이등변삼각형입니다.
➡ (각 ㄴㄱㄷ)+(각 ㄴㄷㄱ)=180°−60°=120°이고,
(각 ㄴㄱㄷ)=(각 ㄴㄷㄱ)=120°÷2=60°이므로 삼각형 ㄱㄴㄷ은 정삼각형입니다.

❷마름모는 한 대각선이 다른 대각선을 반으로 나누므로 (선분 ㄱㄷ)=(선분 ㄱㅁ)×2=4×2=8 (cm)입니다.

❸따라서 정삼각형 ㄱㄴㄷ의 한 변의 길이가 8 cm이므로 마름모 ㄱㄴㄷㄹ의 한 변의 길이도 8 cm입니다.

17 문제 분석

17 ❶정팔각형과 /❷정사각형을 겹치지 않게 이어 붙여 만든 도형입니다. /❸각 ㅊㅈㅇ의 크기는 몇 도입니까?

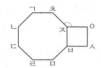

❶ 정팔각형을 가장 적은 수의 삼각형으로 나누는 방법을 이용하여 각 ㅊㅈㅂ의 크기를 구합니다.
❷ 정사각형의 한 각의 크기는 90°임을 이용하여 각 ㅂㅈㅇ의 크기를 구합니다.
❸ (각 ㅊㅈㅇ)=360°−(각 ㅊㅈㅂ)−(각 ㅂㅈㅇ)을 계산합니다.

❶정팔각형은 삼각형 6개로 나누어지므로
(정팔각형의 모든 각의 크기의 합)
=180°×6=1080°입니다.
➡ (각 ㅊㅈㅂ)=(정팔각형의 한 각의 크기)
=1080°÷8=135°
❷(각 ㅂㅈㅇ)=(정사각형의 한 각의 크기)=90°
❸따라서 (각 ㅊㅈㅇ)=360°−135°−90°=135°입니다.

18 정육각형은 삼각형 4개로 나누어지므로
(정육각형의 모든 각의 크기의 합)
=180°×4=720°입니다.
➡ (각 ㄴㄱㅂ)=(정육각형의 한 각의 크기)
=720°÷6=120°
정육각형은 모든 변의 길이가 같으므로
(변 ㄱㄴ)=(변 ㄱㅂ)입니다.
➡ 삼각형 ㄱㄴㅂ은 이등변삼각형입니다.
따라서 (각 ㄱㄴㅂ)+(각 ㄱㅂㄴ)=180°−120°=60°
이고 (각 ㄱㄴㅂ)=(각 ㄱㅂㄴ)이므로
(각 ㄱㄴㅂ)=60°÷2=30°입니다.

🐻 **사고력**유형   **84~85쪽**

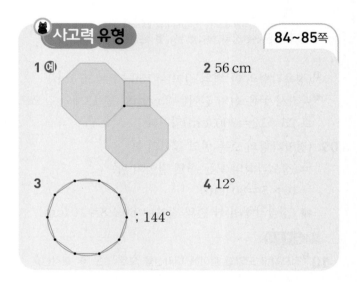

1 예

2 56 cm

3   ; 144°

4 12°

84쪽

1 360°−135°=225°인데 225°는 90°끼리 더한 값으로 만들 수 없습니다.
360°−135°−135°=90°이므로 정팔각형 모양의 색종이를 2장, 정사각형 모양의 색종이를 1장 사용하면 됩니다.

2 첫 번째: 한 변의 길이가 4 cm인 정오각형
→ 4×5=20 (cm)<50 cm ➡ 아니요
두 번째: 한 변의 길이가 5 cm인 정육각형
→ 5×6=30 (cm)<50 cm ➡ 아니요
세 번째: 한 변의 길이가 6 cm인 정칠각형
→ 6×7=42 (cm)<50 cm ➡ 아니요
네 번째: 한 변의 길이가 7 cm인 정팔각형
→ 7×8=56 (cm)>50 cm ➡ 예
따라서 끝에 나오는 정다각형의 모든 변의 길이의 합은 56 cm입니다.

85쪽

3

점을 차례로 이으면 정십각형이 만들어집니다.
정십각형은 삼각형 8개로 나누어지므로
(정십각형의 모든 각의 크기의 합)
$=180°×8=1440°$입니다.

➡ (정십각형의 한 각의 크기)$=1440°÷10=144°$

4

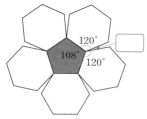

정오각형은 삼각형 3개로 나누어지므로
(정오각형의 모든 각의 크기의 합)
$=180°×3=540°$입니다.

➡ (정오각형의 한 각의 크기)$=540°÷5=108°$

정육각형은 삼각형 4개로 나누어지므로
(정육각형의 모든 각의 크기의 합)
$=180°×4=720°$입니다.

➡ (정육각형의 한 각의 크기)$=720°÷6=120°$

따라서 □$=360°-108°-120°-120°=12°$입니다.

도전! 최상위 유형 86~87쪽

| 1 십일각형 | 2 64 cm |
| 3 20개 | 4 90° |

86쪽

1 어떤 다각형의 꼭짓점의 수를 □개라 하면
(한 꼭짓점에서 그을 수 있는 대각선 수)$=□-3$,
(각 꼭짓점에서 그을 수 있는 대각선 수의 합)
$=(□-3)×□$입니다.
$(□-3)×□$를 2로 나눈 값이 44이므로
$(□-3)×□=44×2=88$입니다.

➡ $8×11=88$에서 □$=11$입니다.
따라서 꼭짓점이 11개인 다각형이므로 십일각형입니다.

2 마름모는 한 대각선이 다른 대각선을
반으로 나눕니다.

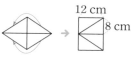

다음과 같이 마름모의 대각선을 따라 자른 후 이어 붙
이는 방법은 2가지입니다.

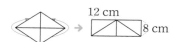

(직사각형의 네 변의 길이의 합)
$=12+8+8+12+8+8=56$ (cm)

(직사각형의 네 변의 길이의 합)
$=12+12+8+12+12+8=64$ (cm)

➡ $56<64$이므로 네 변의 길이의 합이 가장 긴 직사
각형의 네 변의 길이의 합은 64 cm입니다.

87쪽

3

5개   5개   5개   5개

따라서 모두 $5+5+5+5=20$(개)입니다.

4

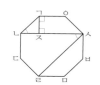

정팔각형은 삼각형 6개로 나누어지므로
(정팔각형의 모든 각의 크기의 합)
$=180°×6=1080°$입니다.

➡ (각 ㄴㄱㅇ)=(정팔각형의 한 각의 크기)
$=1080°÷8=135°$

선분 ㄱㅇ과 선분 ㄴㅅ이 서로 평행하므로 두 선분에
수직인 선분을 그을 수 있습니다.
(각 ㄴㄱㅈ)$=135°-90°=45°$이고
(각 ㄱㄴㅅ)=(각 ㄱㄴㅈ)$=180°-45°-90°=45°$
입니다.
같은 방법으로 각 ㄴㅅㅇ과 각 ㄹㅅㅂ의 크기도 45°
인 것을 알 수 있습니다.

➡ (각 ㄴㅅㄹ)$=135°-45°-45°=45°$입니다.
따라서 (각 ㄱㄴㅅ)+(각 ㄴㅅㄹ)$=45°+45°=90°$
입니다.

MEMO

MEMO

MEMO